D0235303

edward
redliński
bum ta ra ra

edward redliński

bum tarara

szkice
z wyprawy
antyamerykańskiej

Prószyński i S-ka

Copyright © Edward Redliński, 2006

Projekt okładki
Maciej Sadowski

Redakcja
Jan Koźbiel

Redakcja techniczna
Anna Troszczyńska

Korekta
Magdalena Zielonka

Łamanie
Małgorzata Wnuk

ISBN 83-7469-402-5

Wydawca
Prószyński i S-ka SA
02-651 Warszawa, ul. Garażowa 7
www.proszynski.pl

Druk i oprawa
Drukarnia Naukowo-Techniczna
Oddział Polskiej Agencji Prasowej SA
03-828 Warszawa, ul. Mińska 65

Bratu
Antoniemu Redlińskiemu,
dziękując,
że w 1984
wyrwał mnie ze wsi Warszawa
do Nowego Jorku

Za pierwodruk umieszczonych w niniejszym zbiorze utworów wyrazy mojej pamięci i wdzięczności niech przyjmą:

– Dominik Horodyński, „Kultura" (utwory nr 1 i 2)
– Marian Lewandowski, „Kariera" (utwory nr 3–6, 8, 12, 13, 15, 18, 20)
– Julita Karkowska, „Przegląd Polski" i śp. Bolesław Wierzbiański, „Nowy Dziennik" (utwory nr 7, 16)
– Bożena Branicki, „Przewodnik Nowojorski" (utwory nr 9–11, 14)
– Krzysztof T. Toeplitz, „Wiadomości Kulturalne" (utwór nr 17)
– Andrzej Skoczylas i Czesław Czapliński, „Sztuka" (utwory nr 19 i 22)
– Jan Bijak i Zdzisław Pietrasik, „Polityka" (utwór nr 21).

Edward Redliński

przed
Ameryką

Coś, nie wiadomo co

Znowu: znowu na strychu nocą łomotało. Która była? Trzecia? Czwarta? Tętent, jakby nosorożec przecwałował po suficie. Kot za myszą? Może tchórz? Co to było? Trzeba by... Niedziela. Niedziela, a ja łatam spodnie. Mam na nowe spodnie, mam. Mam na setkę nowych spodni. Ale te stare wysłużyły swoje. Przeżyłem w nich niemało. Wyrzucić? Nie wyrzuca się starych przyjaciół. Tak, przeżyliśmy razem niemało. Dopasowały się. Zszywane wiele razy, łatane, cerowane. Kupić nowe... A co z tymi? Pani Jelska stare buty, stare szmaty pali. „Nie wypada, żeby walały się gdzieś w jamie. Nie po ludzku".

Tak, nie po ludzku. Wyrzec się starych spodni, starych rzeczy, starej chaty, krewnych, znajomych: co zostanie? Nazwisko.

To i nazwisko zafundować nowe. I od nowa.

Nie.

Niedziela. Stryko pewno śpi. Stryna chyba myje się, w niedzielę rano, po śniadaniu, myje się cała. Zosia w kościele. Stryna Pawlicha też. I Jadźka. A Michał śpi. Na pewno śpi, niedziela.

Zadeszczyło się.

Niedziela, a ja szyję. I całkiem nieźle mi idzie, choć niedziela. Kiedyś takiego, co szył w niedzielę, napadłaby Niedzielka. Zdarłaby skórę z takiego, wąskimi pasami, i utkała z tego chodniki. Do kościoła.

Ta łata zgrabna, nie ma co, byłbym świetnym rzemieślnikiem. Krawcem. Szyłbym kożuchy. Tak, kożuchy, garniturów nie. „Klapy proszę takie, tu wcięcie, spodnie od kolan poszerzone". Nie, szyłbym kożuchy. Ja wiem, jak powinno się szyć kożuchy. Moje kożuchy, to byłyby kożuchy. Przyjeżdżaliby do mnie z daleka: zza rzeki. Z miasta. Z innych województw. Pół Polski by przyjeżdżało. „Panie Redliński, błagam, niech pan nie odmawia, pieniądze się nie liczą".

Odmawiałbym: artystom, krytykom, dygnitarzom. I redaktorom. Jakby facet z telewizji chciał mnie przekupić wywiadem, też bym odmówił. Po co mi sława. Sława to choroba. Żyję sobie w chacie, szyję. Lata mijają, a ja szyję. Bez paniki. Wiosna, lato, jesień, zima. Wiosna, lato, jesień, zima. Wstaję rano. Świętuję niedziele. Nie kłócę się z sąsiadami. Ludzie mnie szanują, proszą na kuma. Żenię się, z dziewczyną stąd. Odważnie, bez przebierania. Aby nieszpetna i niegłupia. Co się zastanawiać. Chrzciny. Drugie chrzciny. Trzecie. Dzieci rosną. Ja szyję, coraz lepiej. Ręce mam pokłute, plecy zgarbione, ale sumienie czyste.

Nie zmarnowałem życia.

Albo robiłbym w drewnie. Stolarkę. Stoły, ławki, łóżka. Jakie to wspaniałe: samemu zrobić stół! Ile robiłem... Od czwartej rano do pierwszej w nocy. Łóżko od siódmej do północy. Kto oglądał, chwalił. Baśka, Sławek, Włodek, Zbyszek. Chwalili. Zbyszek od razu położył się i usnął.

Tylko Wojtek kręcił nosem. Ale on rzeźbiarz.

Michał chwalił. A robił kiedyś chomąta, zna się.

Ten łomot nocą był wielki, ale to, co łomotało, nie musiało być wielkie. Noc wyolbrzymia. Wtedy ten krzyk, co aż się zerwałem, chwyciłem toporek. Jakiś ptak, jazgotliwy, ale tylko ptak. I to nie orzeł, nie gryf, żadne praptaszysko. Nic mitologicznego.

Z początku budziło lada chrobotanie. W M-2 było sterylnie, raz na pchłę polowaliśmy z B. do piątej rano. A tu... Szepty, chroboty, szuranie, piski, tupot, ucieczki, mordowanie. Pożeranie się, wszędzie: pod podłogą, na strychu, w trawie, w gałęziach, w szczelinach, norkach, w wiadrze, w piecu... Czasem nad ranem gdzieś w polu wrzask. Zając rozdzierany przez lisa? Psa? Mordowana kuropatwa? Gwałcona kotka?

Budziłem się, serce stukało. Co to chroboce pod podłogą? Co za gad dobiera się do domu? Co piszczy w kominie. Łopocze, pohukuje! Kawki? Może nie kawki? Byle dzyń w talerzach, już nie śpię. Przesmyknie się coś po kołdrze, nie śpię. Albo, ha, ha, albo to, jak mi coś weszło na włosy. Wyleciało jak z katapulty, bęc! Stuknęło aż w drzwi, tak się zerwałem!

Kupiłem latarkę. Coś zabrzęczało w kątku, rozpaczliwie, agonalnie, ja błyś! Różowy owad, rozfurkotany w pajęczynie, pająk tuż, tuż, krąży, skacze po nitkach! A podniecony! Dopadł wreszcie, odciął łebek i wczepił się brzuchem w zdobycz. Brzuchem! Czysty seks... Gwałt. Morderstwo. Sadyzm. Pornografia taka, że ledwo wytrzymałem.

Albo te galopy po podłodze. Szczur? E, nie, szczur nie ma kopyt. Zaświeciłem: mysz. Myszka.

Nocą chata rezonuje jak bęben.

O, jacyś chodzą po brzezinie. W skafandrach, z koszami. Grzybiarze. Miastowi.

Może pójść?

Szyby zamglone. Chłody. Czas wstawić dubeltowe okna.

Dobrze, że mam już kartofle na zimę. I buraki, marchew. I ogórki. I kapustę. Część kapusty trzeba zakisić. Ale gdzie kupię beczkę? W czwartek na targu?

No i opał. Czas. Z tydzień piłowania i rąbania. No i staw.

Nie, na razie stawu nie będę napełniał. Przedtem trzeba wyrychtować skarpy. Z dziesięć dni roboty. Czy zdążę przed przymrozkami? A zastawkę wymurować! Chyba zwołam znajomych i rodzinkę do roboty. Ale szpadli nie mam, choroba, nigdzie nie można kupić, ni w Chodorach, ni w Białymstoku, czy te szpadle ze złota, czy co?

Jeden pożyczy się u stryka...

I jeszcze te formalności, zezwolenie, Boże, chodzić, pisać, tłumaczyć się – okropieństwo. Ale trudno. Nie ma lekko. Za to kiedy już będzie woda! Ryby! Dzikie kaczki może będą przylatywać. Sarny przychodzić do wodopoju. Ech, brzezina będzie odbijać się w wodzie. Żeby prędzej wiosna!

Nie, zima też dobra. Byle w chacie było ciepło. Jutro wyczyszczę piece. Tyle lat nie czyszczone, ile w nich sadzy! Wiadro? Dwa? Pięć? Może wezwać B., ona wie, jak czyścić piece. Ja tylko pomagałem kiedyś siostrze. Ile to już lat? Ze dwadzieścia. Trzeba było zapamiętać jak. Teraz umiałbym.

Zapamiętać... Wtedy, ha, ha, ha, marzyły się gimnazjaliście samoloty, Afryka, Niujorki, Hawaje...

E, zetnę kilka jałowców, ogolę z gałązek aż po czub. Byle zacząć, potem jakoś da się radę. I nie ma co odwlekać, wykręcać się, chata bez pieca, to jak organizm bez... Bez czego? Serca? Czy żołądka?

A może: duszy?

Dusza była w żelazku do prasowania. To ta część, którą nagrzewało się w ogniu do czerwoności i wsuwało w żelazko. Aha, i ten kawałek mięsa, który wkładało się przed pieczeniem do bochenka, żeby był smaczniejszy, też nazywano dusza...

11

Co to? Armata? Ależ wystrzał! Nie, odrzutowiec. Chociaż Michał mówi, że badanie pogody:

Badajo pogode. Strzelajo w chmury, puszczajo jakieś balony.

Ty widział te balony?

Nie widział, bo pochmurno.

A jak chmur ni ma, widział?

Jak chmur ni ma, nie puszczajo.

To nie balony, Michał. To odrzutowiec. Jak odrzutowiec przekroczy prędkość...

Tłumaczyłem Michałowi, ale zaplątałem się. Fala dźwiękowa, gdy podąża z podwójną prędkością, zderza się... Z czym się zderza? Zaraz, zjawisko Doplera... Czy Doeplera? Zapominam... Kiedyś miałem to wszystko w jednym palcu. Tajemnica tęczy. Podwójnej tęczy. Dlaczego niebo niebieskie. Od czego przypływy i odpływy morza. Kwadry księżyca. Wyże, niże. Mięsień sercowy... Dlaczego pracuje...

Trzeba by zajrzeć do książek, przypomnieć. Wstyd! Facet z wyższym wykształceniem, inżynier, i zastanawia się nad podstawowymi rzeczami.

Gdyby kazali mi zdawać maturę, Boże! Żadnych szans.

Drugie prawo Ohma...

Jak oblicza się pierwiastek kwadratowy...

„e"? Chyba 4,71? Czy 2.71? Co to jest? Stała logarytmiczna... Stała logarytmiczna?

Bitwa pod... Issos. Czy... Isos? W którym roku? 470 p.n.e.? Nie, to chyba pod Maratonem...

No, no, regres panie R. Regres. Spodnie pan łatasz, zamiast...

Oho, ktoś idzie, ciekawe, kroki wyczuwa się przez ławkę na kilkadziesiąt metrów.

Obtupuje buty na kamieniu. Wszedł do sieni. Otworzę mu...

Ziutek.

Cześć!

Cześć. Siadaj.

Siada. Zdejmuje beret. Otrzepuje.

Był na grzybach, myślę: zajde.

No i dobrze. A jak grzyby? Są?

Ziutek nie dosłyszy. Nie zrozumiał pytania. Ale na wszelki wypadek śmieje się szeroko, przypuszcza, że zażartowałem. Zębiska zdrowe, kości mógłby miażdżyć. Ależ łysy! Kiedy on tak wyłysiał?

Strasznie wyłysiałeś.

Co?

Łysy! Łysina! krzyczę i dodatkowo klepię go jeszcze po glacy. Ły-
siejesz!!

Za mało rucham.

Nie masz czym?

Co?

Nie masz czym?!!!

Nie ma kogo.

E, tyle kobiet się marnuje.

Ale słuch u mnie słaby.

Toż to nie uchem!!!

Ale przedtem trzeba pogadać. Byle o czym. Jak nie pogadasz, baba
nie da. Tak już jest.

Fakt. Kończę szycie. Jeszcze tylko guzik wzmocnić. Ziutek obser-
wuje.

Wtem wyjmuje zza pazuchy list.

Z redakcji. Przypominają o obowiązku. Wiem, wiem, to mnie męczy od dawna. Trzeba napisać. Ale tak się nie chce. Tak się nie chce. Jak
jest co robić, nie chce się pisać.

Zahuczało!!! Nasłuchuję...

Łopot przeleciał po suficie, wzdłuż ściany, przy której siedzę: nad
szafą, lustrem, ławą i obrazami. Szybko, cwałująco. O, to zwierzę, zwierzę, i to niemałe. Ziutek mi się przygląda.

Co, grzmi?

Rzeczywiście: siedzę z przechyloną głową, jakbym nasłuchiwał nad-
ciągającej burzy. On nie słyszy, część świata go nie dosięga.

Coś lata po górze!

Co mówisz?

Coś lata po górze!!!

A... Macha ręką. Niech lata...

Zadudniło: coś, nie wiadomo co, kawał zwierza, wali z powrotem:
nad obrazami, ławą, lustrem, szafą. Ucichło nad sienią. Cóż za bydlę,
trzeba będzie pójść z latarką, zobaczyć. Co za licho przypętało się do
domu.

Może napijesz się herbaty. Wódki nie mam.

Wódki?

Herbata!!!

Nie. Pójde.

Wciąga beret. Przyklepuje. Wzdycha:

Niedziela...

Niedziela.

Dobrze tak sobie w niedziele pogadać.

Dziękuję za list.

Cześć!

Cześć!

Poszedł. Ciężkie chłopisko, powolne. Powolne i smutne. Zwolnili go z pracy, dali rentę. A chłop jak koń. Jak koń silny i jak koń uczciwy. I nie ma dla niego pracy. Zastępuje listonosza, póki ten na urlopie. Raz, pijany, opowiadał w pociągu o sobie. Dużo rozumie, głęboko. Zdumiewające! A tamto w barze koło kościoła św. Rocha... Jadłem tatara. Przysiadł się. Na talerzu tatar, cztery porcje. Dosypał ze dwie łyżeczki papryki, łyżeczkę pieprzu, łyżeczkę soli. Wymieszał. I zabrał się do jedzenia. Ale jak jadł! Tatar w gębie rósł mu od soków jak ciasto chlebowe, on miesił, miesił! Miesił i wchłaniał.

Podniósł głowę znad talerza.

Dobre jedzenie, powiedział lubieżnie.

Masz spust.

Sobota. Święto, wymruczał i wszystko zrozumiałem. Wtedy jeszcze pracował, w terenie, na budowach.

Oho, skręcił do lasu...

Może i ja? Zupę bym ugotował, grzybową.

Ale list na stole. Nie, nie pójdę na grzyby, trzeba napisać. Ale nie chce się niczego wymyślać. I nie chce się nikogo opisywać, nie mam prawa pisać o innych. To jakbym im okna odsłaniał. Jakbym dla oczu P.T. Czytelników kołdry odkrywał czyjeś, jakbym dla P.T. Czytelników podglądał. Tylko o sobie mam prawo pisać. O sobie... Obnażać się? Tfu! Więc zmyślać? Nie. Po co zmyślać. Dobrze jest, jak jest. To, co jest, wystarczy. Dobrze, że pada. Że niedziela. Że coś łomocze na strychu. Że Ziutek. Że list. Że chcą.

Opiszę tę niedzielę. Że jesień, deszcz.

Piszę...

Napisałem. Do tego miejsca, że dobrze. I co dalej? Zmyślać?

O, kroki! Człapiące. Stryna Pawlicha?

Tak. Pawlicha.

Dzindobry.

14

Dzindobry.

Tu do ciebie szed człowiek. Był?

Głuchi Ziutek.

A co, list przynios?

List.

I dobra wiadomość?

Niekiepska.

Jak nie kiepska, to już dobra.

Tak...

Rozpadało sie...

Jesień, stryno.

Chwała Bogu, że uśpielim z kartoflami.

Pogoda poszykowała.

O, lato latoś było piekne. Takie długie. Lato, lato, lato i ciach! Od rana jesień. Jakby w nocy wyszło zarządzenie.

No, no...

A prawda, czego ja przyszła. U ciebie ogórki nie gnijo?

Troche z wierzchu zgniło. Kamień był za ciężki.

E, to nie od kamienia. Ja i liści dębowe dała, i czosnyk, i beczke wyparzyła. A gnijo. Bo taki rok. Trafi kiepski rok, gnijo. Trafi dobry rok, udadzo sie. A kapuste już kisił?

Łopot! Du! du! du! du! Stryna patrzy w sufit.

A coż za choroba?

Już z tydzień tak lata.

Co?

Nie wiadomo.

Nie zaglądał?

Jeszcze nie.

Choroba! Jak koń! Coż to?

Może kot za myszo...

E, koty sprytniejsze. Kot cichi. Cicho, cicho i trach! skoczy, złapał albo nie złapał. I znowuś cicho. A to... Lata jak sobaka, szczor.

Ale ja nic tam takiego na górze dla szczurów ni mam. Ni zboża, ni mąki.

Ale u was szpaki pod dachówko. Może on za szpakami lata. Czy za wróblami. U mnie w stodole zadusiło takie ładne kureczke. Co? Szczor! A w słomie wiosno sześć łebkow leżało kuraczych, a kury? Zgineli.

To nie szczor. To tchor. Albo może lis?

Może lis. Ja dwa lisy widziała.

Gdzie?

W życie za stodoło. W żniwa. Mieżo lecieli. Pierwszy czerwony, a drugi bardziej żółty.

Nie uciekali?

Ja krzyknęła: A wy rozbojniki! To tylko obejrzeli sie i troszku skręcili w żyto. Gdzieś w Litwinowej brzezinie majo nore. A wiosno wilk tędy przelatywał.

Którędy?

A przez gorke. Z turosieńskich lasów do barankowskich.

A ja przedwczoraj widział dwie sarenki. Jade wieczorem rowerem, a tu w Gęszczarach coś smyk mnie przed nosem, i przepadło w krzakach. Staje, patrze, co to było. Raptem znowu szum, patrze: sarna! Tak blisko, że jakby ja nie odsunął się, trachnełaby w rower.

A sowe słyszał? Przylatuje, choroba. Puha! Aż straszno. Puhała u Mańkowskiego. Umar. Puhała w Rostołtach, też człek umar. U was na jesionie puhała i tatko umarli.

Naprawde puhała?

A ze trzy dni. Puhała u Kramara. Umar. A teraz, zaraza, puha na olszce za stodoło. Nie słyszał? Jak tylko zmierzchnie sie, zaczyna. Ciekawe, czy dziś też.

A to nie dziki gołąb?

Nie ta pora. Nu i kruki, jastrzębi ich wyniszczyli... To sowa. I na kogo ona puha...

E tam, nie od każdego puhania umierajo.

A ja coś słabuje. Szła z kościoła, a tu coś, nie wiadomo co, trach! Upadła. Leżała, nie wiem – pare minut czy godzine. Przecknęła sie, patrze: a coż za choroba, czego ja leże pośrodku popławu!

Z przemęczenia to.

Ze starości. Michał gada, że Staśko chyba będzie umierał.

Bo co?

Chodzi, długi oddaje... Maćko jak miał umrzyć, też chodził, długi oddawał. A co tobie w palec?

A skaleczył piło, zabrudziło się. Narywa.

Ty wsadź w gotujące sie wode. Posol wode, zagotuj, niechaj gotuje sie, a ty wsadź ten palec, wyjmij! Wsadź. Wyjmij! Trochu zapiecze. Ale pomoże. Abo przykładaj solone słonine. Abo cybule. Wyciąga.

Spróbuje...

16

Toż ręka do roboty potrzebna. Ale ja tu gadam, czas zabieram. Ty coś piszesz...

A, takie tam...

To już pójde...

Stryna idzie, ale w progu zatrzymuje się. Widać jeszcze się nie wygadała.

Przez otwarte drzwi dolatuje z nadworza piękny klangor. Wybiegam: nie pada, a w górze dwie dzikie gęsi. Przelatują nad naszymi domami, lecz na zachód. Nad Narew? Czy dalej? Gdzie odlatują dzikie gęsi? Czy odlatują?

A gęsi stryny Pawlichy pod jabłoniami zbiły się w stado: przekręcają łebki, szukają oczkami górnolotnych krewniaczek. Jakie spłoszone, zaniepokojone. Domowe gęsi. Osiadłe.

Ja jestem taka osiadła gęś. Podczas gdy inni... Stop! Bez literatury, tego, co nie jest literaturą, nie zasmradzać. Literatura: na łamy...

Pomału trzeba będzie ich rżnąć i przedawać, mówi stryna.

Wracam pisać. Piszę...

Napisane. I co teraz? Meandry myśli notować? Dzieciństwo rozkoszne wspominać? Swoich opisywać? Zmyślać? Tfu...

Jeść się chce. Ugotuję kapustę i kartofle. Okraszę skwarkami. Zjem. A potem zobaczymy.

Ugotowałem, zjadłem. Przyjemnie się gotowało, smacznie jadło. Cieplej w chacie. I co teraz, czytać? „Nie ma kto pisać do pułkownika", „Gra w klasy". Trzeba przeczytać, wstyd nie znać Marqueza, Cortazara.

E, jaki tam wstyd.

Narąbałbym polan, ale niedziela. Nie można psuć święta sąsiadom. Może przejść się. Nie, znowu pada. A w chacie tak miło. Chata w deszcz zyskuje, czuje się chatę. Że chata to chata. Radio by się przydało. Szkoda że zepsute. Kiedy wreszcie zawiozę je do naprawy.

Położę się, poleżę przy ciepłym piecu.

Boże, jak dobrze. Że palec pulsuje, też dobrze. Przyjemny ten ból.

Może kupić telewizor? Transmisje sportowe bym sobie oglądał. Kino Interesujących Filmów. Czasem teatr. I transmisje z uroczystości państwowych. Mimo wszystko, jeśli się patrzy wnikliwie, coś ciekawego można wypatrzyć. Przyglądałbym się znajomym i rówieśnikom: jak rosną, robią karierę. Tak, kupię telewizor, żeby nie wypaść. Muszę z grubsza orientować się, co ludzie robią. Co jest ważne.

Zbeszczelniałem. Leżę sobie, nasłuchuję burczenia w brzuchu. Tymczasem w Portugalii, w Palestynie... A ja tu: powrót do macicy. Chata. Kiszenie ogórków. Gdyby tak wszyscy...

Wszyscy? A gówno. Mało kogo na to stać...

Ciemno. Może spać? Za to wstałbym wcześnie, przyjemnie wstać ze wszystkimi, rano. Która jest? Pół do szóstej... Rety, pół do szóstej do łóżka? Dlaczego nie pojechałem do Warszawy! Przecież obiecałem... Takie zaległości w sztukach. „Sprawa Dantona". „Ślub". „Białe małżeństwo". „Dante"... Może pojechać do Białegostoku, zdążyłbym jeszcze na pociąg, ten po osiemnastej. Jeśli nie do kina, to chociaż do znajomych...

Brr! Dyskutować, konfrontować, analizować.

Że Wajda to, Zanussi tamto, Grotowski owamto, że Parnicki, że Kubicki, że Olbrychski, brr!

U stryków zaświeciło się w pokoju, oho: do Zosieńki przyjechał narzeczony.

U Pawlichy ciemno. Poszli spać.

To i ja...

Boże, a to co za krzyk?!

Aha, sowa. Rzeczywiście, przeraźliwa. Kogo ona puha? Komu przepowiada? Stryjnie? Strykowi? Staśkowi?

Mnie?

E, jestem zdrowy jak koń, nic mi nie jest. Chociaż...

Czy sowa może przeczuć wypadek?

A może wziąć latarkę i przepłoszyć straszydło? Co ma ludzi niepokoić...

A tam, niech krzyczy, nie chce się wychodzić. Niech sobie pohukuje, co ma być, to będzie.

Oho, na strychu znowu łomocze. Od kuferka... do skrzyni... do szczytu... I cisza!

I z powrotem!

Łomocze. Coś łomocze...

A niech łomocze.

Frampol, 1976

Bazar

Skryłem się przed nimi na kurniku – zasnąłem w cieple, śniły mi się leniwe zwierzęta o puszystej sierści, rajskie ptaki, panny o piersiach wzdętych jak żagle... Ale znaleźli. Obudzili. Żeby dręczyć.

W piachu podwórza klęczał ojciec – ustami przywarł do opony, pompował koło, nabrzmiałe policzki posiniały mu z wysiłku. Spod brwi, przekrwionymi oczyma spojrzał na mnie, wylegującego się na daszku – zatkał wentyl palcem, odetchnął.

– Michał! – sapnął, trzymając się wozu. – Zaraz odjeżdżamy... uff... a ty...

Przy studni szykowały się siostry: najstarsza szorowała pumeksem pięty, chropowate od chodzenia boso, średnia wszywała watę w stanik, najmłodsza pudrowała krosty na nosie. W otwartym oknie matka prasowała niedzielne koszule.

Opona nie wzbierała, choć ojciec nadymał się ofiarnie. Tracił już siły, powietrze uchodziło nosem, bąbelkując i gwiżdżąc. Wreszcie, strudzony, otarł rękawem czoło. Usiadł na węgle, ręce zwiesiwszy między kolanami odpoczywał, dysząc w słońcu. Przez ramię spoglądał na płot, na sąsiedzkie podwórka.

Grabowie byli już w garniturach: stary zaprzęgał swoje kasztany, młodzi regulowali motocykle – huczało, dymiło, cuchnęło spalinami.

Na drugim gumnie Jan Lipka szykował konia. Poprawiwszy szory, odchylił ogon i, rozglądnąwszy się, czy nikt nie widzi, przywarł ustami: nadymał szkapie boki do ładnej krągłości, aby żebra nie sterczały.

I z innych gumien niosły się krzyki, warkoty, szczekanie, wieś elegantowała się na odpust.

– Nasze szkapiska by dopompować... – rzekł ojciec, przyglądając się dereszom pod brzozą. Stały w cieniu – potrząsając grzywami, chłoszcząc się ogonami spędzały bąki. Przejechałem dłonią po twarzy, zsuwając muchy, co natrętnie penetrowały nóżkami skórę, zwłaszcza kąciki ust i oczu.

– Złaź! – wezwał ojciec. – Dopompuj.

Odburknąłem, żeby pożyczył pompkę od Grabów.

– O nie! – żachnął się. – Nie będzie Dębik u Graba pożyczał. Złaź!
– I rzucił patykiem.

Ojciec i Grab ścigali się i ścigają w liczbie hektarów, koni, krów i dzieci. Ojciec ma hektarów pięć, zapiaszczonych, Grab dziewięć, tłustych. Koni ojciec ma parę, Grab parę i źrebaka. Krów ojciec chowa dwie i cielaka, Grab sześć i byczka. Córek ojciec ma, niestety, aż trzy, zaś Grab ani jednej, a synów trzech, i to robotnych, ojciec zaś jednego, niewydarzonego.

– Ostatni raz cię pytam, hultaju – oświadczył. – Zleziesz czy nie!?

Odpowiedziałem stanowczo, że na odpust nie pojadę.

Rozzłościł się:

– Znaczy uważasz, że ludzie mają z nas za mało śmiechu?

– Mnie ich śmiech nie boli...

– Ale mnie boli! – huknął. – Córki w domu siedzą, bo żaden kawaler nie chce przygłupka za szwagra! Ej, dziewczęta!

I capnąwszy mnie z dołu za pięty, ściągnął na ziemię. Siostry pośpieszyły z miską, mydłem, matka wybiegła z chaty z koszulą.

– No i co? – spytał, zachodząc od tyłu z kołkiem w ręku. – Sam się ubierzesz, czy mamy cię obsłużyć?

– Ja trzydzieści lat skończyłem, ludzie! – jęknąłem, cofając się przed nimi. – Ja nie mam ochoty na ten odpust...

Niespodziewane uderzenie w kark zwaliło mnie z nóg – cios musiał być silny i mocny, od byle razu nie padam: ważę osiemdziesiąt kilo, zimą do dziewięćdziesięciu. A przecież runąłem jak nieżywy.

Ocknąłem się uczesany już i umyty, siostry naciągały mi niedzielne spodnie. Szarpnąłem się do ucieczki, ale poczułem na brzuchu zimne zęby.

– Leż! – rozkazał ojciec, przyciskając widły. – Leż, bo do ziemi przyszpilę. Ubierajcie go kobiety, aby szybko!

Widząc, że się poddałem, wbił ojciec widły obok w ziemię i szykował konie. Zgrzebłem zdrapywał kłaczki zsiniałej wiosennej sierści, zafrasowany przejechał palcem po żebrach, jak patykiem po sztachetach. Ale na dopompowywanie nie było czasu – z ulicy dolatywało już klaskanie kopyt o bruk, a ponad dachami perliły się dźwięki sygnaturki.

– Prędzej, dziewczęta! – ponaglił.

Siostry, ubrawszy mnie do reszty, wzięły się za siebie. Z trawy, coraz przytomniejszy, patrzyłem wzdłuż krawata, kantów u spodni, ponad noskami czarnych trzewików, jak przy studni obuwają się, czeszą, pudrują. Matka wyszła z chaty w brązowej wełnianej sukience po kostki, w czarnej chustce, z książką do nabożeństwa. Ojciec usiadł na wozie, na wysoko umieszczonym siedzisku, i niecierpliwie potrząsał lejcami.

– Wyglądacie nieźle – orzekł, spoglądając z wysoka na córki, żonę i na mnie w trawie. – Ale czy docenią, ech, czy docenią... No, wsiadajcie! A zegarek czemu nie nałożony? – zauważył. – Zegarek mu nałóżcie! Sześćset dwadzieścia złotych!

– O to – to – to! – przypomniała matka. – Zastanowić się, czy nie zostało w domu co drogiego! Broszki i korale wzięte? A pierścionki?

– Kożuszki ubierzcie! – przykazał stary dziewczynom. – Nic, że gorąco, wytrzymacie! A swój wygląd mają! Bułgarskie...

– To może i wersalkę wziąć? – spytała matka.

– A pewnie! – zapalił się i przygarściami jął zrzucać grochowiny spomiędzy laterek. – Po wersalkę, kobiety, prędzej, postawimy w poprzek, jak siedzisko. Ech, dałby Bóg, może awansujemy tego roku... Choć o parę miejsc, byle odbić się od tego końca... – gderał, nosząc grochowiny pod okap. – Jakbyś miał, Michał, choć trochę synowskiego serca, nie hańbiłbyś nas, starych... Twoi rówieśnicy motocyklami jeżdżą, auta kupują. A ty? Nawet na koszulę, nawet na krawat nie zarobisz...

Miałem ochotę wtrącić, że krochmalony kołnierzyk pije w szyję, krawat uciska grdykę. Że najchętniej wróciłbym na daszek lub w cień pod topolę i przeczekał odpustową giełdę. Ale po cóż gadać, drażnić się nawzajem, kiedy ich uszy głuche są na moje prawdy...

Siostry wyniosły z domu wersalkę, z pomocą ojca ustawiły na laterkach w poprzek wozu. Matka w podołku przydźwigała najefektowniejsze rzeczy: figurkę Pana Jezusa, portret ślubny oraz wentylator i puszkę po jugosłowiańskich sardynkach, zostawione ongiś przez elektromontera, który u nas kwaterował. Ułożyła to na wersalce, żeby imponowało. Imponowało.

– A żelazko! – przypomniało się ojcu. I rozprzypominał się:

– Maszynka do mięsa!

– Garnczek z gwizdkiem!
– Plastykowa taca!
– Obcęgi z izolacją!

Pobiegły, przyniosły, położyły. Ojciec wezwał ręką i słowem, żebym siadał przy nim, z przodu. Ujął lejce i rozejrzał się po gumnie. Co by jeszcze wziąć. Może cielaka, bo szczęśliwie, rekordowo rośnie. Co zamaskować, które ściany podeprzeć. Przeżegnał się. – No, z Bogiem – westchnął i z bata nad głowami strzelił. Konie szarpnęły postronkami. Ulicą sunął sznur furmanek, lśniło na nich, pstrzyło się i brzęczało wszystko, co ludzie mieli najdroższego. Poczekaliśmy, włączyliśmy się w lukę między wozami. Spod kościoła niosły się wystrzały korkowców i śpiewy kalek. Organy jeszcze nie grały – zagrają, gdy ruszy procesja.

Na środku placu, na podwyższeniu, stali kościelny, wójt, strażnik i młodzieżowiec z tubami i notesami w ręku – fury wjeżdżały jedna za drugą na podium, a oni, na oczach setek widzów i przy ich współudziale, sprawdzali i oceniali, z czym kto przyjechał – podliczali wszystko na papierze i ustalali kolejność. Niedługo wyjdzie z kościoła ksiądz pod baldachimem i ministranci, organista naciśnie pedały, a syn kościelnego rozkołysze dzwony. Ale kto pierwszy ruszy za baldachimem, kogo ustawią za pierwszymi, kogo za drugimi? Któ będzie dyrdał na szarym końcu – Lipkowie, Buśko, czy my? Wszyscy stoją w wozach i rozglądając się po konkurentach, zgadują, co zmieni się w klasyfikacji z zeszłorocznego odpustu; obserwują też pracę komisji, klaszczą, gwiżdżą, krzykiem dorzucają swoje uwagi. Albowiem wszyscy są zawodnikami – ale i widzami, i sędziami są. Punktują cały rok bez przerwy – każdy ma w pamięci parafialne zdarzenia, nabytki i ubytki, na bieżąco dopisuje sąsiadom plusy i minusy.

– Spójrzcie na Lipkę! – szepcze matka.

Tak, za nami czekał Lipka ze swoją rodziną, Lipka, który od lat zajmuje końcową lokatę. Poczciwy ten człowiek ostatni zaczyna wszelką robotę, ostatni kończy. Jedno umie: trzebić prosięta i barany. Sięgając nożem, mówi: „Fikum bzdrykum!", rzucając odrzynek do miski, kończy: „Bbęc!" Podrostki omijają go z daleka – wystarczy, że klaśnie się w udo i zarechocze „fikum bzdrykum!", a zmykają w popłochu, podtrzymując paski. Z wiosną chodzi Lipka tłuszczy, czerwieńszy, jego dzieci też dorodnieją, mówi się o nich: nabzdyczone... O nieważności Lipki przesądza jednak koń – konia ma Lipka bez górnej wargi, bo pies

22

ją urwał, i drabiniastego, czyli chudego tak, iż żebra widać niczym szczeble.

Dziś ma Lipka na furze kredens biały emaliowany za 860 złotych, stojące trzydrzwiowe lustro zwane tremo... W ręku trzyma niklowaną zapalniczkę i pstryka nią nader efektownie... Lipkowa dzierży na kolanach połeć wieprzowiny, na znak, że jedzą tłusto, i to wieprzowinę, a nie jakieś tam odrzynki... Córeczki rumiane i śliczne stoją na furze – to poprawiają przed lustrem niebieskie wstążeczki, to dygają i mówią do tłumu śliczne wierszyki.

– Ładnie wyglądają! – przeraziła się matka. – Wyprzedzą! I Buśko też!

Buśkę właśnie komisarze lustrowali na podium. Rodzina jego zajmowała dotychczas przedostatnie miejsce z powodu stukniętej babki: mimo sędziwego wieku staruszka mogła zjeść za trzech, biła syna za ukrywanie jadła, przeklinała nieprzyzwoicie i kłóciła się ze wszystkimi kobietami we wsi. Ale przepadała za chłopcami, do tego stopnia, że grała z nimi w piłkę nożną. Nawet ja nie kompromitowałem rodziny tak dotkliwie jak ona Buśków.

Ojciec był mocno poddenerwowany.

– Buśczycha umarła – rzekł. – Teraz Buśko pójdzie ostro w górę. – Obejrzał się na Lipkę raz jeszcze, jęknął. – O Jezu, wygrał! Patrzcie na konia!

Istotnie, odgryzioną wargę uzupełnił Lipka tekturą i pysk wyglądał normalnie. A dopompowane boki wypuczały się okrągło i dorodnie.

– Boże zmiłuj się nad nami! – szepnęła matka. – I Lipka, i Buśko wygrają!

– Czemuż nie dopompowałem! – biadolił ojciec, bijąc się rękojeścią bata po cholewie. – Będziemy ostatni. Nie ma co. Michał! – rozkazał cicho, ale stanowczo, rozglądając się: – Dopompowuj!

– Za późno... – zbyłem polecenie.

– Zdążysz! – rozkazał, jego oczy mieniły się rozpaczą, paniką, wściekłością. Wyjął derkę z wasąga. – Ja przykryję zady niby przed muchami, a ty dołem... Prędzej!

– Komisja... Zobaczą...

– Zajęci. Prędzej, mówię!

Złapałem się za oko, symulując zaprószenie.

– Michał! – szepnął błagalnie: – Synu, pomóż! Hańba nas czeka! Ostatni będziemy... Synku!

23

Udałem, że nie słyszę, było mi wszystko jedno, gdzie nas ulokują, na końcu procesji, w środku, czy za baldachimem. Ale ten ojcowy ból... ten ból... autentyczny ból... Cóż z tego, że wstyd jego z głupoty rodem, ze strachu – kiedy prawdziwy jest, piekący. Ludzki. Czy pomóc?
– O, już wołają! – rzekła matka. Buśko opuszczał pomost, komisarze kiwali notesami i dłońmi, żebyśmy wjeżdżali.
– Wejdę, zagadam – szepnął rozpaczliwie ojciec. – A ty może jakoś... tymczasem... – Odkaszlnął i chwacko wkroczył na pomost z wyciągniętą ręką.
– He he – zaczął, witając się – ten tego pochwalony, nie? Hę, poniekąd załóżmy, że tak powiem, ładna pogoda, co? – Niby nieumyślnie okręcił się na pięcie i w przelocie dramatycznie oko do mnie puścił, nakazująco się wyszczerzył... Ale ja schyliłem się, nogawki otrzepywałem z kurzu, jakbym żadnych znaków nie dostrzegał. – A jak Buśko wypadł? – pytał dla zwłoki.
– Nieźle – odparł wójt. – Dużo lepiej niż przed rokiem, chyba awansuje... No, wjeżdżajcie, bo zaraz nabożeństwo.
– Dębikiii! – ogłosił kościelny przez tubę, przekrzykując natłok rozmów, dziadowskich śpiewów, wystrzałów, rżenie. Setki spojrzeń przecięło się na naszych głowach, publiczność wspinała się na palce, wchodziła na wozy, płoty, spodziewano się przedniej zabawy.
Ojciec ciężko wrócił do fury.
– Ty wyrodku! – syknął przez zęby i z determinacją odwiązał lejce z kłonicy.
Wjechaliśmy na podium. Widzowie obmacywali szyderczymi spojrzeniami końskie żebra, wersalkę, nasze stroje.
– Brawo Michał! Wiwat Elektryk! – popisywali się podchmieleni wyrostkowie. – Ale cizie! Pierwsze miejsce! Hurra!
Było mi gorąco i duszno, ale nie z powodu prześmiewek. Czarny garnitur nagrzał się w słońcu i parzył jak blacha.
Komisarze zaczęli od koni.
– Para... – pochwalił wójt, obchodząc zaprzęg dookoła. – Wyczyszczone. Ale za chude, za chude są, panie Dębik...
– I uprząż stara – zauważył młodzieżowiec.
– Nie przegapcie, lewy ślepnie na jedno oko – zawołał ktoś z tłumu.
Wójt zajrzał lewemu w ślepia, w jedno, w drugie, kiwnął głową i zapisał w notesie. – A w gospodarstwie? – spytał. – Przybyło coś? Budynki, inwentarz, po staremu?

– Ubyło! – wołano z tłumu. – Chlew się zawalił, bo krokwie przegniły!

– W sieczkarni tryb wysiadł!

– Biała kura zdechła!

– Krasula nie daje z czwartej cycki!

– Ale Wiśnia się ocieliła! – przekrzyczał ich ojciec. – Cielaka nie zarżnąłem, chowam, pięknie rośnie!

– Aha, cielaka – mruknął wójt, wpisując punkty i podniósł oczy na wersalkę. – Przejdźmy do fury – ogłosił.

Kościelny postukał laską w oponę.

– Koło niedopompowane – zauważył i zanotował. Tymczasem matka i siostry uniosły nad głowy – aby i publiczność, i komisarze dobrze obejrzeli – świętą figurkę, portret ślubny wykonany tego roku przez wędrownego artystę, maszynkę do mięsa, żelazko, garnek z gwizdkiem, plastykową zieloną tacę, obcęgi z izolacją oraz wentylator i puszkę po konserwach. Komisarze kiwnęli głowami i obiektywnie wpisali plusy, choć widzowie próbowali kpinami obniżyć korzystne wrażenie.

– Żelazko nieczynne! – darł się ktoś zza płota. – Elektryk sknocił!

– A to do czego? – zainteresował się kościelny wentylatorem. – Co za młynek?

– Dla ochłody – wyjaśniła matka. – Kiedy w chacie duszno, podłącza się toto do elektryczności i zaraz robi się rześko. Powietrze lepsze...

– Fiu! – gwizdnął z uznaniem kościelny. – Powiem księdzu, żeby kupić takie coś na chór, tam gorąco. No, no, elektryczny wiatraczek mają Dębikowie!

– U mnie w biurze też jest – powiedział wójt. – Ale państwowy. Prywatnie na razie wentylatora nikt nie ma. – Więc brawo, panie Dębik! – Strażnik poklepał ojca po ramieniu.

– Przyjemnie wiedzieć, że i wieś już stosuje wentylację – skonstatował młodzieżowiec, wpisując wysoką dwucyfrową notę. Pozostali komisarze też rozjaśnili się, łaskawym okiem spoglądali po furze. Rodzince poprawiły się humory, ojciec odzyskiwał nadzieję.

– A to wersalka! – rzekł dumnie. – Niemiecka, za cztery i pół tysiąca! Na wersalce teraz śpimy z matką!

– Nieprawda! – zawołano wrednie z tłumu. – Na podłodze śpio, na sienniku, bo wersalki żałujo!

– Ty się odczep ode mnie, Buła! – skontrował ojciec. – Kiełbasę końską kupiłeś na odpust i jeszcze się mądrzysz!

25

– Spokojnie, spokojnie! – uciszył wójt. Ale zainteresował się; nachylił się i spytał o tę kiełbasę, czy na pewno końska.

– Końska! – parsknął ojciec. – Na pewno końska. Co jak co, ale konia wyczuję z daleka...

– Trzeba odjąć Bule ze trzy punkty karne... – zadecydował kościelny. – Taką rzecz zataił!

– Dziewczyny na stół! – domagała się kawalerka. – Klasyfikujcie dziewczyny!

Wójt odchrząknął i przyjrzał się siostrom.

– Jeszcze panny? – mruknął. – Starzeją się, biedulki...

– Wszyscy się starzejemy – rzekł ojciec refleksyjnie. – Nawet konie... Ale co do córek, to czego? Kiepsko wyglądają? Weźmy kożuszki...

– Ładne – ocenił młodzieżowiec. – Bułgarskie, trudno dostać.

– To po znajomości – wyjaśnił ojciec. – Trzy sześćset każdy. A wyglądają na pięć, pięć i pół...

– A pod spodem? – zainteresował się kościelny. – Taniocha pewnie?

– Pokażcie, dziewczęta, a chyżo! – zakomenderował ojciec.

Jadźka, Józka i Wanda zdjęły żółte bluzki włoskie po 330 złotych i wręczyły ojcu. Ojciec stanął na wersalce i machając strojami nad głową, ogłosił donośnie:

– Bluzki włoskie, każda po trzysta trzydzieści złotych!

Część publiczności klaskała z uznaniem, część gwizdała lekceważąco.

I tak, wśród braw i gwizdów, siostry zdjęły, ojciec zaś zademonstrował publiczności czerwone spódnice krajowe po 120 złotych. Potem niebieskie halki czeskie po 211 złotych. Francuskie białe staniczki po 171 złotych. Austriackie pasy elastyczne po 215 złotych. Cienkie siatkowe pończochy enerdowskie po 127 i pół złotego, na gumkach krajowych po 70 groszy. Stały wysoko na wersalce w zielonych majtkach, ojciec zaś, złożywszy przy ustach dłonie w tubę, objaśnił dumnie:

– Majtki są austriackie, po osiemdziesiąt dwa złote. Parasolki enerdowskie po trzysta pięćdziesiąt. Włosy tlenione utleniaczem francuskim po dwadzieścia siedem złotych tubka! Ha! Moje córki są eleganckie, modne i nowoczesne!

Tu i ówdzie gwizdano, ale przeważały brawa. Wójt nie krył uznania:

– Dębiki ostro podciągają! – zwierzył się głośno komisarzom. – A jak ze złotymi zębami? Jest z jeden?

Pokażcie – zakomenderował ojciec.

Siostry i matka wyszczerzyły się. Matka miała jedną koronkę złotą, najstarsza siostra dwie srebrne, średnia jedną srebrną.

– Jeden złoty i trzy srebrne... – przeliczał głośno kościelny – to jakby dwie złote. Nieźle! Ile mieli Ziębowie?

– E, po dwa zęby miało parę rodzin... – zbagatelizował wójt. – Nieźle to, ale nie przesadzajmy. Ziębowie cztery złote mieli.

– Ależ obywatele! – wtrącił się młodzieżowiec. – Złote koronki wyszły z mody! Co najmniej od roku obowiązują naturalne, o białozębnym kolorze...

– O nie! – sprzeciwił się kościelny. – Co złoto, to złoto! Ja piszę dwa plusy.

– A ja dwa minusy! – żachnął się młodzieżowiec i ostentacyjnie postawił dwie kreski.

– O prowadzeniu się nie zapomnieć! – zapiszczały baby z tłumu. – Oceniajcie prowadzenie!

– W tym względzie nie ma zastrzeżeń! – oświadczył strażnik. – Nieślubnych dzieci nie było i chyba... – popatrzył badawczo po dziewczynach – i chyba nie zapowiadają się. Incydentów – zajrzał do notesu – nie widzę, o puszczaniu się nie meldowano...

– A z elektromonterem w Grabowej brzezinie! – huknął ktoś z tłumu, zza pleców. – Najmłodsza z elektromonterem. Dzieci widziały! Ruchali się, aż dymiło!

– Tak jest! – rozległo się z innych stron. – Najmłodsza z elektromonterem!

Jadzia pokraśniała ze wstydu – to wystarczyło, aby komisarze zarzut uznali. Wpisali minusy; tylko młodzieżowiec wyzywająco narysował plusa.

Dziewczęta ubierały się, oni tymczasem zajęli się matką.

– Do kościoła, na różaniec i do spowiedzi chodzi! – chwalił kościelny. – Piątków i postów strzeże, obyczaje szanuje. Ona jedna w całej parafii tka jeszcze na krośnie i chleb ma domowy, niefabryczny...

– Właśnie! – skrzywił się młodzieżowiec. – Same minusy!

– Plusy! – żachnął się kościelny. – Inaczej by nasza parafia wyglądała, jakby wszystkie matki takie były!

– Panowie, uściślijmy kryteria! – zwrócił się młodzieżowiec do wójta i strażnika. – Zacofanie i prymityw chcemy premiować? Widzę, że pan, panie kościelny, dawno w mieście nie był...

– A co mi miasto? – parsknął kościelny. – Rozpustę szerzy. Modę za modą.

– Nie przesadzajcie, komisarzu – łagodził wójt zacietrzewienie kościelnego. – Nie nazywajmy postępu rozpustą...

– Dawać Miszkę na tapetę! – niecierpliwiły się podrostki, znużone teoretyczną dysputą.

Spostrzegłem, że komisarze nie kwapią się do mnie. Byłem obiektem nazbyt niezrozumiałym, odmiennym, aby oszacować mnie szast-prast i odejść w dufnej pewności siebie. Wójt nawet życzliwie szepnął ojcu – słyszałem – że niepotrzebnie tu jestem, mogę zmarnować cały dorobek punktowy. – Jakbym nie wziął, gadaliby ludzie, że nie wziąłem, bo przygłupi – odszepnął ojciec. – A przecież on mądry, ma książkę z twardymi okładkami, encyklopedia się nazywa. Tyle, że leniwy...

Wójt odstąpił, kręcąc głową, nieprzekonany; słysząc ponaglenia z tłumu, trącił łokciem kościelnego.

– Ty zacznij! – poprosił. – Tobie poręczniej...

Młodzieżowiec obserwował mnie spode łba, cofnąwszy się o dwa kroki. Tylko publiczność, rozzuchwalona swą liczebnością, bawiła się stadnie niewyszukanymi przycinkami. Bezkarność szyderowania podniecała.

Kościelny przyłożył do ust tubę.

– Michał Dębik! – ogłosił.

Rubaszny śmiech, pocięty gwizdami, wytrysnął z tłumu i zakłębił się wysoko. Rechot ludzi przekonanych o swojej racji i ważności. Ojciec zmalał, siostry przygarbiły się w półkoszku, że ledwie je było widać. Tylko matka, bohatersko wyprostowana na wersalce, patrzyła ponad głowami na kościelną wieżę, modląc się cicho.

– Każdy z nas święci dzień święty najlepszym garniturem, najczystszą koszulą, najdroższymi papierosami – zaczął kościelny. – A on nie: w niedzielę i święta chodzi byle jak, niczym do roboty, po powszedniemu. To ja pytam: jakim prawem dzisiaj wystroił się w garnitur?

– Niech zdejmie! Rozebrać – zawołali co gorętsi, głównie starzy. – Bezprawnie wyelegantował się! Oszustwo!

– Gdyby to z biedy nie ubierał się niedzielnie, można by było zrozumieć – ciągnął kościelny. – Ale on garnitur miał! Przecież widzimy, że miał!

– Boga nie szanował!

– I ludzi! Ludźmi gardził!

– Zamiast uczyć się, krowy paść wolał!

– Szkoda, że Zięba nie wsadził go do więzienia!

– Hej, strażnik! Obłupić go z tego ubrania i koszuli!

– W pychę popadł!

– Ludzie! – zawołała matka, ale słabym głosem, słyszeli tylko najbliżsi. – To nie z pychy! To ze skromności. Spytajcie księdza...

– Kiedy on już i do spowiedzi nie chodzi!

– A czemu z nami gadać nie chce? Porządny człowiek odpowiedziałby, tłumaczyłby się. A on jak wilk patrzy! Pycha!

– Pamiętacie, jak raz wyśmiewał się z naszych garniturów? W niedzielę nad rzeką!

– Zdjąć garnitur!

– I koszulę!

– I te pantofle! Jak pastuch, to pastuch!

Strażnik przystąpił i jednym ruchem rozpiął mi marynarkę. Zszarpnął. Wtedy młodzieżowiec zamachał uciszająco ręką.

– Nie znęcajmy się! – zawezwał drżącym głosem, współczucie miał w oczach. – Przecież on taki jest z powodu... – Zaciął wargi, szukając stosownego słowa, jasnego, ale nie za brutalnego. – Z powodu... niepełnego... rozumu...

– Sprzeciwiam się! – krzyknął ojciec. – Moje dziecko nie jest głupie. On encyklopedię czyta!

– Ha ha ha! – zagrzmiało nad placem. – Miszka encyklopedię czyta! Ha ha ha! Miszka encyklopedię! Oj, trzymajcie mnie, bo skonam!

– Po kryjomu czyta, ale czyta! – upierał się ojciec.

Nikt nie wziął tej informacji na serio, jednych rozbawiła, innych poirytowała jeszcze bardziej.

– Rozbierać hultaja! – wołano. – Zdjąć niedzielne spodnie!

Młodzieżowiec, zrezygnowany, cofnął się za plecy komisarzy i patrzył w ziemię. Strażnik szarpnął za sznurówki; gdy zdejmował kamasze, przeleciała mi przez głowę śmieszna myśl, że mógłbym kopnąć go w podbródek. Ale nie kopnąłem. Ucapił od dołu za mankiety i ściągnął czarne grube spodnie. Lżej mi się zrobiło i chłodniej.

– Patrzcie, jaki zdrowy, jaki tłusty! – wołał strażnik zdejmując koszulę. – Mógłby orać, murować!

– Tak jest! – wołano. – Węgiel wydobywać! Brukować! Rowy kopać!

– Święta prawda – dodał wójt. – Pisać, czytać, liczyć umie. Mógłby stać w sklepie albo na stacji...

– Gdyby był głupi albo kaleka, wtedy zrozumiałe! – orzekł kościelny przez tubę. –Mógłby i dziadem być przy kościele. Ale żeby taki zdrowy byk wylegiwał się w trawie? Jak dziedzic?

Za plecami moimi rozszlochała się matka. Było to przykre, obejrzałem się. Rękami zakryła oczy, palce ociekały łzami, drżały, krople skapywały w podołek. Siostry wciskały się w wersalkę. Ojciec cierpiał z zaciśniętymi zębami.

– Człowiek stworzony jest do pracy! – wywodził strażnik. – Nawet koń, nawet wół, o ileż głupsze od człowieka, a pracują. Jedna świnia żre tylko i leży w gnoju!

– Ale przynajmniej zjeść ją można! – zauważył kościelny. – A co z takiego jak ten?

– Tłusty, ale niejadalny – zażartował strażnik.

Wójt się włączył.

– Kochani! Niemało my tu i prywatnie, i służbowo zastanawialiśmy się, dlaczego taki młody, zdrowy człowiek, jak Michał, nie uczy się i nie dorabia. Przecież mógłby mieć i żonę, i radio, i motocykl, modnie ubierać się, a nawet bywać w restauracjach...

– Guzik! – przerwano z tłumu. – On za tępy!

– Zaraz, zaraz – ciągnął wójt. – Nie od dziś wiadomo, że do każdej rzeczy, aby ją dobrze wykonać, trzeba mieć żyłkę.

– Na przykład pierdzącą do pierdzenia – zażartował strażnik, ale zreflektowawszy się, że ni czas, ni miejsce na takie dowcipy, zakrył sobie usta dłonią, skonfundowany.

– Ja myślę, że po prostu Michał nie ma żyłki do dorabiania się. Wszyscy mamy, a on nie. To wszystko.

– Do szpitala! Niech doktory wstawią mu tę żyłkę! – zawołano.

– Choćby i przymusowo!

– Tak jest! Wstawić mu ambitną żyłkę! Wstawić hultajowi!

Zadzwoniła sygnaturka, nawołując do procesji. Wójt skinął nam głową, że klasyfikacja zakończona i poszedł do pozostałych komisarzy, naradzić się i zsumować noty. Lipka jako ostatni wjeżdżał na podium, my zjeżdżaliśmy, przy śmiechach publiki. Włożyłem koszulę, spodnie i z marynarką na kolanach, siedząc na wersalce przy ojcu, patrzyłem, jak między dzwonnicą a kościołem formuje się czoło procesji. Pierwsi, jak przed rokiem, szykowali się Ziębowie. Przyjechali ciągnikiem – Zięba siedział za kierownicą, rodzina zajęła miejsca na przyczepie.

Karierę zawdzięczają Ziębowie głównie babci. Jeszcze dziesięć lat temu żył Zięba z matką jak z największym wrogiem. Aż któregoś dnia zawiązała trochę szmat w węzełek i pieszo, bo żałowała ośmiu złotych na pociąg, podreptała do miasta. Wróciła po roku, ale z workiem prezentów dla wnucząt i syna, wystrojona, odmłodzona. „Aj, jak teraz mam dobrze – opowiadała kobietom w niedzielę po różańcu. – Praca czysta, ciepła, wygodna, nie to, co na gospodarstwie. A zarobku mam dziennie i do dwustu złotych". „Jezu, aż tyle! A co to za praca?" dopytują się kobiety, rozgorączkowane. „W gastronomii pracuję – mówi Ziębicha – stanowisko klozetowa". „Jejku, klozetowa! – podziwiają. – Czy to w kuchni?". „Coś jakby, coś jakby...". I rzeczywiście, widziano ją nieraz w Astorii: na drutach sweterek synowi robi, od czasu do czasu przegryzie kanapkę z baleronem i gada sobie z Grabichą czy inną kobietą, która wstąpi z konewkami, aby w miejskich sprawach porady u Ziębichy zasięgnąć. Nad nimi w złoconej ramce wisi dyplom za 1-sze miejsce w konkursie na najczystszy klozet. A na biały talerzyk co chwila dzyń! pięćdziesiątka, dzyń! złotówka, a czasem dzyń! dwa złote – wprawdzie nie tak gęsto jak na tacę, za to cały dzień, i nie jeden, lecz siedem dni w tygodniu.

Po dwóch latach takiej pracy zafundowała Ziębicha synowi traktor Ursus, telewizor, dała na pokrycie stodoły eternitem oraz na murowaną oborę, i syn zaczął mówić jej „mamusiu".

Więc Zięba siedzi sobie wygodnie za kierownicą i gazetę dumnie czyta. Wnuczkowie biegają po platformie: jedzą czekoladowe cukierki i strzelają z czeskich koltów; córki i synowie też na przyczepie, w fotelach przed telewizorem się pysznią, dwudziestosiedmiocalowym, wśród nich babcia, uśmiechając się dobrotliwie...

Tuż za Ziębami ustawili się Redlińscy, furą wprawdzie, za to konia za uzdę trzyma ich sławny syn Edek, który w mieście redaktorem jest, do tego napisał książkę i pokazano go w telewizji! Stoi oto w sztruksowych czarnych spodniach i zielonej koszuli – na ramieniu ma magnetofon marki Rekord, mikrofon skierował na podium i notuje na taśmie przebieg licytacji. Ludzie spoglądają nań z szacunkiem – kto wie, może audycję z tego zrobi? Może reportaż napisze? O, bywali już w naszej parafii i porucznicy, i konduktorzy, i sekwestratorzy! Ale książek jeszcze nikt nie pisał!

Za Redlińskimi para lśniących kasztanów. Na furze, na wysokim siedzisku rozparli się Grab z żoną, a między nimi ich słynny rasowy baran o rekordowej wydajności, przy furze na „emzetkach" trzej synowie, chłopcy jak dęby. Ubrania na nich z szarej elany w kratkę, koszule non--iron w paski, krawaty z dzianiny, modne buty z wąskimi noskami. Na bakach trzymają kolanami jeden adapter, drugi czterożeberkowy kaloryfer, a trzeci podwozie samochodu małolitrażowego. Stary Grab ostentacyjnie carmena pali, Grabicha obiera pomarańczę, skórki baran żuje wielkopańsko; na szyi ma medal za pierwsze miejsce na pokazie wojewódzkim.

Ale rozlega się uderzenie dzwonu!

Z szeroko otwartych głównych drzwi kościoła wychodzi ksiądz w złoconych szatach, nad nim baldachim się czerwieni, niesiony przez czterech ministrantów w komżach, bije w oczy szkarłatem i czeskimi diamentami. Dwie dziewczynki w mirtowych wianeczkach, białych sukienkach i rękawiczkach idą tyłem przed księdzem i ciskają, przyklękając, srebrne płatki. Za baldachimem kroczy kościelny z laską, jak komendant orkiestry wojskowej. Za kościelnym – ścigany tysiącem zazdrosnych spojrzeń – rusza on, najszacowniejszy parafianin: Zięba Antoni, syn Adama, gospodarz czternastohektarowy na traktorze marki Ursus! Na przyczepie, w wianuszku dzieci i wnucząt, słynna babcia Ziębicha uśmiecha się, błyskając po nas złotymi refleksami. Następnie Edek Redliński z magnetofonem Rekord prowadzi za uzdę Siwkę, a na furze jego mądry ojciec, przystojne siostry i pracowici bracia siedzą godnie w garniturach z modnymi klapami. Potem Grabowie... Potem Gułowie... I następne fury, wystrojone, wyposażone. Ale już skromniej. Konie coraz chudsze, stroje coraz tańsze. Buśko jedzie... Reszka. Buła zamyka pochód. Wójt gorączkowo podlicza punkty, aby rozstrzygnąć, kto teraz: Dębikowie czy Lipka?

– O, żeby tak korek wyjąć! – przypomniało się ojcu. – Niechby wójt zobaczył, że koń Lipki pompowany. No, Michał, ratuj! Nie możemy być ostatni!

– Puśćcie mnie! – proszę i wyrywam się, żeby uciec z tego cyrkowiska. – Zmiłujcie się!

Ale ojciec wykręca mi rękę i trzyma w żelaznym uścisku.

– Ty... ty ofermo! – zgrzyta zębami.

Najmłodsza siostra błagalnie obejmuje mnie za szyję i, patrząc to na ołówek wójta, to na Lipkowego konia, prosi gorączkowo:

– Michaś, idź wyjmij, ach, gdybyś wiedział, jak bardzo chciałabym iść do ołtarza... w białym welonie, po czerwonym dywanie! Boże, i z narzeczonym pod rękę. A on nie byle jaki. Nie kulawy. Nie ślepawy, nie łysy. Michał, złociutki, proszę...

Średnia przyciska się twarzą do mojej piersi, szepce z przejęciem, prosto w oczy:

– Michał, Michaś! Ja chcę wyjść za mąż, mieć dzieci... takie śliczne, rozbrykane! Och! A któż mnie weźmie z ostatniej fury?...

– Michałku... – prosi najstarsza, ściskając mą rękę spoconymi z pragnienia dłońmi. – Śnią mi się co noc dziecinne czapeczki, śliniaczki, ach! Takie małe ciałko wziąć na ręce! Karmić piersią... Michaś najdroższy, idź, wyjmij ten korek!

Wójt ssie ołówek, patrząc w górę, liczy w pamięci punkty; Lipka przygląda się temu, blednąc na przemian i czerwieniejąc, z przerażenia i nadziei, rękawami twarz obciera raz za razem.

Matka, wciąż szlochając, położyła swoje ręce na rękach córek i mojej, tej niewykręconej.

– Jezu, bawić się z wnuczkiem! – marzy. – Kąpać w niecce, obmywać, te nóżeczki z fałdkami, te paluszki maciupkie! Och, przewijać...

– Gdyby nie ty – dyszy mi ojciec w ucho – dawno już jechalibyśmy w procesji... Z przodu. Zaraz za Redlińskimi! A może wybraliby mnie sołtysem, jak Ziębę! Wybraliby! – prorokuje z przekonaniem. – A co, przecież głupszy od niego nie jestem. Uch ty! Lepiej żeby ciebie... nie było!

– Dobrze – zgadzam się ostatkiem sił. – Puśćcie, utopię się...

– O, tylko takiej hańby brakowało! – żachnął się. – Samobójca w rodzinie!

– Ni umrzeć – stęknąłem – ni żyć...

– A żyj! Żyj! Ale jak ludzie! – warczy ojciec, wykręcając mi rękę do granic bólu. – Pracuj! Dorabiaj się! Żeby cię, kurwa, szanowali!

– Kiedy mnie to mierzi... – szepnąłem resztkami przytomności. W tym momencie wójt skinął na Lipkę, żeby jechał. Ten obejrzał się na nas zwycięsko i konie po krągłych bokach zaciął – stało się. Siostry i matka obsunęły się po mej piersi bezwładnie. Tylko ojciec, kręcąc mi rękę wściekle, pięść w żebra wsadził i wiercąc boleśnie, syczał w ucho:

– Hańba! Pohańbiłeś nas!

– Boże! – jęknąłem rozpaczliwie. – Czemuś mnie opuścił!

I wtedy ujrzałem Go... W promiennym obłoku, po szklanej niebieskiej szosie sunął wolno lśniący biały kabriolet. „Alfa Romeo" pisało na emblemaciku. Za kierownicą siedział trzydziestoletni młodzieniec – odwrócił się przez ramię i patrzył. Czarna wypielęgnowana bródka, wymuskany wąs. Włosy długie jak u proroka. Na szyi kolorowa apaszka, zawiązana fantazyjnie na bordowej koszuli. Zamszowa luźna marynarka i lustrzane przeciwsłoneczne okulary dopełniały stroju.

Z wysoka przyglądał się procesji, Ziębom, Grabom, Bule, Lipce... Kiedy nasze spojrzenia się spotkały, pokiwał głową ze współczuciem. Potem zwinął dłoń w trąbkę i zawołał, ledwo słyszalnie:

– Błogosławieni, którzy płaczą, albowiem będą pocieszeni! Po-cie-
-szeniii!

– Którzy płaczą... pocieszeni – powtórzyłem, jeszcze nie wiedząc, za Kim powtarzam. On pomachał mi dłonią, jak z odjeżdżającego pociągu, i odwrócił się do kierownicy... W tym momencie na zamszówce pod lewą klapą zalśnił order...

Ale to nie był order! Gdy samochód ruszył i oddalał się w niebo z imponującym przyśpieszeniem, przypomniało mi się gorejące serce z odpustowych świętych obrazów. To On przejeżdżał limuzyną! Tak, On limuzyną...

1975

Ameryka

Romuś Rymuś

Niedziela, przedpołudnie. Współmieszkańcy poszli na mszę do św. Kostki, Romuś nie, bo rozsadzało mu głowę po wczorajszym przepiciu. Już odbył rzyganie, ale klęczał jeszcze przy muszli, dysząc spocony. Świnia jestem, pomyślał. Znowu zmarnowałem dziesięć dolarów, które przecież mogłem przeznaczyć na coś pożytecznego.

Świnia, powtórzył w myśli, dźwigając się z klęczek, i popatrzył w lustro.

No tak, świnia. Podpuchnięte oczy, świński ryj, świńskie uszy...

– Roch-roch-roch! – zachrząkał. Głośno, bo nikogo nie było w mieszkaniu.

– Jak Boga kocham, świnia!! – oburzył się.

Przeczytam list od Jadzi, postanowił.

I zrobił, co postanowił.

Wyjął list z portfela, ułożył się w łóżku na wznak, w slipy tylko odziany, wyciągnął z koperty list właściwy i zaczął czytać, po raz czwarty. Ale po raz pierwszy głośno.

– Romuś, Mężu Drogi! – zaczął. I coś go uderzyło w oczy... Zacisnął powieki, rękę z listem odrzucił za siebie.

– Aaaa! – zawył. – Mężu drogi! A ja tu świnia, aaaa, świnia jestem, świnia! Roch, roch, roch! Świnia.

Pochlipał. Przemógł się. Westchnął. Otworzył oczy. Otarł je włochatym przedramieniem. I przybliżył list do oczu.

Albo jesteś mężczyzną, Romuś, albo nie! Ja po dwóch latach przywiozłam prawie trzydzieści tysięcy. A ty trzeci rok siedzisz na pusto. Te dwa tysiące, co przysłałeś w zeszłym roku, to był Twój łabędzi śpiew... Ty nie filozofuj, co o Ameryce myślisz, Ty się weź do byle bądź syste-

matycznej roboty, ważne, żeby dużo godzin było, i Ty cierpliwie skła-
daj na książeczkę, sam zdziwisz się po pół roku swoim kontem...
– Aha, weź się do jakiejkolwiek roboty! – oburzył się głośno na żonę. – Zrozum, kobieto, że najpierw parę miesięcy całkiem mi nie szło, potem parę szło jak z kamienia i musiałem się zadłużyć! Potem parę miesięcy fenomenalnie, ale co zarobiłem, poszło na oddanie i przeżycie.
Potem szło-nie-szło, potem poszło – no to wysłałem wam te dwa tysiące, co uzbierałem – ale jak mnie pobili w parku i okradli, przestało iść,
kobieto, w ogóle! Do tego weź, kobieto, recesję, weź bezrobocie, weź na-
pływ Latynosów! Do tego mój zawód nauczyciela zawodu jest tutaj gorzej niż deficytowy. Gdybym był hydraulikiem-praktykiem, stolarzem-
-praktykiem albo tokarzem-praktykiem, na pewno robotę od razu bym
znalazł. A jestem od teorii, nie praktyki! Przecież ja nie mogę stanąć przed
ścianą i malować jej teoretycznie, za takie malowanie tu nie płacą.
Romuś kaszlnął i oczyma znalazł ostatnie zdanie.
A sam zdziwisz się po pół roku swoim kontem – przeczytał głośniej
i bardziej nerwowo niż przed chwilą. *Zrozum, Romuś, że stopa przed*
Twoim wyjazdem była dobrobytem w porównaniu z dzisiejszymi cena-
mi. Co tam Ty robiłeś przez trzy lata, Romuś, bumelujesz Ty? Czy mo-
że zwiedzasz Manhattan i zabytki? Nasz Tomek w tym czasie zrobił ma-
turę i wybiera się na Zachód. Kuje ostro angielski i obiecuje znaleźć
Ciebie w Nowym Jorku i zapakować do Polski. Tak, tak, Romuś, to już
trzy lata. Ja po tygodniu zrozumiałam Amerykę i wzięłam się w cugle,
Romuś. Plan i do planu dyscyplina, żeby nie ściągało z planu w odno-
gi i pokusy. Czyli stanowczość i zawziętość. Do tego odwaga, a nawet
bezczelność. Dumę i delikatność, a często i uczciwość schować na jakiś
czas do walizki. Tak, tak, Romuś, jeżeli to dla Ciebie za trudne, zarób
Ty na bilet i wracaj, bo jeszcze nam się w tej Ameryce rozpijesz albo
pójdziesz w narkomanię...
– Dość! – wrzasnął Romuś i zerwał się z łóżka. – Co to znaczy dumę
i delikatność i uczciwość schować do walizki? Czyli co ty, furwo, wy-
prawiałaś, że ty dałaś radę uzbierać w dwa lata aż trzydzieści tysięcy!
– Ja to sprawdzę! – postanowił Romuś głośno i wkroczył do łazien-
ki bojowo. Ogolić się, umyć, odświeżyć.
– Potem wypiję mocną kawę i pójdę na Jawa Street!
Romuś pamiętał adres, pod który słał tęskne listy do żony w Ameryce.
Z mojej kwaterry przy ulicy Berry będę szedł wzdłuż East Riverry
krokiem dzikiej panterry, rzekł sobie Romuś, wychodząc z domu.

Lubił w wolnych chwilach rymować w myślach. Dla zabawy.

Szóstą Street doszedł do Kent Avenue i skręcił w prawo. Na północ. Po jego lewej stronie piętrzyły się kolosy Manhattanu, srebrne i brązowe. Romuś rymował...

Każdy frajer rozpozna Empajer!

Niezła cholera z tego Cryslera!

Z Citicorpu ... – zaczął. I skrzywił się, że nie ma ciągu.

Z Citicorpu kupa torfu! – ucieszył się niezwykłym rymem.

Nie podobało mu się, że rym jest, a sensu nie ma.

Wtem usłyszał za sobą wrzaski, obejrzał się zaniepokojony, a prawdę mówiąc, spietrany. Banda w tym miejscu? Musiałby przyspieszyć kroku celem ucieczki, a ściśle mówiąc: wiać.

Na szczęście wrzeszczało radio w nadjeżdżającym samochodzie. Ale oczy zaczepiły o dwa słynne wieżowce. – World Trade Center ma sto dziesięć pięter! – ujął rzecz zgrabnie. Co poprawiło samopoczucie.

Trudno o większy kontrast niż między tym, co po mojej lewej stronie, a tym, co po mojej prawej stronie, pomyślał. Po lewej stronie błyszczała piękna rzeka i szpanował Manhattan. Po prawej czaiły się głuche, bezludzkie magazyny i warsztaty. Niedziela. Pusto, głucho, groźnie.

Od Meserole poweselało. Pojawiło się życie. Ludzie, dzieci, psy.

Wkrótce Romuś wszedł we Franklin Street. Tu już było całkiem ludzko. Samochody, hałas, śmieci. W odpowiednim miejscu Romuś skręcił w prawo – w szeroką Greenpoint Avenue. Też niedzielnie pustą. Zdziwiła go ilość psich gówien na chodniku. Gówno, znowu gówno. I jeszcze raz gówno. Dom z pozabijanymi oknami. Dwa budyniszcza ciągle *For sale*.

Credit Union zamknięte. Polski bank. – W Credit Union... – zaczął, ale co w Credit Union? Nic nie chciało się rymnąć z obcym słowem Union.

Przy wejściu do metra i narożnym kiosku z gazetami stała rozchwiana grupka.

– Polacy, Polacy – malowani ptacy – ułożyło się Romusiowi od razu. Ale też rozchwiejnie. – Rety, co ja powiem, kiedy zapukam do drzwi 4L?, zaniepokoił się Romuś. Że szukam Jadwigi Wu? Ale kto ja dla Jadwigi Wu? Mąż? Mąż by wiedział, że Jadwiga Wu wyjechała do Polski cztery lata temu. Powiem, że ja znajomy jej... znajomy, który wyjechał cztery lata temu do Chicago, a w Nowym Jorku dziś chwilowo. Tak, najlepiej. O, mam!

– W polskim banku składaj, Janku! – ułożyło mu się znienacka, samo. Bywają takie błyski. I Romuś obejrzał się zwycięsko za siebie na budynek Credit Union. Idę sobie Manhattan Avenue, która jak luneta wycelowana jest w Manhattan! Idąc małym Manhattanem, widzę duży Manhattan! Na lewo sklep, na prawo sklep! To znaczy: na lewo Kiszka, na prawo Mazur! I oto ulica zwana Jawa Street. Teraz w prawo, w kierunku Mc Guiness Boulevard! Cholera, ależ ja światowiec jestem! Tak rozmyślał Romuś, słysząc polską mowę, którą rozumiał, i mowę obcą, której nie rozumiał. Spójrzmy teraz po numerach...

Numer domu i numer mieszkania unosiły się przed Romusiem w powietrzu, metr przed oczyma, na kopercie pamięci, wypisane jego okrągłym pismem. To tu! Wejście po kilku schodkach. Dom całkiem okazały. – To tutaj moja żona powracała strudzona – zrymowało się Romusiowi. – Dlaczego ja na pomysł odwiedzenia miejsca uświęconego oddechem i potem mojej Jadzi wpadłem dopiero dziś, po trzech latach! I Romuś nacisnął dzwonek do 4L.

Zabrzęczał zamek. Romuś pchnął drzwi i wszedł do holu. Mroczno było, schody ciemne. Cicho. I nie zajeżdża ni bigosem, ani smażoną cebulą. Czyżbym pomylił domy?

Wszedł na trzecie piętro. Gdzie tu Right, gdzie Left? Ale właściwe drzwi uchyliły się same, wyjrzała głowa, naczochrana.

– To pan dzwonił? – spytała głowa.

– Ja. Dzień dobry – rzekł Romuś z ciemności. – Mam sprawę do Jadwigi Wu.

– Jadwiga! – Głowa krzyczała w nieznaną głąb. – Ktoś do ciebie.

Romusiowi zatrzepotało serce, a nogi zmiękły. Ona, Jadzia, tu?

– Do mnie? – usłyszał dziewczęcy głos. Odetchnął. Jego Jadzia głos miała niedziewczęcy.

– Kamyn – powiedziała głowa i Romuś wszedł.

Wielki kwadratowy pokój. Pięć łóżek. Szafa. Walizy. Tekturowe pudła. Na stole paczka cukru, napoczęta, szklanki z resztkami herbaty i kawy, boczek w papierze, pół cebuli, kiszony ogórek, grzebień do włosów, jabłka, żelazko do prasowania... Bystre oko Romusia notowało, bystra głowa wyciągała wnioski. Szklanki, talerze. Zdeptany dywan... Babiniec. W jednym łóżku chrapanie. W drugim malowanie paznokci. Na trzecim pisanie listu. Na czwartym przyszywanie guzika.

Przed Romusiem dwudziestoletnia czarnulka.

– A pan od kogo?

– Od siebie – odrzekł dumnie.

– Do mnie?

– Tak, do Jadwigi Wu.

– Ja jestem Jadwiga Te.

– Kiedy ona tu mieszkała? – spytała naczochrana.

– Jakieś cztery lata temu.

– Ha, ha, ha! – roześmiała się naczochrana. – Przez cztery lata przewinęło się przez ten kołchoz ze czterdzieści, w tym Jadwig a Jadwig! – Może Ziuta... – Romuś usłyszał głos z tyłu, obejrzał się. Mówiła ta, co paznokcie. – Może Ziuta z tamtego pokoju wie, ona tu stara lokatorka.

– Szjur – powiedziała naczochrana. – Spytam Ziuty. Uejt hije... I poszła gdzieś w nieznaną głąb apartamentu.

Na którym to łóżku spała moja Jadzia? – rozejrzał się Romuś, rozrzewniony. Gwiazda moja... Tak samo malowała paznokcie w niedzielę? Boczek jadła z papiera? Pety wrzucała do herbaty? W tej sali, a może gdzieś w głębi?

– A pan długo w Ameryce? – spytała Jadzia Te.

– Parę lat już się jest – odrzekł Romuś. – A pani?

– Drugi miesiąc. Nie ma pan jakiejś roboty dla młodej kobiety?

– A co pani teraz robi?

– Szyję. W szwalni.

– A co pani robiła w kraju?

– Studiowałam orientalistykę.

– To jakby... geodezja? Miernictwo?

– Nie. Języki wschodnie.

– Dziewczyna jeszcze... – zaczęła ta od paznokci. – Jeszcze jej Ameryka nie przekotłowała, dziewczyna myśli jeszcze jak prawiczka.

– No wiesz! – oburzyła się Jadzia. – Cnotę to ja straciłam może wcześniej niż ty!

– Co to za stracenie... – mruknęła ta od paznokci i zamilkła tajemniczo.

– Dużo pań tu mieszka? – spytał ją Romuś. Ze strachu.

– A co cię to, fuju, obchodzi – odrzekła zagadnięta.

– Tak tylko pytam, z grzeczności – przeraził się Romuś.

– Słyszycie? – zwróciła się, oglądając paznokcie. – Palant. Wyjątkowy palant. Sfierdalaj, fuju, z mego wzroku.

– Oj przestań, Mimi – wtrąciła się pisząca korespondencję. – Ty zawsze musisz popisywać się i obrażać.

– Nie wfierdalaj mi się, furwo, do mojej fupy – odmruknęła Mimi, niegłośno, Romuś dosłyszał wszak.

– Osiem – powiedziała Jadzia Te. – Pięć w tym pokoju, trzy w drugim. I dziewiąta w kuchni, na składanym łóżku.

Ziuta była w szlafroku, ale w szpilkach, i miała piękne łydki, Romuś od razu zauważył też piękno biustu. Podała Romusiowi dłoń.

– Ziuta jestem, lat mam siedemdziesiąt dziewięć, ale na tyle nie wyglądam, prawda? – przedstawiła się zagadkowo.

Romuś chciał odpowiedzieć mową wiązaną, ale zanadto go Mimi zbiła. Z konceptu i samopoczucia.

– Milczysz, chłopcze? – zdziwiła się Ziuta. – Czyżbyś nie był dżentelmenem?

– To fujara – wtrąciła się Mimi. – Spław go, Ziuta, bo mi działa na nerwy. Samym wyglądem.

– Pardą, Mimi, teraz ja z nim rozmawiam. Pytasz, chłopcze, o Jadzię sprzed czterech lat?

– Tak jest – odrzekł Romuś, drżąc i drżąco.. – Poznałem ją w tym mieszkaniu cztery lata temu. Ale wyjechałem do Chicago. Wróciłem właśnie i nie mam kontaktu.

– A nie pojechała do kraju?

– Może. Ale może nie.

– Pan dla niej kto? Zakochany?

– Przyjaciel.

– O, przyjaźń cenię bardziej niż miłość. Zaraz, a Stefan? On zawsze przychodził do tego mieszkania, lokatorki się zmieniały, ale on się tu kontynuował.

– On był stały, tylko one się zmieniały! – błysnęło nagle Romusiowi i odzyskał samopoczucie.

– Lubię mężczyzn inteligentnych – pochwaliła Ziuta. – Chodźmy do Stefana.

Poszedł za panią Ziutą. Korytarz z przeszkodami: drabina, wieszak, deska do prasowania. Kuchnia: pod zlewem spało na leżance rozgłośnie coś w staniku, ni to pochrapując, ni oddając gazy. Drzwi, pokoik. Umeblowanie: stół duży, okolony trzema łóżkami. Koc na oknie. Goła żarówka nad stołem.

Zastawa: butelka 1,75 litra, tak zwane ucho, pełne. Drugie ucho wypite w trzech czwartych. Pudło orange juice. Miska winogron. Szklanek cztery.

Obecni: dwie osoby płci żeńskiej siedzące w koszulach nocnych, wiek średni – na jednym łóżku. Na drugim – mężczyzna lat około szcśćdziesięciu, leżący w rzymskiej pozie, bez koszuli, brzuch duży, owłosiony. Ubiór i pozycja wskazywałyby na duże zadomowienie. Wyciągnął rękę.

– Stefan.

– Romuald.

– Siadaj... Przynieś, Ziuta, Romkowi szklankę.

– Dziękuję, panie Stefanie, nie mogę.

– Fiu, fiu, fiu! Ameryka, chłopie, tu wszyscy na ty.

– No, no – oponuje Ziuta. – Prezydent jest Mister.

– To wyjątek, na potwierdzenie reguły – nie speszyło Stefana. – Gdzie ta szklanka?

– Naprawdę nie mogę – wystękał Romuś. – Mam kaca.

– To okazja, chłopie! Klina klinem!

– Kiedy ja po klinie wpadam w ciąg.

– O, ja też. Ty na ile dni?

– Trzy, cztery...

– Yyy. Ja na trzynaście, czternaście. Aktualnie dobijam do końca tygodnia, Romciu, i nie łamię się!

– Nie wpadaj w ciągi, chłopie, bo Ameryka cię wykopie! – zrymowało się Romusiowi i przybyło mu animuszu, jakby walnął setkę.

– O, pan poeta! – zawołała Ziuta.

– Ja nie tworzę poezji.

– A co to było?

– Kalambur. Kalambury układam.

– O, kalambury? – zaciekawił się Stefan. – To coś jak kandelabry?

– Trochę tak, trochę nie – odparł Romuś wymijająco. – Tego... Ty, Stefan, znałeś może Jadwigę Wu?

– Jadwigę Wu?

– Ja ją tu spotkałem jakieś cztery lata temu i mam sprawę. Wysoka, czarna.

– Cztery lata temu... wysoka, czarna. Tak, była taka. Ale czy Jadwiga? Hm, jakby Jadwiga. Ta twoja co robiła?

– Pielęgniarką tu była w przychodni na Greenpoincie.

– E, to nie ta. A ile lat miała?

– Wtedy ze trzydzieści pięć.

– To by się zgadzało. Duża, mówisz. A dupiasta?

43

– Dupiasta.

– Zgadza się. Ale ona tu nie mieszkała. Tylko po listy wpadała. Taka z garbatym nosem? Romuś zdrętwiał... poczuł mokro pod pachami.

– Nie, ta moja nos prosty miała – wykrztusił. – Nosek.

– To nie ta. Bo tamta nos garbaty miała jak... jak sierp. Kelnerką była, ale taką, he, he, na dwie zmiany.

– Na dwie zmiany? – zaciekawiło Ziutę. – Że niby co?

– Pierwsza zmiana – stoliki, druga, he, he – tapczan.

– Ty ją miałeś, Stiw, draniu!

– Yyy, płatnej miłości ja nie uznaję. A ona tylko za dolary.

– Dziękuję, już pójdę – wystękał Romuś, spocony. – Baj...

– Roman! Jak ty gardzisz takim towarzystwem jak my, to ty w Ameryce daleko nie zajedziesz. Poeta! Tylko głowa nie ta.

– Nie zajdę czy zajdę, ale pójdę – odciął się Romuś. I wyszedł. A za nim pani Ziuta.

– On jest taki szorstki, bo męski – usprawiedliwiała Stefana przed Romusiem, prowadząc go korytarzem. Co za nora, myślał Romuś. Jak to dobrze, że moja Jadzia wpadała tu tylko po moje listy, a mieszkała gdzieś lepiej.

– I dopytał się pan swojej Jadzi? – zaciekawiła się czarnulka, gdy przemierzał duży pokój.

– Nie – skłamał zdecydowanie, spiesząc ku drzwiom, bo bał się, żeby go Mimi nie dopadła. – Do widzenia paniom...

– Futas fierdolony – usłyszał jednakże, na szczęście już za drzwiami.

Zbiegł na dół, jakby uchodził przed lwami. Za ostatnimi drzwiami odetchnął. Skręcił w lewo, ku Manhattan Avenue. He, gdybym się puszczał, też bym uskładał tysięcy ze dwadzieścia, pomyślał Romuś, czegoś zdenerwowany. Gwiazdy, milionerki, o, tam są pieniądze.

– Uzbierałaś trzydzieści na małżeńskiej cześci! – zrymowało mu się zgrabnie, więc rozpogodził się, zadowolony z kalamburo-kandelabra, idąc z powrotem do swojej kwatery przy ulicy Berry.

Krokiem dzikiej panterry, wzdłuż East Riverry.

Czubaty

Ni stąd, ni zowąd Leszek wrócił ostrzyżony na punka: środkiem głowy, od czoła do karku, sterczał mu grzebień zielono-żółto-niebieskich kosmyków, usztywnionych lakierem i lśniących. Skronie świeciły jak wypolerowane. Józek zbaraniał – nie doniósł zupy do ust, przyglądał się z łyżką w powietrzu. Leszek ustawił się przed lustrem – wielkim lustrem na drzwiach wyjściowych. Manipulując ręcznym lusterkiem jak peryskopem, oglądał się od tyłu i z profilu, podziwiał siebie podniecony.

– Cholera – wystękał Józek. – Odbiło...

Miał minę człowieka, który dostał w brzuch. Cierpiał. I był przestraszony.

– Do orkiestry pasuje – rzekł do mnie. – Ale z kwiaciarni wyrzucą...

– Nie, gadałem z moim Chińczykiem – odpowiedział Leszek, nie odwracając głowy. – Powiedział okej. Liczy, że przyciągnę mu młodszą klientelę... I co wy na to? – odwrócił się, ciekaw komentarzy.

Wzruszyłem ramionami obojętnie. Za to Józek przeżywał za dwóch.

– Ja bym nigdy czegoś takiego nie zrobił! – obwieścił żarliwie.

– Też się bałem – wyznał Leszek. – Decyzja zabrała mi parę tygodni.

– Nie o strach idzie – na to Józek – ja wiarę mam na myśli.

– Wiarę? – Leszek zrzucił bluzę i przystąpił do kuchni. Postawił patelnię. Otworzył lodówkę. – Co ma wiara do uczesania?

– O Polsce mówię – na to Józek. – Co by ludzie powiedzieli, jakbym przyjechał z takim czubem. I poszedł, dajmy na to, do kościoła. Jezu!

Widać bardzo konkretnie wyobraziło mu się to spotkanie ze swoimi, bo aż głowę dłońmi ścisnął z przerażenia.

– Do Polski na razie nie jadę – mruknął Leszek. Krojąc eggplanta.

– Ja też jeszcze nie. Ale, dajmy na to, gdybym pojechał.

– Jestem w Ameryce, dlaczego mam żyć po polsku? – rzucił Leszek, z niespodziewaną zaciętością.

– Bo jesteś Polak!

– E tam...

– I nie możesz się... zatracić!

– Ja się nie zatraciłem. Wiem, co robię. A nie robię nic złego.

– Właśnie, że robisz! Z włosami zrobiłeś!

– Kogo skrzywdziłem?

– Siebie! Nas! Tak się nie robi. Są chyba jakieś przykazania, nie?

– W przykazaniach nie ma nic o włosach.

– Jest!

– W którym?

– W... – Józek zacukał się. – Zaraz. W... mam: Czcij ojca swego i matkę swoją!

– Czcij – zgodził się Leszek. – I co z tego?

– Ty nie czcisz! Takim kogutem na głowie – obrażasz! Sam powiedziałeś, że parę tygodni walczyłeś. Co to było? Twoje sumienie walczyło: zgrzeszyć czy nie.

– E tam, wyolbrzymiasz. Zwykła trema. Raczej przed znajomymi niż przed Panem Bogiem. Czy nie wyśmieją...

– Tak się mówi. Ale jak się wierzy, to on bez przerwy patrzy. I widzi.

– Jaki „on"?

– On!

Z taką powagą to „On" było powiedziane, że Leszek spochmurniał. Zasiadł do stołu. Naprzeciwko Józka. Talerz z eggplantem na wprost miski z krupnikiem stawiając. Rówieśnik. Józek może nawet młodszy. Popielate, zalizane na łysinę włoski – kontra tęczowy czub. Patrzyłem, co będzie...

Józek nie je. Łyżkę w misce zostawił. Odchylił się do tyłu z krzesłem, patrzy w pofarbowane włosy przerażony. Leszek je. Starannie, powoli, smakując. Przyjechał do Ameryki pół roku temu. Spokojnie, systematycznie uczy się. Uczy się wszystkiego: języka, warzyw, gazet, telewizji, Nowego Jorku, prezydentów. Józek przyjechał ze wsi, z gospodarstwa, zarobić dolarów na maszyny i budynki. Czworo dzieci, choć nie ma trzydziestki. Bo dziewczyna, z którą chodził, „zaszła", a on honorowy. Pobrali się – ona lat dziewiętnaście, on pół roku starszy. Ma piętnaście hektarów swoich, drugie tyle dzierżawi. Był sołtysem, działał w Solidarności. Wyremontowali drogę, budują kaplicę... Józek czuje się odpowiedzialny za rodzinę, wieś, Polskę, chrześcijaństwo. A Leszek? Za co odpowiedzialny czuje się Leszek? Za kogo?

Patrzę, czekam...

Zjadłszy eggplanta, Leszek umył talerz. I zdjął z szafy gitarę. Amerykańską. Kupioną tu za pierwsze zarobione dolary. Podłączać zaczął...

– No tak! – wzburzył się Józek. – Adidasy, dżez, fryzura! Tylko brakuje kokainy!

– Mam marihuanę... – Leszek uśmiechnął się. – Chcesz?

– Nigdy! – huknął Józek.

– Ale wódki choćby dwa litry?

– Wódki choćby dwa litry, ale ani grama gówna! Musisz, cholera, to grać? Te dżezy?

– Muszę ćwiczyć... Dobrze, zaraz przejdę na słuchawki.

– Nie, graj. Ale coś ludzkiego graj.

– Co?

– Coś... Co? Ja ci zaraz pokażę, co! – Józek rozkręcił się. Sięgnął pod łóżko, wysunął pudło, znalazł kasetę magnetofonową, sprawdził.

– To zagraj – powiedział, wsuwając kasetę do aparatu na stole. – Muzyka to sztuka, a nie kopanie w uszy...

Włączył, gitara zabrzmiała. Leszek przechylił głowę.

– Ballada będzie – zapowiedział. I po pierwszych słowach piosenki rzucił nazwisko artysty.

Słuchaliśmy – ja wpatrzony w muchę na suficie, Leszek ironicznie uśmiechnięty, Józek – poważny za trzech. Młody Polak opowiadał w balladzie, że przyjechał do Ameryki zarobić dla rodziny. Tam w kraju gnieżdżą się – on, żona i pięcioro dzieci – w połówce pokoju. Drugą połowę zajmuje teściowa. Więc nasz Polak ciężko pracuje, oszczędza, wysyła dzieciom paczki z pomarańczami. Omija bary. A jest przystojny, szelma, zaczepiają go dziewczęta, on nie daje się! Bo kocha dzieci i żonę...

– Teraz będzie dramat – zapowiedział Leszek. – Ona go zdradzi!

– Tak. Przychodzi list, ona pisze, żeby nie wracał, ma innego – powiedział Józek. – Ee, ty to znałeś.

– To? Nie. Ale znam ten rodzaj sztuki – odrzekł Leszek.

Józek zmieszał się. Zastopował magnetofon.

– I co potem będzie?

– Zaraz... – Leszek zastanawiał się. – Z tego punktu wychodzi kilka dróg. O! Pojedzie do kraju, zabije ją, fagasa i siebie.

47

– Nie! – zatriumfował Józek.

– W takim razie... w takim razie zostanie i wpadnie w rozpustę i pijaństwo.

– Też nie!

– A rzeczywiście, co ja bredzę, Polak musi zrobić coś strasznego. Wiem! Wjedzie na szczyt Empire State Building! Popatrzy czule w stronę ojczyzny. Pożegna piękną Amerykę. I skoczy!

– Blisko... ale nie to.

– No to wiem: załatwi się nożem. Tak?

– Tak... – Józek posmutniał. – Posłuchamy?

– Miej dla mnie litość.

– Czemu? Im bliżej końca, tym lepsze!

Leszek wstał, podszedł do okna. Często tak stawał w tym oknie i patrzył. Na czuby rozjarzonego Manhattanu. Postał, odwrócił się i powiedział:

– Nie chcę cię obrazić, Józek. Ta piosenka po prostu jest durna.

– Co?! – Józek wyprostował się na krześle. Bojowo. Gotów do obrony swej pieśni. – To i może dureń ten, co słucha?

– Tego nie powiedziałem.

– A co niby takiego durnego w tej pieśni?

Leszek usadowił się w krześle głęboko. Jak do zasadniczej jakiejś rozmowy.

– Ile ty, Józek, jesteś w Ameryce?

– Przeszło rok.

– Przeszło rok? I niczego nie zrozumiałeś?

– Dużo zrozumiałem. A o co chodzi?

– Że to pieśń z osiemnastego wieku.

– Osiemnasty wiek był dwieście lat temu – zaprzeczył Józek żywo. – A to wyraźnie dzisiejsza piosenka. Em-jeden, wiza i tak dalej.

– Ta opowieść jest staroświecka, Józek. Inne czasy. Znasz ty z jednego takiego, co by się zabił?

– Znałem.

– Zabił się?

– Zabił.

– Przez żonę?

– Ślubu jeszcze nie było. On się zabił przez motocykl.

– Nie rozumiem.

– Motocykl mu się spalił, nie mógł tego przeżyć. Rzucił się pod ciężarówkę.

– Aha. Z miłości, ale do motocykla?

– Ale przecież... – Józek nie poddawał się. – Widziało się w telewizji. W książkach się czytało. W łeb strzelali. O, w kinie kiedyś widziałem. – W kinie tak. W życiu? – Leszek skrzywił się wzgardliwie. – W życiu to taki facet zaczyna chlać, puszczać się. Aż trafi na pocieszycielkę. Która się do niego przypnie. Ech! Ty wiesz, co powinien zrobić ktoś, kto dostaje taki list? Powinien ulęknąć i podziękować Panu Bogu za wybawienie! Za cud! Że naraz ma ich wszystkich z głowy, tę całą straszną czeredę: bachory, teściową i tę swoją ropuchę! – Z takim obrzydzeniem to wykrzyknął, że aż Józka zastanowiło.

– Skąd wiesz? Może to całkiem mili ludzie?

– Jakby byli mili, nie wiałby aż do Ameryki.

– On wyjechał zarobić. On dla nich wyjechał. Z troski. On kochał swoją rodzinę. Tęsknił, paczki słał!

– Ty mi nie mów o kochaniu! – zdenerwował się Leszek. – „Kochał"... Ty wsłuchaj się w to słowo. „Kochał"... Kochasz, póki... krążysz, dobijasz się. A jak to masz? Jak się robi z tego związek-obowiązek? „Kocham"? Tfu, grzech wymawiać to słowo w małżeństwie.

– Może i tak... – Józek westchnął. – Związek-obowiązek. Ale czy żyjemy dla przyjemności? Moim zdaniem, nie. Żyjemy, żeby spełniać obowiązki. Kto bardziej obowiązkowy, tego bardziej szanują.

Leszek puścił do mnie oko...

– Ale życie życiem, piosenka piosenką – dorzucił Józek. – Piosenka powinna być ładna. Albo przejmująca.

– Ale czemu nieprawdziwa? – Leszek zdenerwował się. – Pomyśl tylko: jakiś zdradzony chłopak akurat trafi na tę piosenkę. Pomyśli: jeśli słynny artysta śpiewa o przebiciu się nożem jak o bohaterstwie – to i ja się przebiję! Też będę bohaterem! Ja mam do pana artysty żal, że nie zakończył piosenki mądrzej. Czemu nie dopisał jeszcze jednej zwrotki w rodzaju: a świat żyje! Dziewczyny kochają się z chłopakami, mężczyźni z kobietami! Dyskoteki, samochody, plaże! Seks, śmiech, przyjemności! Świat żyje, idiota gnije!

– Nie idiota...

– Idiota! Tym większy idiota, że zabił się przez taką głupią babę.

– Skąd wiesz, że głupia?

– Czy mądra rzuciłaby takiego – solidnego i przystojnego chłopaka – dla jakiegoś patałacha?

– Skąd wiesz, że patałach? Może był większy kozak od niego?

– Kto pójdzie do baby z pięcioma bachorami i teściową na dodatek, do jednego pokoju z kuchnią? Kozak lazłby w takie szambo? Dureń tylko polezie. Niedojda. Patałach.

– A może on wziął ją do siebie? Może ma forsę, dom, samochód, a ona nareszcie może życia spróbowała? Może do dzieci babę wynajęli, a sami hulają!

– Tym lepiej dla naszego! Znaczy: ręce ma całkiem rozwiązane! Młodość zmarnowaną może sobie odbić! Pożyć nareszcie! A on – nożem... Czyż nie dureń? Ty byś się zabijał w takiej sytuacji?

– Nie mów. Moja nie taka. My daliśmy sobie słowo, jak wyjeżdżałem.

– Ale... jeśli?

– Niemożliwe i już.

– Widziałem dużo rzeczy niemożliwych.

– Człowieku! My mamy czworo dzieci! Gospodarstwo! Dom!

– I wyobraź sobie, właśnie na to gospodarstwo połakomił się sąsiad. Ciebie nie ma i nie ma... Zawrócił dziewczynie w głowie, wprowadził się. Obrabia gospodarstwo i...

– Nie mów!

– Co byś zrobił? List dostajesz: nie wracaj... Co wtedy?

– Pojechałbym. Sprawdził...

– A jeśli prawda?

– Najpierw bym ją. Potem jego.

– I do więzienia?

– Siebie też.

– A dzieci?

– Sąsiedzi by wzięli. Albo do sierocińca.

– Ale po co? W imię czego zabijać się? – Leszek znowu do okna podszedł, w drapacze patrzeć . – Co za stereotypy, cholera! Durny artysta ułoży durną piosenkę i różnym durniom podpowiada durne czyny! Jesteś rok w Ameryce... Józek! Daję słowo honoru, to są inni ludzie niż my! Żenią się, rozwodzą. Ale nie zabijają!

– A ty? – zaatakował wreszcie Józek. – Jakbyś dostał taki list od żony?

– Po pierwsze, żony nie mam. Bo się pozbyłem. Dzieci też nie.

– Ale jakbyś miał...

– To jedno, najwyżej dwoje. Ale nie czworo, nie pięcioro!

– No, a jak by zachodziła ci i zachodziła?

– To nie wiesz, co się robi?

– Przecież to zakazane.

– Przez kogo?

– Przez... – Józek pogubił się. – Wszyscy przeciw przerywaniu. Prawie wszyscy. Papież... I prezydent też. Tylko komuniści za.

– Nie jestem komunistą. A jestem za.

– I nie czujesz tu grzechu?

– Nie. Problem ciężki, przykry. Ale...

– Ze mną jest tak... – Józek przygarbił się, posmętniał. – Jak byłem mały, mama uczyła: kiedy masz coś zrobić niepewnego, pomyśl o Matce Boskiej: ucieszy się, czy zmartwi. Nie uśmiechaj się. Tak, to się przydawało. Jak byłem mały. Kiedy mama umarła, radziłem się mamy: co by mama na to tam, w Niebie powiedziała. A od jakiegoś czasu – chyba od pierwszej w Polsce wizyty – myślę, co by nasz Ojciec Święty powiedział.

– Ojciec Święty?

– A tak! Jeśli sam Wałęsa przed nim klęka jak synek... jak dziecko... jeśli jeździ po radę – to czy ja jestem od Wałęsy mądrzejszy? Każdy musi mieć osobę, której się pyta. Bo inaczej się zatraci. Ty nie masz?

Leszek przysiadł na parapecie. Podparł brodę dłonią.

– Nie – odpowiedział poważnie. – Nie mam nikogo takiego.

– Nie myślisz: a co by moja matka na to czy tamto powiedziała?

– Ty mi mojej matki lepiej nie wspominaj – mruknął.

– A ojciec?

– Ojciec... Co mój ojciec może mi doradzić w Ameryce, co on wie o Ameryce?

– Chiny, Ameryka, Polska – uczciwość jest jedna.

– Wcale nie...

– Jak to nie?

– Bo nie.

– Naprawdę nie masz nikogo na świecie, z kim byś się liczył? Może jakiś nauczyciel? Albo starszy kolega?

– Nie.

– A choćby teraz, przed przemalowaniem włosów? Sam powiedziałeś, że parę tygodni się szarpałeś. No to musiałeś w myślach spierać się z kimś. Z kim?

– Z nikim. Nie bałem się nikogo konkretnego. Bałem się... śmieszności. Że się może będą ze mnie śmiali.

– Kto? Przecież tu sami nieznajomi.

– O kumplach z zespołu myślałem. Też Polacy. Może trochę o was. Co powiecie.

– E, bratku, było poważniej, nie chcesz się przyznać. Ty o Nim... – Józek tajemniczo sufit wskazał – myślałeś.

– A co Pana Boga obchodzi moje uczesanie! – warknął Leszek. – Czy On nie ma ważniejszych spraw na głowie?

– Tak sobie teraz myślę... – Józek w stół zapatrzył się, paluchem plamę jakąś rozmazywał. – Tak sobie myślę: co by Ojciec Święty pomyślał o tobie, jakby teraz tutaj stanął i ciebie z tymi twoimi amerykańskimi włosami widział...

– A przestań ty mnie swoim Ojcem Świętym straszyć! – wybuchnął Leszek. I zdecydowanie gitarę wziął do rąk.

– Nie mogę... nie mogę uwierzyć, że ty nie masz nikogo, z kim się liczysz...

Józek wyglądał po tej długiej rozmowie na uspokojonego. Jakby uporał się z jakąś niepewnością. Spoglądał na punkową grzywę bez złości. Pobłażliwie. Jak ktoś doroślejszy. Leszek odłożył gitarę i podszedł do lustra. Przechylając głowę, lustrował spod brwi tęczową swoją koronę. Ale już bez poprzedniego entuzjazmu.

Wtem znieruchomiał przed lustrem. Zmarszczył czoło, przyglądał się sobie: oczy w oczy.

– Józek! – oznajmił donośnie. – Jest ktoś taki, z kim się liczę.

Józek odkręcił się ku niemu całym ciałem, zaciekawiony.

– Kto? – spytał.

Leszek wskazał palcem w głąb lustra.

– On – powiedział.

Druga miłość

– Zakochałam się w Ameryce – mówi pani Teresa – i jest mi przykro..
– Przykro? – dziwię się.
– Tak. Dokucza mi przykre uczucie zdrady. Zdradziłam.
– Kogo?
– Polskę.
– Przestała pani kochać Polskę?
Pani Teresa zmieszała się. – No nie... – mówi, ale jakoś niepewnie.
– Polska jest moją pierwszą miłością. Ale...
Spodobało mi się to erotyczne rozpatrywanie patriotyzmu.
– Czy nigdy w życiu nie kochała pani dwóch mężczyzn naraz? – pytam podstępnie.
– Dwóch... naraz? – dziwi się pani Teresa. – Jak to? Przecież to niemożliwe. Jak się kocha jednego, nie można kochać w tym samym czasie drugiego...
– Można – utrudniam. – Można kochać ojca i zakochać się w chłopcu. Można kochać matkę i zakochać się w dziewczynie.
– Rzeczywiście – dziwi się.
– Ale to łatwe do pojęcia – ciągnę utrudnianie. – Czy nie zdarzyło się pani kochać jednocześnie w dwóch... kochankach?
– O czym pan mówi? – Wzdrygnęła się ze zgorszeniem.
– Czy nigdy w życiu nie żyła pani jednocześnie z dwoma mężczyznami? – ryzykuję pytanie. – Nie wracała pani od jednego, zakochana, i przytulała się do drugiego, też zakochana?
– No wie pan! – Pani Teresa zrywa się z fotela, idzie do okna, chowa twarz. – Za kogo mnie pan ma! Prostytutką nie byłam i nie będę!
Teraz mnie zrobiło się przykro. Przykro, że pani Teresa mówi nieszczerze. Boi się przyznać przede mną do wieloistości uczuć, kompli-

53

kacji serca. Boi się albo wstydzi. Mnie wstydzi się, mnie, który nie wstydzi się publicznie przyznawać do różnych słabości. Woli nieszczerą, banalną rozmowę – od szczerej, pożytecznej.

Za ryzykownie poszerzyłem. Powróćmy do przyzwoitej konwersacji, postanawiam. Pytam, dlaczego jej przykro... Czemu czuje się winna, zachwyciwszy się Ameryką. Czy Polska przez to zbrzydła? Jest przecież, jaka była.

– No nie... – Wciąż patrzy w okno, widzę plecy, nie wiem, co dzieje się na twarzy. – Coś się stało... Coś ważnego. Moje przywiązanie do Polski jest podobne do pierwszej miłości. Do kochania tamtego pierwszego chłopca. Wydawał mi się najpiękniejszy w świecie. Uroda i seks dwóch miliardów mężczyzn świata nagle skupiły się w nim. Jego nos był wszechnosem, jego mądrości były wszechmądrościami, ha, ha, ha... Ale co ja wiedziałam o życiu, o miłości, o mężczyznach... Tak, był najpiękniejszy. Ale tylko w okolicy. Porównywałam go z dziesięcioma innymi znajomymi, podobał się najbardziej. A przecież w tym czasie żyło na świecie nie dziesięciu, ale dziesięć milionów chłopców do wzięcia. Albo i więcej. Ale moim terenem życia i obserwacji był kawałek województwa. Jakieś pięćdziesiąt tysięcy ludzi, kiedy świat liczył cztery miliardy. Gdzieś tam w świecie żyli mężczyźni nadający się na męża czy kochanka sto razy bardziej niż ten mój wybrany... wybrany z parafii. O Boże, po co ja pojechałam w świat, panie Edwardzie? Słyszy pan? Przecież ja mówię herezje! Pojechałam w świat i zobaczyłam, że w świecie pełno mężczyzn mądrzejszych od mego męża. Dzielniejszych. Delikatniejszych. Przystojniejszych.

– I to samo z Polską? – przypominam okrutnie. – Zauważyła pani, że są krainy wcale nie brzydsze, tak?

Pani Teresa wraca na fotel. Ale unika mojego wzroku, patrzy w parkiet.

– Och ten mój syn! – złości się. – Co on zrobił! Nie miał prawa tego zrobić!

– Przepraszam, czego?

– Nie miał prawa zaprosić mnie do tej cholernej Ameryki! – wybucha.

– Cholernej?

Pani Teresa milknie. Coś tam trawi, porównuje. Czekam, kiedy zacznie opowiadać o tej „cholernej Ameryce". Ale, o dziwo, opowiada o Polsce. I to wzruszona. Mówi, że Polska jest cudowna. Nie podróżowała pani Teresa wiele, ale – dzięki wczasom pracowniczym – najważniejsze miejsca widziała. Była i w górach, i nad morzem. Także na jeziorach. Widziała i Kraków, i Warszawę. A nawet zawitała do Puszczy Białowieskiej i głaskała po karku żubra.

A potem – było to już po śmierci męża – zdarzyło się jej pojechać do Bułgarii. A trochę później – do Paryża. Tak! Do słynnego Paryża...

– Pamiętam, i w Warnie, i w Paryżu przyłapałam siebie na dziwnym uczuciu: że czuję się jakaś... natchniona. Zachwycona. Morze Czarne podobało mi się bardziej niż Bałtyckie, a plac przy Centrum Pompidou bardziej niż Plac Zamkowy... I bardzo mnie to zmartwiło. Tak samo w Paryżu, jak przedtem w Warnie, przed zaśnięciem stoczyłam bitwę ze sobą. Nie! Wmawiałam sobie. Morze Czarne jest brzydsze od Bałtyckiego! Bałtyk najpiękniejszym morzem świata! Nie, wmawiałam sobie w Paryżu. Nie ma na świecie placu piękniejszego niż ten przed Zamkiem Królewskim w Warszawie.

– Nie ma na świecie mężczyzny wspanialszego niż mój mąż... – podrzuciłem.

Kiepsko podrzuciłem, nie w porę – pani Teresa speszyła się. Zamilkła, rozgryzała sprawę sama ze sobą.

– A może i nie były ładniejsze? – rzuca nagle. – Człowiek był wycieczkowo nastawiony, bardziej podniecony, wrażliwszy... Kiedy się pójdzie do domu, do ludzi, na jakąś prywatkę, tak samo obcy wydają się mądrzejsi, atrakcyjniejsi niż rodzina...

Niecierpliwość nie pozwala mi odwlekać dłużej – pytam wprost o Amerykę. Co tak panią Teresę zachwyciło, uwiodło w tej Ameryce, że aż czuje się niewierna wobec Polski... Opowiada mi o San Francisco. O Las Vegas. O Grand Canion. O Dallas. O Nowym Orleanie. Prędko pojmuję, że pani Teresa jest wrażliwa na nastrój, czyli atmosferę ludzką, i na kolory. Zaskoczyło ją – domyślam się – że powietrze może mieć inny kolor. A ludzkie głosy, spojrzenia, gesty – inną temperaturę. Że tyle w tych głosach, spojrzeniach, gestach emocji, zmysłowości. Słucham, nie jest to nic nowego dla mnie, przeżyłem to wiele razy. Ale słucham – dla potwierdzenia. Że nie jestem nienormalny. Że inni przeżywają to samo. Tak samo. To odkrywanie ludzi, krajobrazów, nastrojów.

– Ale Polska też jest piękna! – oświadcza pani Teresa zawzięcie, nazbyt zawzięcie, właśnie tak, jak żony kończą charakteryzowanie innego mężczyzny słowami: Ale gdzie mu do mojego Władka! (Kazika, Ryśka, Tośka, Jula, Andrzeja, Edka). Teraz już nie mam wątpliwości: Teresa zakochała się w Ameryce i jest to jej druga – dojrzalsza, większa – miłość. Ale pani Teresa nie przyzna się do tego ni przed ludźmi, ni przed samą sobą. Nie tknie tabu.

Poznaliśmy się kiedyś w pociągu – jakiś smutek otworzył tę kobietę do zwierzeń przed nieznajomym. Urodziła się w powiatowym miasteczku, w solidnej katolickiej rodzinie. Miała kochającą matkę, kochającego ojca, drogie siostry i drogich braci. Raz – kiedy minęła północ, a ojciec wciąż nie wracał, wydało się jej, że matka nienawidzi swojego męża. Dosłownie: nienawidzi. Zaczęła swoje spostrzeżenia sprawdzać, obserwować ojca i matkę. I ponad wszelką wątpliwość stwierdziła: ależ tak, oni się nienawidzą! Nienawidzą się, ale są razem, nawet urodzili kolejnego braciszka! Jak to jest? Dlaczego?

Kiedyś zdobyła się nawet na ryzykanckie pytanie, wtedy już była mężatką. – Mamo – spytała – czy nigdy nie zdradziłaś swojego męża?

– Nigdy – odpowiedziała matka. – Jak mogłaś, Tereniu, pomyśleć coś tak strasznego!

– Tak bardzo go kochasz? – odważyła się spytać.

– Tak bardzo kocham przykazania! – odpowiedziała. – Nie dałabym rady żyć w grzechu...

Pamiętam, wtedy w pociągu, w którymś punkcie rozmowy, powiedziała jeszcze pani Teresa, że zrozumiała, na czym polega pożyteczność nakazów i zakazów. Czyli przykazań – Bożych, ludzkich i kościelnych. – Przykazania są dobrą rzeczą – powiedziała. – Satysfakcję mają ci, którzy je spełniają. I swoją przyjemność mają ci, którzy je naruszają.

To nadaje się na pracę doktorską, pomyślałem wtedy z uznaniem.

Wracając do głównego tematu: matka Teresy nie pomyślała o rozwodzie nawet wtedy, kiedy dowiedziała się, że jej mąż „ma babę na boku". Matka prędzej by „zabiła na śmierć" rywalkę, niżby się rozwiodła.

Pamiętam, spytałem przygodną towarzyszkę podróży, czego brakowało jej matce, żeby się rozwieść: odwagi? Czy wyobraźni? Odpowiedziała zaskakująco. Odwaga kojarzy się nam ze strachem o życie. O ciało. Mama nie bała się bólu, ciałem była bardzo odważna. Ale bała się ryzykować duszę. Dlatego tak trzymała się przykazań. I uczyła przykazań bezlitośnie, jak kapral musztry...

I tak oto, prawie do sześćdziesiątego roku życia, pani Teresa nie śmiała wątpić. O pewnikach. Mickiewicz był największym poetą świata. Piłsudski największym wodzem. Kraków najstarszym miastem. Matejko największym malarzem. Wisła najpiękniejszą rzeką. Chopin największym kompozytorem. Powstanie Warszawskie największym zrywem.

Katyń – największą zbrodnią. Polska Jagiellonów i Wazów – najbardziej tolerancyjnym krajem świata. Papież – największym mędrcem...

I oto syn – jej syn, którego miała za pijaka i durnia – zaprosił ją do Ameryki. I – co potwierdzałoby, że naprawdę jest durniem – zużył swoje oszczędności na wycieczkę po tym kraju. Kupił samochód i woził ją po stanach, płacił za hotele, motele, muzea i restauracje. – Mamo, chciałabyś zobaczyć Missisipi? – zapytał, i nie zważając na odpowiedź, zawiózł do Nowego Orleanu, pokazał. Potem spytał o Las Vegas. I pokazał. A stamtąd niedaleko już było do rzeki Colorado i Największego Kanionu.

A tam zapatrzyła się w ceglasto-czerwono-wieczne ściany wąwozu. Coś się stało, nie wiadomo co – powiedziała, że chce przesiedzieć tam całą noc. I przesiedziała. I usłyszała, i zobaczyła w tej ciszy i czerwoności wieczność – przeżyła naraz wszystko najwznioślejsze: mszę, drogę krzyżową, komunię, ślub, porody. Na tle tej wieczności ujrzała swoje życie – nieodważne, małostkowe. – Nie! – sprostowała. – Zobaczyłam moją dzielność – ale nie w tę stronę. Całą moją dzielność i inteligencję zużyłam na wykonywanie przykazań – ale ani razu nie zaatakowałam samych przykazań.

– Jest mi strasznie przykro – mówi. – Po co mnie ten syn zaprosił do Ameryki, po co mi pokazał te widoki... Wisła jest piękna, ale inne rzeki też są piękne, a może piękniejsze. Lubię Pieniny, ale gdzież Pieninom do Wielkiego Kanionu... Warszawa jest ładna, ale Manhattan mnie spiorunował.

– Ojciec nie imponował pani synowi? – pytam, podstępnie.

– Ach, ten mój syn! Teraz rozumiem...

Pani Teresa wyjmuje z torebki papierosy. O, zaczęła palić? Wtedy w pociągu nie paliła.

– Kiedyś byliśmy mąż, ja i syn w teatrze. I po spektaklu wziął nas do aktora z tego przedstawienia. A tam zainteresował się mną pewien brodacz, scenograf czy reżyser, już nie pamiętam. Syn... Wyrodek, nie syn. Wie pan, co on zrobił? Upił swego ojca, a mnie prawie siłą wcisnął do tego brodacza, do jakichś zakamarków z kanapą. Matkę! Proszę pana, gdybym nie była taka dzielna, jak jestem, ten facet by mnie zgwałcił!

– Coś takiego! – oburzam się.

– Mniejsza o brodacza, o synu myślę! – trzęsie się pani Teresa. – Jak mógł!

Milczę taktownie.

– Teraz zrozumiałam! – zrywa się pani Teresa. – Ten mój syn, deprawator, tak samo teraz podsunął mi Amerykę jak wtedy tego artystę!

Milczę.

– Ależ tak! – zżyma się. – Nie powinnam była tu przyjeżdżać! On zrobił to umyślnie, on chce, żebym przestała kochać Tatry, Bałtyk, Kolumnę Zygmunta!

– „Kochać"... Nie lubię tego nadużywanego słowa, to słowo spróchniało. Słyszałem je w tylu brzydkich sytuacjach. Tylko słowami „ojczyzna", „patriotyzm", „uczciwość" pomiatano częściej.

Pani Teresa zamyśliła się nad swoimi myślami.

– Zrobiłam błąd – mówi wreszcie. – Nie powinnam była przyjeżdżać do Ameryki na starość...

– A to dlaczego?

– Pamiętam, miałam trochę po czterdziestce. Moja mama miała wtedy sześćdziesiąt pięć. Widziała, że męczę się w małżeństwie. I zauważyła, że interesuje się mną taki jeden nasz kuzyn. Muzykiem był, podobał mi się ogromnie. I któregoś wieczora mama posadziła mnie przed sobą i mówi: Córeńko, nie zrób głupstwa. Odchodzić można do trzydziestki. No, może do trzydziestu pięciu. Nie później. Potem już nie można zaczynać nowego życia. Za dużo zostało po tamtej stronie. Po trzydziestym piątym można już tylko ciągnąć swój wóz aż do tej jamy, wiesz jakiej...

– Nie rozumiem...

– Tereniu, powiedziała mama, a nuż okaże się, że z tym nowym facetem jest lepiej? Co wtedy? Całe życie będzie wydawało się tobie zmarnowane! Teresko, nie zaczynaj. Pewnych rzeczy lepiej nie wiedzieć.

– Wciąż nie rozumiem.

Pani Teresa skrzywiła się, moje naciąganie jej na zwierzenia było zbyt oczywiste.

– Ja mówię o tym, że syn zaprosił mnie do Ameryki o trzydzieści lat za późno – ucięła.

Tom Cruise Pulaski

Rozmowa z generałem Kazimierzem Pułaskim

Generale... lubimy łączyć bohaterów parami. Kastor i Polluks. Michał Anioł – Leonardo da Vinci. Mickiewicz – Słowacki. Matejko – Chełmoński. Czeczot – Kapusta... Pana ożeniono z bohaterem spod Racławic.

Dyshonoru w tym nie czuję. Ten, w gruncie rzeczy, hreczkosiej z Polesia, pilny uczeń i studencina, pupilek króla, bardziej inżynier niż żołnierz, zrobił całkiem niezłą karierę: wybił się na naczelnika narodu. Gdyby nie przegrał pod Maciejowicami, miałby szansę stać się polskim Napoleonem... choć, prawdę mówiąc, był na to za poczciwy i za uczciwy.

Spotkaliście się kiedykolwiek w życiu czy nie?

Być może widziałem go w Warszawie, kiedy chodził do Szkoły Rycerskiej. Ale nie zwróciłem nań uwagi. On musiał znać mnie ze słyszenia – jako dowódcę konfederackiego.

A w Ameryce? Rotmistrz Rogowski pisze w swoich pamiętnikach, że Kościuszko przyjechał do pana do Trenton i że biesiadowaliście tam przyjaźnie dni z dziesięć...

Wszystko to zmyślił Konstanty Gaszyński, pisarzyna. Owszem, nasze drogi skrzyżowały się, ale niedosłownie. W Charleston. Jak pan wie, urządzono mi tam wspaniały pogrzeb – manifestację. Cztery lata później tymi samymi ulicami paradował Tadeusz na czele zwycięskich oddziałów wkraczających do miasta po kapitulacji Anglików.

Tadeusz był starszy...

Tak, równo o trzynaście miesięcy. Ale ja, choć młodszy, wyprzedzałem go we wszystkim. On jeszcze kuł łacinę, ja dowodziłem już tysiącami żołnierzy. A na generała awansowano mnie w siedem tygodni po przybyciu do Ameryki. Jego – po siedmiu latach.

Znaczyć to mogło, że pan był zdolniejszy?

Pan to powiedział... Fakt. On się urodził na prowincji, start miał opóźniony, w stolicy znalazł się dopiero w dziewiętnastym roku życia. Ja bywałem w Warszawie od dziecka, z mojej Warki to tylko sześćdziesiąt kilometrów. Mając lat trzynaście, utknąłem w stolicy na stałe: najpierw uczyłem się w szkole teatynów, dwa lata, potem, jako piętnastolatek zostałem paziem u Karola Sasa, księcia kurlandzkiego, syna króla Augusta Trzeciego. Przy nim to – mając szesnaście lat – odbyłem pół roku obozu wojskowego i przeżyłem prawdziwe oblężenie, przez Rosjan w Mitawie. We wrześniu 1764 uczestniczyłem z ojcem i braćmi w elekcji...

...którą wygrał Stanisław Poniatowski, Czartoryscy i stronnictwo prorosyjskie. Wy i wasze prosaskie stronnictwo – przegraliście. Czy mógłby pan wyjaśnić, generale, dlaczego Pułascy opowiedzieli się za Sasami?

Poniatowski zapowiadał, że będzie dążył do uchwalenia ustaw ograniczających szlachecką wolność. Co gorsza, z poduszczenia Prus i Rosji, chciał protestantom i prawosławnym dać prawa takie, jakie mieli katolicy. My widzieliśmy w Prusach i Rosji główne zagrożenie dla Rzeczypospolitej, a w innowiercach – potencjalnych sojuszników naszych wrogów. Poniatowski chodził na pasku carycy – dlatego byliśmy przeciwko niemu. Byliśmy za królewiczem Karolem i za dynastią saską.

A czy w przypadku pana, generale, nie miało znaczenia to, że kochał się pan we Franciszce Krasińskiej, żonie królewicza? Biografowie pańscy piszą, że ta piękna i wykształcona kobieta była jedyną wielką miłością pana życia...

Przemilczmy tę kwestię, proszę.

Pułaski – czy to od „Puławy"? Urodził się pan w Winiarach koło Warki, niedaleko Puław.

Nie. Ród nasz wywodzi się z Podlasia, z majętności Pułazie koło dzisiejszego Szepietowa. Dlatego moje nazwisko nie zawiera litery „w". Jestem Pułaski, a nie Puławski.

Pułascy – rodzina rycerska, znana spod Chocimia i Wiednia. Tymczasem ojciec pański, Józef, przystał do palestry.

Tak, ale jako adwokat zdobył majątek i godności większe, niż gdyby wojował. Zaczął jako średnio zamożny szlachcic – a mając lat sześćdziesiąt, posiadał już sto osiem wsi i czternaście miasteczek, plus liczne dobra posażne mojej matki, plus dzierżawy, plus przychody ze starostw. Od roku 1744 posłował i wpływy miał w sejmie niemałe. **Wiadomo, że dążył do reformy skarbu i do rozbudowy armii.** Ojciec, świętej pamięci, był za szlachecką wolnością – a jednocześnie za silną zawodową armią w stylu szwedzkim, nie wierzył w pospolite ruszenie. Takie profesjonalne, szkolone armie zafundowali sobie nasi sąsiedzi – Prusy, Rosja. Tysiąc wyszkolonych grenadierów pruskich albo tysiąc jazdy kozackiej wart był dziesięć tysięcy naszych podchmielonych, kłótliwych wolontariuszy.

W roku 1767 pański ojciec postanowił poderwać Stanisławowi Augustowi carycę, to jest przekabacić Rosję na stronę przeciwników króla...

I w tym celu współzorganizował w Radomiu konfederację, która zaczęła pertraktować z ambasadorem rosyjskim w Warszawie, Repninem. Ale ów Repnin zachowywał się nieznośnie – mądrzył się i panoszył w Warszawie bardziej niż ambasadorowie sowieccy w waszym PRL. Obrady sejmu – które ojciec opuścił – odbywały się pod dyktando tego drania. W czasie rozmów doszło do ostrej wymiany zdań między nimi. Wtedy to ojciec uznał, że z silnym i bezczelnym dyplomacją niczego się nie wskóra i nie ma innej drogi niż walka zbrojna. Przystępuje do działania. Organizuje sprzysiężenie, Zakon Kawalerów Krzyża Świętego. Ich hasło: „Jezus – Maryja". Ich patronką: Matka Boska Częstochowska. Ich programem: precz z królem – libertynem, koronować królewicza Karola, strzec Rzeczypospolitej szlacheckiej i katolickiej, w przymierzu z Austrią, Francją i Turcją pozbyć się z ojczyzny Rosjan i Prusaków. 29 lutego 1768 ogłosiliśmy w Barze na Podolu konfederację. 4 marca zawiązano armię, ja stanąłem na czele jednej z chorągwi.

Tego dnia ukończył pan dwadzieścia jeden lat.

Wtedy dwadzieścia jeden lat to dużo, tyle co u was teraz trzydzieści, albo i więcej. Miałem pod sobą kilkuset ludzi. Po dwóch miesiącach – półtora tysiąca.

I tak zaczęła się czteroletnia pańska epopeja powstańcza...

Ach, cudne to były sukcesa, do dziś je rozpamiętuję i rozpamiętywać będę do skończenia świata.

Zasłynął pan jako nadzwyczajny żołnierz i wybitny dowódca partyzancki: specjalista od zasadzek, niespodziewanych ataków, błyskawicznych odwrotów.

Buszowaliśmy po całym kraju: od Podola i Słowacji po Poznańskie, od Krakowa i Śląska po Litwę i Prusy. Ach! Bar, Berdyczów, Żwaniec,

Okopy Świętej Trójcy, Chocim... Lwów, Kraków, Częstochowa... Łomża, Ostrołęka, Augustów, Grodno... Brześć, Żytomierz... Ile twierdz, ile rzek, ile lasów, puszcz, bagien!

Biografowie piszą, że pewnego razu udał się pan z jednym tylko towarzyszem na szlacheckie chrzciny i dom otoczyli Kozacy, aby wziąć was żywcem. Podobno zasadziliście się w izbie, szablami broniliście się w oknie i w drzwiach tak długo, aż nadeszła odsiecz.

O, bywało gorzej. Wojowaliśmy w tym powstaniu całą rodziną: ojciec i my czterej. Brat Franciszek zginął. Brat Józef zmarł w niewoli tureckiej. Najmłodszy, Antoni, dostał się do niewoli rosyjskiej. Ojca pozbawiono prawie wszystkich majętności. Ja byłem kilka razy ranny. Ale szczęście wojenne mi sprzyjało.

Skąd pan brał siły i wiarę?

Z młodości – młody byłem, zdrowy i silny. I z umiłowania walki. My, młodzi, pasjonowaliśmy się wtedy fechtunkiem, końmi i jazdą, jak wy teraz tenisem, nartami, samochodami. Byłem Fibakiem czy Beckerem moich czasów. Tombą. Andreottim. Wojaczka grą była, hazardem. Nie powiem, że nie było mi przyjemnie, gdym się na jakimś zgromadzeniu pokazał, słyszeć: „Patrzcie, to on! Pułaski!". Gdziem nie przeszedł z moim oddziałem, zapalały się za mną jak pożary konfederacje... Brzeska, wołkowyska, słonimska, grodzieńska... Kiedym się zatrzymał w Ostrołęce, konfederacja jednogłośnie wybrała mnie na marszałka Ziemi Łomżyńskiej. Być marszałkiem tylu szlachty, mając dwadzieścia dwa lata – czyż to nie miłe? A wasz Frasyniuk? Bujak? Lis? Choć nazwiska nie szlacheckie – ta sama, co moja i moich współtowarzyszów pasja, bunt i przygoda.

9 września 1770 zajął pan klasztor i twierdzę jasnogórską. Co na to ojcowie paulini?

Nie wszyscy radzi byli. Ale część przypomniała sobie obronę klasztoru sprzed stulecia. Cała Polska przypomniała. I cieszyła się, że Rosjanie – jak kiedyś Szwedzi – nie dali rady, zrezygnowali z oblężenia, odstępując ze sromotą. W twierdzy tej zadomowiliśmy się na dwa lata, czyniąc wypady bliższe i dalsze, nawet pod Poznań, Warszawę, Zamość.

3 listopada 1771, wieczorem, porwano króla Stanisława Augusta z karety, w której jechał na wieczerzę. Pana ogłoszono głównym zamachowcem, potępiono; dwa lata później osądzono i skazano, zaocznie, na karę śmierci za „podniesienie ręki" na króla.

To irytująca prawa! Nie ja wymyśliłem to porwanie, nie ja porywałem. Sprawą kierował, na zlecenie przywództwa powstania, szlachcic Strawiński z Litwy. Ja miałem tylko przejąć króla i ulokować go w sekretnym miejscu. Ale ci partacze – ach, jak oni mogli! – uprowadziwszy króla z karety i mając go już poza Warszawą, ci partacze – aby nie przyciągać uwagi liczebnością – rozproszyli się, pozostawiając go pod eskortą jednego – słyszysz waszmość? – jednego tylko człowieka! I to takiego, który dał się przekupić obietnicą ułaskawienia i nagrody! Jeszcze tej samej nocy król powrócił na Zamek...

Ale pan też zawiódł, nie był pan na czas pod Warszawą.

Fakt. Pod Skaryszewem natknąłem się na Rosjan, rozbili mi oddział. Padł koń pode mną, ja na cudzym, ranny w rękę, z resztkami oddziału, szczęśliwie przebiłem się na powrót do Częstochowy.

Piszą znawcy, że gdyby nie wasza barska konfederacja i nie powstanie – które zirytowało Rosjan – nie byłoby rozbioru Polski.

Ja żołnierz. Od polityki był ojciec i inni. Ale tym, którzy nas oskarżają, powiem jedno: przebudziliśmy naród, rozleniwiony po wiedeńskim wyczynie i gnuśniejący, nieczuły na ruskie i pruskie panoszenie się. Naród bez godności i dumy. A rozbiór i tak był nieunikniony. Polska, bez dowódców i wojska, stała otworem jak karczma bezpańska. Rosja na zachód parła, Prusy na wschód. Kiedy w lutym 1772 zawarły układ rozbiorowy, i Austria jeszcze dołączyła, cóż mi pozostało? 31 maja, nocą, opuściłem Częstochowę, aby moim współtowarzyszom nie utrudniać kapitulacji.

Co dalej?

Dwa lata tułałem się po Niemczech i Francji. Potem zaciągnąłem się do armii tureckiej – na Bałkanach wojowałem z moimi ukochanymi Rosjanami, aż do traktatu pokojowego. Wróciłem do Francji – stamtąd próbowałem załatwić powrót do Polski. Niestety, wyroku śmierci nie udało się uchylić – w kraju czekał mnie topór albo stryczek. Tymczasem w Paryżu zrobiło się głośno o rewolucji w Ameryce – od kwietnia 1775 tamtejsi koloniści bili się z Anglikami o swoją niepodległość. Spodobało mi się to! W Paryżu działał przedstawiciel rządu rewolucyjnego, niejaki Franklin – werbował zawodowców dla armii amerykańskiej. Pod koniec lipca, kiedy przyszła wiadomość, że koloniści ogłosili niepodległość, udałem się do tego Franklina. Niestety, zaczęły się trudności. Owszem, szła za mną sława dobrego żołnierza i dowódcy – ale też gadano, że raptus, samowolny, nieobliczalny. Do tego królobójca... Koniec końców dopiąłem swego: w maju 1777 dostałem od Franklina rekomendację, 23 lipca wysiadłem w Bostonie ze statku, a w sierpniu zameldowałem się w kwaterze generała Washingtona, George'a. Głównodowodzącego.

Jakie robił wrażenie?

Niezłe. Wysoki. Poważny, powolny, rozważny. Mnie podobało się, że też w gruncie rzeczy partyzant. Ta jego przeprawa przez rzekę Delaware, nocą, w Boże Narodzenie, zaskoczenie Anglików i zwycięstwo, o, duża klasa.

Pierwszy sukces wojenny w Ameryce odniósł pan, nie będąc jeszcze amerykańskim żołnierzem.

Tak, w bitwie nad rzeczką Brandywine. Kiedy armia Washingtona przegrywała, poprowadziłem kawalerię do trochę szalonego przeciwnatarcia, które zaskoczyło i wystraszyło Anglików. Washingtona to przed klęską nie uchroniło. Ale ocaliło przed kompletnym pogromem.

I tak mu zaimponowało, że zarekomendował pana Kongresowi do nominacji na generała.

I 15 września zostałem generałem kawalerii, a tym samym szefem konnicy w całej armii Washingtona. Było tego kilkuset ludzi rozproszonych po różnych oddziałach, głównie w charakterze służb zwiadowczych i posłańców. Ja chciałem zorganizować samodzielną jednostkę konną. No to wyłuskałem tych rozproszonych, zgromadziłem i zacząłem trenować. Pół roku ich ćwiczyłem, sztuczek jeździeckich uczyłem, operowania lancą, skoków przez przeszkody. Tym sposobem dorobiłem się siedmiuset szybkich, zwinnych ułanów. Skierowano nas do New Jersey, niestety, ni Kongres, ni mój bezpośredni dowódca, generał Wayne, nie rozumieli, czym może być kawaleria w takiej partyzanckiej wojnie. Kongres, cóż, sami kupcy i adwokaci, co oni mogli wiedzieć o koniu i partyzanckim rzemiośle. A z Waynem starłem się raz i drugi, był to bardziej menedżer niż oficer. Zniechęcony bezczynnością i brakiem zrozumienia, poprosiłem o dymisję. Zacząłem dumać o powrocie do Europy.

Washington napisał o panu: „Jest on dżentelmenem bardzo czynnym i odważnym ponad wszelką wątpliwość, brak mu tylko dokładniejszej znajomości naszego języka i obyczajów, aby uczynić zeń cennego oficera".

Tak, Washington lubił mnie i docenił. I żeby mnie nie utracić, przedstawił i poparł w Kongresie mój wcześniejszy projekt otwarcia specjalnego, samodzielnego oddziału konno-pieszego. I tak w kwietniu 1778 w Baltimore zacząłem kompletować legion, który nazwano potem

Legionem Pułaskiego. Najwięcej ściągnąłem Amerykanów, Francuzów, Polaków, Irlandczyków. Sporo też dezerterów z armii angielskiej, głównie Niemców heskich. Razem dwustu piechurów i siedemdziesięciu jeźdźców. Po miesiącu musztry poświęciliśmy w maju sztandar legionu i poprosiłem o zadanie bojowe. Przeznaczono nas do ochrony wybrzeża New Jersey. Zaczęło się pechowo: wskutek zdrady, zaskoczyli nas Anglicy we śnie i zabili mi aż trzydziestu żołnierzy. Potem wojowaliśmy z Indianami na północy. Ale takie marginesowe robótki nie satysfakcjonowały mnie – ja chciałem być tam, gdzie rozstrzyga się wojna, gdzie można pokazać, co się umie. Znowu złożyłem dymisję – znowu poskutkowało. Skierowano mnie do Karoliny Południowej, toczyły się tam zajadłe boje z nowo przybyłymi oddziałami angielskimi. Rozbudowałem tedy mój legion do sześciuset ludzi i podążyłem na południe. 8 maja zająłem twierdzę w Charleston i kiedy nadciągnęły wojska angielskie, dałem radę nie tylko przetrzymać oblężenie, ale – jak kiedyś z Jasnej Góry Rosjan – nękałem teraz Anglików nocnymi wypadami, partyzanckimi zasadzkami, zwiadowczymi porwaniami. Latem, wskutek okropnego upału, obie strony zamarły.

Było to trzecie pańskie lato w Ameryce.

I ostatnie. We wrześniu włączono mój oddział do walki o ważne miasto portowe Savannah w Georgii, na granicy z Południową Karoliną. Od północy broniła miasta rzeka, z pozostałych stron – trzynaście mocnych fortec. W tym od zachodu dodatkowo bagna. Atakowały sprzymierzone wojska amerykańsko-francuskie. Mój kawaleryjski legion miał uderzyć w drugiej fazie, zaskoczyć błyskawicznym atakiem zza wzgórza i rozstrzygnąć bitwę. Ale precyzyjny plan szturmu popsuło bagno. Francuzi sforsowali je z opóźnieniem, kiedy już wschodziło słońce – przystąpili do ataku w blasku dnia, pod morderczym ogniem kartaczy i muszkietów. Dzielni piechurzy trzy razy atakowali, podchodząc przez druty i zapory pod sam szaniec. Kiedy cofali się po raz trzeci – wynosząc rannego i nieprzytomnego admirała d'Estaing, głównodowodzącego – nie wytrzymałem. Zostawiłem mój legion za wzgórzem i samowtór, z adiutantem tylko, rzuciłem się ku cofającej się piechocie, aby poderwać ją do ataku. I wtedy zwaliła mnie z konia kartaczowa kula... Dostałem w pachwinę. Podobno Anglicy rozpoznali mnie – wstrzymali ogień, aby można było wynieść mnie krwawiącego poza pole walki. Chirurg wyjmował mi kulę na żywca. A była wielkości włoskiego orzecha – może pan ją obejrzeć, przechowują ją w muzeum w Savannah.

Straciłem przytomność podczas tej operacji i już nie odzyskałem. Załadowano mnie na bryg – Wasp się nazywał – i przewieziono nieprzytomnego do Charleston. Niestety, wywiązała się gangrena... Upał był straszny... Rana cuchnęła. Wyzionąłem ducha, nie odzyskawszy przytomności. Rozkładające się ciało wpakowano marynarskim zwyczajem do żeglarskiego worka i wrzucono do morza.

Widział pan swój pogrzeb z góry. Jak to wyglądało?

Symboliczny pogrzeb, z trumną bez ciała. Imponująco wyglądało. Całe miasto szło za trumną. I dużo wojska...

Na wieść o śmierci Kongres uchwalił wzniesienie pomnika panu, w Waszyngtonie.

I wzniesiono. Ale ze stutrzydziestoletnim opóźnieniem, 11 maja 1910 roku. A drugi pomnik – panu Kościuszce. Mnie – za pieniądze Kongresu, panu Kościuszce – za pieniądze Polonii.

Podczas odsłonięcia, prezydent William Taft powiedział o panu: „Był to rycerz z krwi i kości, syn rycerskiego narodu, rycerski w postawie i zwyczajach, mężny, nieustraszony, odważny i śmiały, a zarazem kobiecej łagodności i uprzejmości, pełen słodyczy w obejściu. Ten, w którego imieniu zespala się cały urok romantyczności dawnego rycerstwa".

To prawda. Zjawiłem się wśród Amerykanów jak człowiek z innej epoki. Oni już wtedy byli narodem przemysłowo-handlowym, czułem się wśród nich jak wśród urzędników i kupców nawet w tak niezwykłych przygodowych okolicznościach jak wojna. Drażnili tą swoją rzeczowością. Skrzętnością. Skąpstwem. Czy pan wie, że Kongres zarzucił mi rozrzutność przy formowaniu legionu? Mnie, który nie tylko wydał wszystkie swoje zapasy na legion, ale jeszcze się na ten cel zapożyczył! Krótko mówiąc: ja i Amerykanie różniliśmy się tak, jak różnią się kawalerzysta i artylerzysta.

To gdyby pan przeżył, nie pozostałby pan w USA na stałe?

Wykluczone! Inżynier Kościuszko w Ameryce nie wytrzymał, Francuz La Fayette nie wytrzymał!

Generał von Steuben pozostał, przyjął obywatelstwo USA...

Niemiec! Ja wróciłbym. Tym bardziej, że najmłodszy mój brat, Antoni, wywalczył mi w 1793 roku anulowanie wyroku śmierci.

I walczyłby pan w Insurekcji jak inni oficerowie z konfederacji barskiej – jako podkomendny Kościuszki?

Chyba tak, skoro został naczelnikiem. Ale trzymałbym raczej z księciem Poniatowskim. Kościuszko ogłosił: „Za szlachtę bić się nie będę, chcę wolności całego narodu". To dla mnie zbyt... komunistyczne. Ale do Targowicy na pewno bym nie przystał.

Kościuszko jest bohaterem i polskim, i amerykańskim. Pan, mimo wyczynów za powstania barskiego, w gruncie rzeczy pozostałby w Polsce nieznany – gdyby nie sława amerykańska. To w Ameryce stoją pańskie pomniki, w Ameryce są mosty, place, autostrady nazwane pańskim nazwiskiem. W Ameryce ustanowiono i czci się "Pulaski Day", w Ameryce odbywają się "Parady Pułaskiego", na amerykańskich słoikach musztardy, papryki, ogórków widnieje na etykietach pańska podobizna i nazwisko.

Co do tych słoików... Może cieszy to Kościuszkę – jako znak, że zagnieżdżony w narodzie, w codzienności. Ja – szlachcic jestem. Nazywano mnie księciem. Wolałbym widzieć swoje nazwisko na czymś wykwintniejszym niż ogórki. O, rakiety tenisowe. Narty. Samochody. Samoloty. Kluby sportowe. Uniwersytety. Autostrady. To tak. Ale oszczędźcie mi tej musztardy i ogórków.

Panie generale, ustanowili Amerykanie "Pulaski Day", a nie umieszczają pana w encyklopediach. Nazywamy pana "ojcem kawalerii amerykańskiej", a w tomie "Historia kawalerii USA" w ogóle nie ma pańskiego nazwiska. Co to znaczy?

Ameryka, synku. Zależy, kto pisał, komu, za czyje pieniądze.

Polonia lubi stawiać pomniki. Właśnie nowojorska uzbierała na pomnik księdza Popiełuszki. Słyszy się, że teraz będą zbierać na pana, generale.

Amerykanie stawiali idoli na cokołach – ale przestali. Odkryli, że o wiele pożyteczniej budować pomniki w postaci szkół, teatrów, stadionów i innych funkcjonalnych urządzeń, którym nadają nazwiska swoich bohaterów. Tak istnieć podoba mi się bardziej, niż tkwić dniami i nocami na cokole jak niemowa. Zamiast trwonić dolary na nowe pomniki – nagrodę w konkursie na scenariusz filmowy ufundujcie! Współczesne pomniki rzeźbi się nie w granicie, lecz na taśmie filmowej. Cwani Amerykanie rozsławiają siebie i swoich bohaterów po całym świecie – w milionach kin, w miliardach telewizorów!

Pomarzmy, Generale. Oto polonijne autorytety zainicjowały, a instytucje polonijne podjęły zbiórkę funduszy na filmową superprodukcję. Włączyły się między innymi Kongres Polonii Amerykańskiej, Fundacja Kościuszkowska, Polish-Slavic Credit Union, a z Kraju Ministerstwo Kultury, Komitet Kinematografii oraz prywatnie miliony Polaków. I jest

już znakomity, obiecujący scenariusz. Przyłącza się, bo zwietrzyła gratkę, bogata wytwórnia amerykańska. Jest za co opłacić superreżysera, supergwiazdę i superprodukcję. Cel filmu: przełamać dotychczasowy nieponętny image Polaków i Polski – w Ameryce i w świecie. Kogo wybrać na głównego bohatera? Kawalerzystę i zawadiakę Pułaskiego, czy... Czy inżyniera, wodza i polityka Kościuszkę?

Odpowiem szczerze, bez pychy, ale i bez fałszywej skromności. Imć Kościuszko życie miał długie, pracowite: Czytał, malował, majsterkował, uprawiał, politykował. To wyjeżdżał z opłotków, to wracał. To królowie i arystokracja, to szaraczkowie, kosynierzy, żebracy. Kochliwy był, ale z kobitami sobie nie radził, porzucały go. Jednakowoż na swej siedemdziesięciojednoletniej drodze zderzył się z największymi tuzami swojej epoki. Książę generał Czartoryski, król Stanisław August. Studia w Paryżu – i encyklopedyści. Ameryka – i Franklin, Washington, Jefferson. Znowu Polska – i Kołłątaj, Staszic, książę Józef, Niemcewicz. Niewola – i Katarzyna Druga, i car Paweł. Znowu Ameryka. Znowu Paryż – i Napoleon. Wiedeń – i car Aleksander. I ta skromna końcówka w Szwajcarii. Oj, oj, panie Redliński. Wstyd mi za waści! Do Pułaskiego, widzę, waść się przygotował. Ale w temacie Kościuszki ciemnyś waćpan jak tabaka. Do biblioteki! Natychmiast! Nadrobić!

Gdzieś czytałem: o sto lat wyprzedzał Kościuszko i Polskę, i Amerykę...

Tak, odmieniec. I życie bardzo zmienne miał, filmowe, tak, nadające się na ekran. Ale na ekran – telewizyjny. Długie życie – na długi, serialowy wyciskacz łez. Mocno wychowawczy i bardzo przygodowy. O bohaterze nieszczęśliwie zakochanym w kobietach i w nieszczęśliwej Ojczyźnie. Jest tu taki aktor, młody, ale z dużą przyszłością, który mógłby go zagrać.

Kto?

Tom Hanks się nazywa. Nawet nos ma podobny.

A co z panem?

Ja krótko żyłem, połowę tego, co jegomość Naczelnik. Ale żyłem po kawaleryjsku, ryzykancko, jak to się teraz u was mówi: na adrenalinie. Szybko. I film o mnie powinien być szybki. Półtoragodzinny. Na adrenalinie. Kinowy.

Kto w głównej roli?

Jak pan widzisz, postury jestem niskiej. Chuderlawy. Szczupły w sobie, mowy prędkiej i chodu takiego...

Jędrzej Kitowicz napisał o panu: „Był wielce wstrzemięźliwy tak od pijaństwa, jak od kobiet. Zabawy jego najmilsze były w czasie od nieprzyjaciela wolnym: ćwiczyć się w strzelaniu z ręcznej broni, pasować się z kim tęgim, na koniu różnych sztuk dokazywać, a w karty grać po całych nocach. Nic go bardziej nie bawiło jak potyczki z Moskalami. W potyczkach zapominał o wszystkim i sam się najpierwej w największe niebezpieczeństwa narażał..."

Wiem! Tom Cruise mógłby mnie zagrać.

A Olbrychski? Wspaniale zagrał Kmicica. W reżyserii Hoffmana.

Tak, wspaniale. Ale, po pierwsze, jest już szesnaście lat starszy. A po drugie... Pan, widzę, jesteś tu krótko i nie rozumiesz pan jeszcze Ameryki. I aktor, i reżyser muszą być – amerykańscy. Nie twierdzę, że wy tam w Polszcze nie moglibyście zrobić dobrego filmu. Ale... Nie sztuka coś wyprodukować. Sztuka – sprzedać. A film „Made in USA" sprzedaje się w świecie sto razy lepiej niż „Made in Poland". Jasne?

Od 1936 roku corocznie w drugą niedzielę października, w rocznicę pańskiej śmierci, wschodnioamerykańska Polonia defiluje Piątą Aleją w Nowym Jorku w tak zwanej Paradzie Pułaskiego. Miło panu?

Bardziej mi się podoba ta trzeciomajowa parada w Chicago. Temperamentna, głośna, radosna! A ta moja w Nowym Jorku? Brrr! Gdybym miał ciało, gdybym był wśród żywych – dalibóg, zorganizowałbym kontrparadę! Z mazurem, polonezem, oberkami, kujawiakami, krakowiakami. Wojna? Tak! Ale Monte Cassino, dywizjon 303, Powstanie Warszawskie! Ducha narodowego, brawurę, rycerskość, triumfalność pokazać! Nie męczeństwo, nie bezsilność, nie Katyń, nie Oświęcim... Na te rzeczy zróbcie sobie paradę Ojca Kolbego. Ja męczennikom i płaksom patronować nie chcę.

Generale... Kościuszko patrzy na nas z nieba, a pan? Skąd? Było nie było, choć w imię niepodległości i wolności, choć pod sztandarami Matki Boskiej oraz ojczyzny świętej – jednak zarżnął pan szablą, zakłuł lancą, powalił z pistoletów co najmniej kilkadziesiąt stworzeń bożych zwanych ludźmi...

Nie liczyłem. Ale ja żołnierzem byłem. I robiłem swoje. Rzetelnie robiłem, uczciwie. A Pan Bóg rozlicza z uczciwości.

Kościuszko patrzy na nas z nieba. A pan?

Też. Tylko z innej gwiazdy.

NYC, 1990

Wstęp do traktatu
o bohaterstwie słowiańskim

1. *Samotny, stanu wolnego, lat 50, resztę życia pragnie oddać Ojczyźnie. Prosi o rady, pomoc, oferty. Telefonować o każdej porze...* I numer telefonu.

Ogłoszenie to zobaczyłem w piśmie polonijnym.

Patriota, pomyślałem. Polak. Prawdziwy Polak albo...

Kiedy zatelefonowałem, usłyszałem jednakżc głos zrównoważony. Przedstawiwszy się, spytałem, kiedy możemy się spotkać.

– Choćby zaraz – odpowiedział. Podał adres. Ubrałem się, pojechałem, rozumiałem, że sprawa pilna. Kwadrans po północy byłem u niego. Środek Brooklynu, tak zwany drugi Greenpoint.

Czekał na chodniku. Polskiego wzrostu, polskiej urody, po polsku w amerykańskich dżinsach i snikersach. Wynajmuje pokój przy rodzinie. Weszliśmy. On zajął się przyrządzaniem kawy, ja usiadłem w fotelu. Rozejrzałem się. Tapczan. Półka z książkami. Telewizor. Magnetofon. I stolik do kawy.

Przysunął. Posłodziliśmy. Czekałem. Twarz poważna, oznaki niewyspania wokół oczu. Skupiony. Tak, skupienie i determinacja.

– Dlaczego? – spytałem. – Co się stało?

2. Siedział na brzegu tapczana, przygarbiony. Splecione jak w modlitwie dłonie przycisnął do piersi.

– Ojczyzna i ojczyzna – westchnął. – Wszędzie ojczyzna. W gazetach, w książkach, w radiu. W kościele i w banku. Na zebraniach, nabożeństwach, koncertach. Ojczyzna. Ojczyzna – niepodległość – wolność – Boże coś Polskę – hymny – hołdy – pomniki – składki – akcje – protesty – manifestacje – msze – pochody – procesje – apele – rocznice – capstrzyki – hejnały – odsłonięcia... Ludzie pamiętają. Walczą. A ja?

Urwał. Dłonie rozplótł, głowę opuścił.

– A ja... Ja tylko sobą zajęty. Swoimi sprawami. Zarobić, wysłać rodzinie... Aż mi wstyd. Że ja tak wokół swego ogona. Tak przyziemnie. Tak małostkowo. Wstyd mi, proszę pana.

3. Jest w Nowym Jorku dziesiąty rok. Już legalnie. Rodziny nie sprowadził, bo „Amerykę mają lepszą pod Jaruzelskim, niż mieliby pod Reaganem". Pracuje ciężko, zarabia słabo. Krawiec. Ale żyje skrzętnie i wysyła niemało.

– Dzieci troje. Odchowane, ukierunkowane, ustawione. Żona niedawno umarła, rodzice też na tamtym świecie. Wszystkie długi, pieniężne i moralne, spłacone. Naprawdę jestem wolny. Moje życie należy do mnie.

Kiedyś postanowił, że jeśli dożyje pięćdziesiątki, weźmie z dniem pięćdziesiątych urodzin półroczny urlop. Aby zastanowić się, co robić z resztą życia. Dożył, wziął, zastanawia się. Już pięć miesięcy.

– Żyłem jak wszyscy. Jak wszyscy zwykli ludzie – uściślił. – Pięćdziesiąt lat robiłem to, czego mnie uczyli, czego ode mnie chcieli rodzice, nauczyciele, ksiądz, żona, sąsiedzi, dzieci. Nie byłem ni gorszy, ni lepszy. Odsłużyłem wojsko, płaciłem podatki i składki, głosowałem, chodziłem do kościoła i na czyny... Czciłem ojca swego i matkę swoją, nie zabijałem, prawie nie cudzołożyłem, jak każdy kombinowałem, ale nie kradłem, oszukiwałem tylko tyle, ile musiałem, imienia Bożego nie wzywałem na daremno. Bez fałszywej pokory mogę o sobie powiedzieć, że z moich obowiązków wobec rodziny, bliźnich i świata wywiązywałem się nie gorzej niż moi znajomi i nieznajomi. Ale...

Powstał. Od tapczana do okna przeszedł, od okna do tapczana, i z powrotem. Nerwowo. Jak uwięziony.

– Myślę, że nie jestem wyjątkiem. Że inni tak samo. Zwłaszcza podczas uroczystości. Czytając o bohaterach i świętych... Tak, ten niepokój tkwi w nas jak drzazga i czasem zakłuje... Zapiecze jak wstyd, zaboli jak tęsknota... Tęsknota za czymś wyższym. Piękniejszym. Jak głód ściśnie – głód czynu wielkiego, bohaterskiego. Jak potrzeba lotu... oderwania się od ziemi...

– Mówiąc konkretniej – rzekł, stojąc przede mną – po kilku miesiącach rozmyślań postanowiłem się poświęcić pozostałe lata... Ojczyźnie. Wyrwać drzazgę... skończyć z kompleksem winy... spłacić jedyny mój

71

dług. Tak, chcę się z Ojczyzną rozliczyć, i to ładnie. Ładnie i hojnie. Wzlecieć ponad przyziemność. Wzlecieć wysoko.
– Czym? – nie wytrzymałem. – Jak?
– Otóż to – rzekł, siadając. Uszko filiżanki ujął dwoma palcami, precyzyjnie. – Czym, jak...

4. – Gdyby była wojna – zaczął po chwili, patrząc mi w oczy głęboko – może miałbym łatwiej. Po prostu oddałbym życie na polu bitwy. Na czele... ech, co ja plotę! – uderzył pięścią w kolano zły, zdenerwował się sam na siebie. – „Po prostu"! Jakie „po prostu"! W bitwie przecież nie o oddanie życia idzie, lecz o zabranie. Wrogowi. Wrogom. Jak największej liczbie wrogów! Zresztą: na którym polu? Wschodnim czy zachodnim? Przeciw komu i z kim... Pan, widzę, patrzy na mnie zdziwiony, proszę się nie dziwić, miał pan próbkę. Podobnie każda odpowiedź, zrazu celna i oczywista, zaczyna mi się rozszczepiać, rozłazić. Dlatego musiałem w końcu udać się do ludzi mądrzejszych ode mnie. Do, że tak się wyrażę, fachowców od patriotyzmu. Rozmawiałem z prezesem pewnej organizacji polonijnej. I z księdzem. A także z emigracyjnym poetą. Nawet telefonowałem do... konsulatu. Tak, proszę pana. Życie mam jedno, chcę je poświęcić, ale nie zmarnować. W płot trafiać mogę kulami, ale nie życiem.
– I co panu radzili? – spytałem, nie mogąc powstrzymać ciekawości.

5. Zasępił się mój patriota.
– W zasadzie to wszyscy radzili podobnie...
Opowiedział. Pomysł poświęcenia życia Ojczyźnie poruszał każdego, choć reagowali różnie. I entuzjastycznie (poeta), i miłosiernie (ksiądz), i podejrzliwie (nieznajomy głos z konsulatu), i gromko (okrzyk działacza: „Jeszcze Polska nie umarła!"). I zaraz pytali. Czy zna języki (działacz, poeta). Czy umie posługiwać się bronią (działacz). Jaki zawód (wszyscy). Ile zarabia (wszyscy). Ile ma na koncie (wszyscy). Czy pisał wiersze (poeta), albo spisywał dziennik (działacz), ile może odłożyć miesięcznie (wszyscy)... I słysząc, że z obcych języków zna trochę rosyjski i sabwejowo-sklepowy angielski... Że jest tu krawcem... na koncie zostawił tylko trzy tysiące... odłożyć może miesięcznie koło trzystu... tracili stopniowo zapał i pomysłowość.
– Módl się, ciułaj i oddawaj, tak bym streścił ich rady – westchnął gorzko.

Na co oddawaj? Patriota ujął cele tematycznie.

a) Na pomnik Tadeusza Kościuszki (wszyscy) – w kraju (konsulat) lub za granicą (działacz, ksiądz, poeta).

b) Na pomnik księdza Popiełuszki (działacz, ksiądz, poeta).

c) Na fundację Jana Pawła II (poeta, ksiądz).

d) Na fundację Rządu Polskiego na Wychodźstwie (działacz).

e) Na leki do Polski (poeta, działacz, konsulat).

f) Na amerykańską Częstochowę (ksiądz).

g) Na zainicjowanie Fundacji „O dla Starego Kraju", która pomagałaby spłacać zadłużenie dewizowe PRL (konsulat).

h) Na budowę czegoś trwałego w miasteczku rodzinnym w Kraju, np. szpitala (konsulat) lub kościoła (ksiądz).

i) Na wsparcie literatury emigracyjnej (poeta).

j) Na comiesięczne msze za ojczyznę (ksiądz)...

Patriota odłożył notatnik.

– To propozycje najciekawsze, innych nawet nie zapisywałem. – Skrzywił się. – Ładne one, szlachetne, ale jakieś... Jakieś niezbieżne z moim głosem wewnętrznym.

– A co panu mówi... pański głos... wewnętrzny? – spytałem, ostrożnie.

6. Ożywił się. Znowu powstał i znowu ruszył. Od tapczana do okna, od okna do tapczana.

– Chciałbym oddać moje życie za Ojczyznę tak, żeby to... ładnie wyglądało. Nie, nie o próżność mi idzie, nie o sławę, poematy i obrazy po mojej śmierci. Życie oddać muszę jednorazowo. Pięknie. Żeby przyszłe pokolenia chciały się na mnie wzorować. Przyszłe pokolenia patriotów. A zwłaszcza – młodzież. Żyłem szaro i przeciętnie, skoro życiem nie mogę świecić, niechże zaświecę śmiercią. Lubiłem historię, w młodości i dzieciństwie przeczytałem mnóstwo powieści o naszych dziejach i bohaterach. Ach, Władysław Warneńczyk – pod Warną, hetman Żółkiewski pod Cecorą. A umieranie Stefana Czarnieckiego... A śmierć księcia Józefa, pamięta pan te wzniesione kopyta i głowę konia spiętego do skoku w wiry Elstery? A reduta Ordona? A Emilia Plater? A pogrzeb Wołodyjowskiego...

Zauważył mój grymas.

– Wiem, wiem, fakty a obrazy... różnie bywa... Porucznik Ordon przeżył i redutę, i samego Mickiewicza... Platerówna rozchorowała się spadłszy z konia w ucieczce przed paroma Moskalami. A Wołodyjowskiego Sienkiewicz wyczarował. Wiele śmierci wygląda w poematach i na obrazach piękniej, niż naprawdę wyglądało. A jednak... jednak wolę romantyczną formę ofiary. Bo ta pozytywistyczna... to ciułanie... Statystycy podają, że współczesny Polak żyje średnio lat siedemdziesiąt. No to zostało mi dwadzieścia. Ile za ten czas uciułam, odłożę? Miesięcznie trzysta, przez rok trzy sześćset, do końca życia siedemdziesiąt dwa. Jeśli Pan Bóg dopomoże. Siedemdziesiąt dwa? Rety... Moje życie warte tylko siedemdziesiąt dwa tysiące dolarów? Tylko siedemdziesiąt dwa tysiące miałaby ze mnie Ojczyzna? Toż nawet na fundamenty kościoła, na podpiwniczenie szpitala to nie starczy, przy dzisiejszych cenach galopujących. I galopującym rozkradaniu.

– Ale gdyby... – zacząłem, rozmyśliłem się, urwałem.

– Gdyby co? – zaciekawił się.

– Gdyby pan skoncentrował swoje siły, pomysłowość i odwagę nie na poszukiwaniu efektownej śmierci, ale – efektywnego wynalazku i patentu? Na błyskotliwym, dolarodajnym wykupie akcji na giełdzie? Raczej Edisona i Nobla wziąć sobie za przykład niż księcia Józefa?

– Mam tylko maturę, a pan mi... – Zdenerwował się. – Zupę mógłbym wymyślić. Ale nie proch czy żarówkę. Owszem, czytam, oglądam, nawet zwiedzam. Ale na uniwersytety już mi za późno.

– Dlaczego? – sprzeciwiłem się, ostrożnie. – Amerykanie zaczynają studia nawet po sześćdziesiątce, czytałem o takich. Więc? Pięć lat studiowania, potem piętnaście pracy. Twórczej. Nawet w krawiectwie. Ale wyżej i z innymi dochodami. Jeśli nie milionik, to chociaż tysiączek miesięcznie dla tej Ojczyzny. A tysiączek to trzy razy więcej niż trzysta.

Zmarkotniał.

– I to wszystko, co mi pan ma do powiedzenia? Eee... – Machnął ręką lekceważąco. – Tyle to doradzi mi i byle kliniara. Uciułaj i daj. Daj – żeby mieli co rozkradać? Daj na szkołę, na mostek, na sieroty, na niewidomych, na dzwony, na Solidarność, na Częstochowę, na mszę, na Kraków, na ochronę przyrody, na Dar Pomorza, na Centrum Zdrowia Dziecka, na Muzeum Prymasowskie, na Panoramę Racławicką, na bezrobotnych aktorów... Pracuj, ciułaj, wspomagaj! Mały realizm... nudny pozytywizm. A ja nie chcę być szarym bohaterem pszczół i myszy! Bohaterem pracy socjalistycznej. Ani pozytywistycznej. Markiewka, Pstrowski, Świętochowski... Kto za nimi pójdzie? Nasz naród w depresji... w apatii – trzeba go do Czynu poderwać! Do Wielkiego Przeme-

blowania! A pan im pszczółkę podsuwa. Pszczółką to byliśmy lat czterdzieści – i co z tego mamy? Pszczółka haruje, pszczelarz konsumuje. Reżim też pszczółkę podsuwa... Pszczółką się ich nie poderwie. Niestety. Nasza młodzież już bardziej hochsztaplera i włamywacza podziwia niż pszczółkę, porównaj pan liczbę widzów na filmach o budowaniu i na filmach o wysadzaniu. O, do czego doszło. Orła – orła im trzeba! Ale nie pszczółki! Ech, widzę, pan mnie nie rozumie...
Zadzwoniło... Telefon.
– Nie wszystkich zmorzyło – rzekł, sięgając po słuchawkę. Spojrzałem na zegarek. Druga. Po północy druga.
– Tak, to ja – rzucił do słuchawki. – Słucham... Interesujące... – Otworzył notatnik, zapisywał.
– Coś w tym jest, dziękuję, serdecznie dziękuję – rzekł na zakończenie. – Bądźmy w kontakcie. Dobranoc.
Odłożył słuchawkę. Dopisał coś, podkreślił. Zadowolony. Nie nalegałem, choć ciekawiło. Czekałem.
– Całe szczęście, że dzwonią też wariaci, kpiarze, szydercy – oznajmił. – I wyznam panu, że prędzej znajdę ziarno inspiracji w ich wygłupach niż w obywatelskich radach pszczelarzy.
– A ten co radził? – spytałem jednak.
– Założyć drugą Polskę. Wyjechać całym narodem – zostawić tylko rząd, sejm i partię. W ich urzędach, z ich biurkami i dogmatami. Niech sobie reformują się po swojemu, choćby lat dwieście i na sto etapów... niech wyżywią się sami. A wyjechać do kraju rzadko zaludnionego, ale zasobnego, są takie. Australia może być, Kanada... Byle daleko od Niemców i Ruskich.
– Ma facet wyobraźnię – westchnąłem.
– Myśli dalekowzrocznie – potwierdził. – Na historyczną miarę. I realnie. Bez tych tam jagiellońskich mrzonek o środkowoeuropejskiej konfederacji i rozpadzie imperium. Radzi mi facet pomysł opatentować, żeby Bangladesz nas nie ubiegł. Albo Chiny.
– A kto ten wielki exodus zorganizuje? Pan?
– On i ja. Przez Oenzet. A Kwatera Główna w Nowym Jorku, blisko, sabwejem miałbym czterdzieści minut, efką. On ma tam dojścia; w Oenzecie robi sporo Polaków. Klinują. Nocą. A noc? Sam pan rozumie...
– Interesujące – pochwaliłem. – A inni? Co radzą inni Polacy z wyobraźnią?

7. Otworzył notatnik. Kartkując, wybierał, cytował, komentował.

– Załóż pan w Polsce fabrykę dezodorantów, bo w tramwajach, pociągach i barach nie idzie wytrzymać – przeczytał. I spojrzał pytająco.

– Orzeł to czy pszczółka?

Zastanawiałem się, za długo.

– Orzełek – sam rozstrzygnął. – Pszczółkoorzełek. A teraz orzeł, proszę posłuchać. Szanowny rodaku! Dla dobra Ojczyzny proponuję panu wysadzić w powietrze pewien gmach podczas pewnego międzynarodowego zjazdu, adresu nie podaję, bo wszyscy wiemy, gdzie i który...

– Skok. Z Empire State Building, z transparentem: „Zginąłem, żeby Polska nie zginęła" – brzmiała kolejna propozycja.

– Z uznaniem i sympatią śledziłem swego czasu podpalanie się mnichów buddyjskich w Bangkoku. Serdecznie radzę panu tę formę bohaterstwa. Podpowiadam miejsce i daty. Miejsca: plac Świętego Marka, plac Gwiazdy, plac Czerwony, plac przed Białym Domem, plac im. Bolesława Chrobrego w Liputkowie. Daty: 7 listopada, 22 lipca, 13 grudnia, 29 lutego. Ta ostatnia jest dniem moich urodzin. Prosiłbym o zgranie miejsca i daty...

– Ożeń się z sekretarzówną, bądź Wallendrodem...

– Całą rodziną doradzamy nakręcenie serialu „Anty-Shoah"...

– Matrosow zatkał swoim ciałem lufę cekaemu. Ty zatkaj rurę naftociągu...

– Może pan sprzedać się za około pół miliona dolarów, jeśli jest pan zdrowy, a pieniądze zapisać na jakiś piękny cel, na przykład na odnowienie Wawelu. Co i komu sprzedać? Swoje organy wewnętrzne, to jest serce, wątrobę, nerki i temu podobne na przeszczepienie milionerom...

W tym momencie mój patriota przerwał odczytywanie. Zamyślił się. Nie ponaglałem, choć ciekawiło.

– Proszę pomyśleć... – podjął czytanie – nad spowodowaniem trzeciej wojny światowej i drugiego Traktatu Wersalskiego...

– Sporządziłem listę stu współczesnych, żyjących, najobrzydliwszych szkodników Polski i polskości. Będę z pana dumny, jeśli w obronie honoru Ojczyzny wyzwie ich pan na pojedynek. Walczyć należy przed kamerami telewizji światowej, ale po staropolsku: na topory i do ostatniego tchu, jak w „Krzyżakach" Henryka Sienkiewicza. Starszym od siebie może pan zaproponować pistolety. Oto pierwsi trzej z mojej listy: Ali Agca, kapitan Piotrowski, Piotr Jaroszewicz...

– Uprzejmie proszę, w imię zdrowia narodu polskiego, o podpalenie pornograficznej wystawy „Venus" w Krakowie...

– Czy mógłby pan zapisać swój układ nerwowy Wydziałowi Psychologii i Psychiatrii Polskiej Akademii Nauk do badań nad patriotyzmem Polaków...

– Byłoby niezmiernie pożyteczne, gdyby można było po kryjomu przeszczepić pana gorące obywatelskie serce któremuś z najwyższych karierowiczów PRL...

– Jestem oficerem, wzrok i ręce straciłem na froncie. U mnie być służącym to służyć ojczyźnie, zgłoś się, komunistyczna niedojdo, już ja cię wyszkolę na normalnego Polaka!

– Na normalnego Polaka... – w zamyśleniu powtórzył mój rozmówca słowa energicznego weterana. I spojrzenie przeniósł z notatnika na mnie.

– Czy naprawdę moje ogłoszenie miało w sobie coś... nienormalnego?

– Nienormalny, nienormalne... To mętne słowo, nie lubię go – odrzekłem. – Sugeruje ono coś... chorego. Tymczasem pana ogłoszenie, owszem, odbiega od normy, ale w kierunku pozytywnym. Jest... ponadnormalne. Góruje, unosi się nad pospolite „sprzedam", „kupię", „poszukuję pracy". Pan sformułował i odważył się wydrukować coś, o czym wielu myślało i myśli. Wielu Polaków. A może nawet każdy. Skłonność do bohaterskiego wyczynu jest podobno naszą cechą narodową.

– Brawura i wyczyny czy chytrość i praca? Oto nasz polski dylemat w dzisiejszym angielsko-japońsko-żydowskim świecie – westchnął. – Orłem być? Czy pszczółką...

Postanowiłem drążyć.

– Więc żadna z tylu pomysłowych propozycji nie przekonuje pana?

– Samospalenie mnie korci – wyjawił. – I ta wyprzedaż ciała na przeszczepy – za pół miliona. Wyczyny jednorazowe, widowiskowe... Efektywno-efektowne. Ale obydwie drogi mają znaki zapytania. Spalić się – z jakim hasłem? Sprzedać się – na jaki cel?

– A wielki narodowy wyjazd na skalę historyczną? – przypomniałem mu ostatnie zgłoszenie.

– Też ma ukryty mankament.

– Co?

– Jest sprzeczny z pierwszym zdaniem „Roty".

– A prawda – przypomniałem sobie, wstając z fotela. On wstał także.

– Cóż, dziękuję panu za dobre chęci – rzekł trochę smutno. – Mam już tylko dwa tygodnie do namysłu. Potem decyzja i... I niech się dzieje wola nieba.

– Podziwiam intencje, ale... Ale szkoda mi pańskiego życia.

Zdenerwował się.

– A ja nie żałuję? – jęknął. – Czyż nie wolałbym hulać, tańczyć, spać, żreć, śmiać się, śpiewać, marzyć? Wiadomo... Ale moja ofiara póty coś warta, póki moje życie coś warte! Niech stulatek się podpali, powiedzą: ee, ze starości...

– To nie da się dokonać niczego wielkiego – bez umierania?

– Pszczółka, co? – zasyczał.

– Nie. Orłem być. Ale żywym.

– Ale orlich skrzydeł nie mając, polecieć można raz tylko. Pan rozumie...

– Więc może latanie zostawić orłom?

– To przeciętniak nie ma prawa do bohaterstwa?

– Ma. Ale do przeciętnego. Szarego.

– Szare nie porywa! Kogo porywa Matka Teresa? Może pana, mnie nie. Zrozumże pan: ja wolałbym żyć... porywać życiem. Ale Janem Pawłem II być nie potrafię, a Matką Teresą nie chcę! Bohaterstwo przez śmierć jest jedynym bohaterstwem przeciętniaków... dlatego w naszym narodzie tak dużo bohaterskiej śmierci. „Bóg i Ojczyzna!". Pif, paf! Szast prast! I Bozia medal przypina, rodacy pomnik stawiają.

– Sam pan kpi z takiego wyczynu...

– Dobra, wymyśl mi pan bohaterstwo na co dzień... szare, ale porywające – porwę rodaków i ojczyznę do czynu... żyjąc.

– Pomyślę – obiecałem. I rozstaliśmy się.

8. Zaprzątnięty codzienną moją krzątaniną dla strawy, odzienia, dachu nad głową, zapomniałem o zdesperowanym rodaku i o mojej nocnej obietnicy.

Któregoś wieczoru zadzwonił telefon i w słuchawce usłyszałem:

– To ja, Polak z Brooklynu. Wymyślił pan to dla mnie?

Poznałem głos, zmieszałem się. – Jeszcze nie, ale...

– Tydzień mi został...

Mówił wolno, jakby sennie. Chyba podpity, pomyślałem.

– Radzę nie śpieszyć... nic nie ponagla – uspokajałem rodaka. – W kraju po staremu.

– Tym bardziej trzeba poderwać. Muszę być słowny.

– A czytał pan „Życie pszczół"? – w żart spróbowałem dramat obrócić. – One nie są takie nudne.

– Czytam „Tylko dla orłów" – odparł dumnie, aż zaszumiało mi skrzydłami w słuchawce. – Ale gdyby wpadło panu do głowy to szare porywające... pan wie, co – przedzwoń pan...

9. Tym razem wbił mi się w pamięć, myślałem o nim dużo. I kiedy przejeżdżałem koło Oenzetu, wątki zsyntetyzowały mi się. Zatelefonowałem. Ucieszył się.

– Wymyślił pan! Słucham...

Natarłem: nie musi wysadzać się, ni podpalać. Żeby zaświecić. Przykładem. Niech robi, co robi. Pół narodu go podziwia.

– Mnie? – żachnął się. – Ja krawiec... igła, nitka, nogawki.

– Dla nich jest pan kimś jak... Kolumb. Jak... John Wayne... Rockefeller...

– Dość!

– Proszę nie odkładać słuchawki, dokończę! Oto uzasadnienie. Pracuje pan w legendarnej Ameryce! Przy maszynie do szycia – ale maszynie nowoczesnej, komputerowej! I przez dzień zarobi pan tyle, co oni tam przez miesiąc! Czyż nie imponujące? Miliony ruszyłyby pana śladem. Gdyby mogły...

– Coś w tym jest... – zaciekawił się. – Ale przecież... Nie, cały naród nie może wyjechać... ziemi rzucić.

– Czemu nie?! A precz z ksenofobią, dogmatami, żelazną kurtyną! Zapisał pan telefon do projektodawcy przeprowadzki narodowej do Kanady lub Australii? Ja proponuję coś podobnego, ale... Proponuję zostawić w kraju dzieci – i dziadków oraz babcie, do pilnowania dzieci. I zapałek... A ze dwadzieścia milionów niech wyrywa! W świat – za wiedzą, cywilizacją i dolarami! Aby... Aby po dwóch, trzech latach wrócić. Co pan na to?

– Chwytam... chwyciłem... wspaniałe! – Rozpalił się. – Po dwóch, trzech latach wracają, a każdy z dziesiątką, piętnastką tysięcy w kabzie... Razem ile to? Rety, ze dwieście miliardów! Starczyłoby i na długi, i remonty, i nowy skok gospodarczy! Ale... jak to zacząć? Kto zorganizuje?

– Tamten facet – podpowiedziałem – ten z historyczną wyobraźnią, podobno ma swoich ludzi w Oenzecie...

– A rzeczywiście! Tak, zorganizujemy, poderwiemy, odwrócimy katastrofę, ocalimy! Jeszcze Polska... Panie, balsamu wlał mi pan w żyły, dziękuję!

79

10. Oddzwonił przed północą, ale mówił jakże zmienionym głosem. Pijany i załamany – rozpoznałem po pierwszym zdaniu. Telefonował, że nic z tego. Był, spotkał, przedyskutowali. Kiedy z kraju najdzielniejszy element wyjedzie, ONI tam uchwalą takie ustawy, jakie zechcą. Na przykład, że powracający muszą oddawać dziewięćdziesiąt dziewięć procent zarobku do Skarbu Państwa. I co? ONI te dwieście czy trzysta miliardów przegospodarują, jak już czterdzieści przegospodarowali.

– Szare porywające bohaterstwo. Myśl pan, zadzwoń, już tylko parę dni mi zostało! – wykrzyknął desperacko. I odłożył słuchawkę.

11. Tę historię opowiedziałem nazajutrz przyjacielowi. Student wielu fakultetów, choć nie ukończył żadnego, weteran wielu frontów, ale nie bohater. Niech mi pomoże, doradźmy coś rodakowi.

– Bohaterstwo szare, lecz porywające? – upewnił się.

– Szare porywające...

– Yyy! – orzekł wreszcie. – Facetowi odbiło, dziesięć lat nie był w kraju, tęsknota. Nie pierwszy on, nie ostatni, znam wielu. Obali pluton gorzały, pokwęka ze dwa tygodnie i się uspokoi. Właśnie, nie kropnąłbyś?

– Owszem, mam ochotę.

– Ja piętnaście lat na Ochocie mieszkałem – nawiązał. I poszliśmy.

12. Parę dni później dzwoni przyjaciel.

– Oglądałeś dziennik?

– Nie.

– Dzwonię, bo wyłowili Polaka w oceanie, dwa kilometry od brzegu. Wystartował wczoraj w nocy.

– Dokąd?

– Chyba do Polski. Wpław, jak Czarniecki. Na brzegu zostawił transparent: „Jeszcze Polska nie umarła, póki my giniemy!" Słuchaj, może to ten twój facet?

– Niemożliwe. Zresztą zadzwonię, sprawdzę. A ty, wymyśliłeś?

– Co miałem wymyślić?

– Bohaterstwo na co dzień. Ale nienudne. Nadające się dla młodzieży.

– Daj spokój, stary.

Porozmawialiśmy o igrzyskach, bez entuzjazmu. Że Polacy słabi, trudno tego naszego białego orzełka w Calgary wypatrzyć.

13. Na Brooklyn jednak zatelefonowałem, choć dopiero parę dni po wiadomości z dziennika, dużo spraw ważniejszych miałem na głowie. Odpowiedział mi głos z taśmy, że numer, pod który dzwonię, „is dyskonektyd". Imienia ni nazwiska faceta nie znałem, a i przy topielcu dokumentów nie znaleziono, czy to ta sama osoba, nie wiem. Zresztą wszystko mi jedno, Polaków w Nowym Jorku dużo, ze trzysta tysięcy, dziury nie będzie, jeśli kilku czy kilkuset się zabije, przyjeżdżają nowi, tysiącami.

Nowojorczenie

(z notatnika)

Telefonowała Joanna X, kobieta „z towarzystwa", wykształcona. Ale właściwie wszystkie jej kwestie, każde zdanie zbudowane było z paru słów. Ten h..., ta p...da, p...lisz, j...ny wał. A przecież TAM mówiła zwyczajnie. Nawet z wdziękiem. Co się stało z panią magister Joanną? Co ją tak pogrubiło? To, że sprząta zarobkowo, zmywa, podmywa? Obrzydzenie do roboty – i do siebie? Brud przerzucił się jej z rąk na mózg? Chyba tak. U prostych kobiet, nawykłych do brudnej roboty TAM, takiej wulgarności TUTAJ nie spostrzegłem.

Marion Barry, czarnoskóry burmistrz Waszyngtonu – narkomanem. Ćpał! Jakiś senator – nazwisko chyba na W., opisywano parę miesięcy temu – pederastą! Pod bokiem prezydenta... Jimmowie Baker i Swaggart uwielbiani kaznodzieje – zboczeńcami! Nowojorski prawnik Steinberg – zabił córeczkę, maltretował żonę. Nienormalni? Czy tylko: sypnęli się? Tzw. normalność jest, zdaje się, sztuką maskowania się, oszukiwania bliźnich. I siebie.

W gazetach szczegóły o nowym mieszkaniu Kocha. Co za człowiek! Pasjonuje mnie od pierwszego dnia w Nowym Jorku! A teraz kiedy przebrnąłem przez trzy książki jego i dwie książki o nim – chyba jestem zafascynowany! On i kardynał O'Connor – co za podobieństwo! Dwaj starzy kawalerowie, bezpowrotnie zakochani nie w osobach, ale instytucjach-zbiorowościach: Koch tak samo „zaprzedał duszę" Miastu (NYC) jak O'Connor Kościołowi (archidiecezja nowojorska). Życiorys malowniczy. Wyjść z żydowskiej biedy na Bronksie – dotrzeć do kawalerki przy Washington Square (łóżko odkupione za 9 dolarów, ława jako stół) – zostać szefem miasta większego i bogatszego niż Szwajcaria czy Szwecja, niż Dania i Norwegia razem wzięte – zamieszkać w arystokratycznym pałacu (Gracie Mansion) – królować lat 12 – mleć jęzorem na wszystkie tematy – tańczyć na scenie i wygłupiać się – jednocześnie fachowo wyprowadzić miasto z beznadziejnego dna ekonomicznego – pisać książki – przyjmować prezydentów i noblistów – jeździć po świecie – uronić „jedną łzę, może dwie" na pożegnanie ratusza – wrócić do dzielnicy sprzed lat dwunastu, czyli do Washington Square... Ma być teraz dziennikarzem, komentatorem w radiu i telewizji, wykładowcą i adwokatem (biuro w nowym, większym mieszkaniu; kupił meble). Fantastyczne! Z prezydentów na emeryturze chyba tylko Theodore Roosevelt miał tyle fantazji. Ciekawe, czy E.K. wystartuje za trzy lata do walki o czwartą kadencję? Chyba tak (zależy mu na rekordzie). Wystartuje i wygra, bo ludzie tymczasem odpoczną od niego – docenią na tle nudnego Dinkinsa – i zatęsknią.

Dialog w subwayu. Pierwsza: Ty wiesz, ci Amerykanie to chyba wszyscy pójdą do piekła. Druga: Dlaczego? Pierwsza: Przecież Chrystus zakazywał gonić za pieniądzem. A oni żyły wypruwają dla dolara! Druga: A ty nie za dolarem przyjechałaś? Pierwsza: Ale ja z biedy chcę dolarów. A oni? Z bogactwa! Jest różnica? Druga: Nie ma. Pierwsza: Jak to? Druga: Ty też niebiedna jesteś. Co, głodowałaś? Tak samo pójdziesz do piekła.

Najsilniejszy w Kosmosie (!) człowiek – powalony! Rzęzi na dechach! Milioner, bogacz – powinienem się cieszyć (z zawiści). A jednak mi żal. Że upokorzony, że cierpi.

Od drugiego idola Ameryki, Trumpa, odchodzi tego samego dnia żona. A jeszcze niedawno byli modelową-pokazową parą. Grali!

Pani Antonina X powiedziała mi parę dni temu melancholijnie: W Ameryce kwiaty nie pachną, kobiety nie kochają. Pomyślałem: W Polsce kwiaty jeszcze pachną, kobiety jeszcze kochają. Ale Polska chce być drugą Ameryką. Więc?

Opowiedział Andrzej X. na moście Pułaskiego, patrzyliśmy na Manhattan.

Kupiłem dom, ot, brooklyńską chałupę z tektury – wynajmować turystom, wiadomo, dochód. Mój samochód: ośmioletni grat marki Pontiac. Żona wywalczyła wizę, popatrzyła, złapała się za głowę. Przecież to dno! Kompromitacja – w porównaniu z tym, co ma Heniek. Heniek to jej brat. A co ma Heniek, pytam. A dobrze wiem, co ma. A ona: Przysłał zdjęcia, domek piętrowy, kolorowy, przed domem samochodzisko, dziesięciometrowe, on za klamkę trzyma, cygaro przekrzywione, snikersy niezasznurowane. A ty?

No to jedźmy, mówię, zobaczysz braciszka, jaki z niego milioner. Ale żal mi się zrobiło, było nie było jej brat. Norę wynajmuje, wiesz, kakrocie, dziury w ścianach, syf.

Eee, mówię żonie, co czas tracić, zaprosimy go, niech wpadnie do nas tą swoją limuzyną. Zaprosiłem, przyjechał żółtą taksówką, „bo mu się akurat fordówa zepsuła". Puścił do mnie oko, poszpanował przed siostrą.

To jeszcze u brata nie była? – pytam Andrzeja.

Tak kombinuję, żeby przed wyjazdem do Polski nie zdążyła, wyznał Andrzej. Patrzę na Manhattan.

Oprowadzam Z. po centrum Manhattanu. Rockefeller Center (RCA Building) „nie uderzył". Zainteresowały: ślizgawka, flagi (długo wypatrywaliśmy naszej; jest!). W „Patryku" popiersie Jana Pawła II musnęła wzrokiem, ale kapliczka św. Stanisława Kostki – „zaskoczyła". („Kto to?"). Zadziwiły witraże, zeszyty do nabożeństwa na ławkach i „bumy" drzemiące w tych ławkach. „Misterium świeczek" – wyraźnie wzruszyło. Bo ogieniek-ogień? Jak w kuchni u dziadków w jej rodzinnym miasteczku? Płomyk świecy, płomień z drew, a nawet żarzenie się węgla – całkiem inne przywołują skojarzenia niż niebieskie wianuszki na palnikach gazowych.

Manhattan, Piąta Aleja. Jestem zły: zaczepiłem noskiem buta o krawężnik, skóra pękła, buty, które służyły mi półtora roku – do wyrzucenia, lubiłem je. Szukanie nowych, wydatek. A niech to!

Niedaleko Olympic Tower siedzi na chodniku, blisko krawężnika, mężczyzna, ze dwadzieścia pięć lat. Bez obydwu rąk, te otwory, do których przyszywa się rękawy, zaszyte są owalnymi łatami. Przed nim plecak, otwarty. Wyjmuje – zębami – snikersy. Stopami zzuwa mokasyny. Stopami wkłada je do plecaka. Wzuwa te snikersy, niesznurowane.

Zanurza twarz w plecaku – wynurza z buteleczką „7 UP" w zębach. Plecak ściska kolanami – zębami i językiem zaciąga sznurek. Zębami i językiem zapina sprzączkę. Zębami ujmuje butelkę – wkłada między kolana – ściska kolanami – odkręca nakrętkę zębami – odpluwa. Odchylając się do tyłu („kołyska") pije. Odpoczywa. Pije do końca. Podciąga stopy i sprawnym podskokiem powstaje na nogi. Niesie butelkę w zębach, wrzuca do kosza na śmieci – wraca – pochyla się – zębami ujmuje pasek plecaka u nasady – zarzuca go szybkim półobrotem na plecy, pasek bezbłędnie otacza łuk barku. Idzie w kierunku Pięćdziesiątej Trzeciej. Idę za nim. Szczupły, wysoki, modny. Długie włosy spięte na karku klamrą, „ogon" do połowy pleców, dżinsowa bluza w ciapki, pumpiaste spodnie. Rozglądając się, pogwizduje, kiwa do rytmu głową. Przechodzi Aleję i zbiega schodami do subwayu. Jak kupi token, jak wrzuci?

Tam, na chodniku, przechodnie albo nie zauważali go, albo zwalniali nieco kroku. Taktownie nikt nie wtrącał się z pomocą. Ja pozorowałem oglądanie witryny.

Pamiętam wyraz twarzy i oczu tego ascetycznego blondyna (dlaczego wydaje mi się, że był turystą z Bostonu?). Żadnego cierpiętnictwa. Pogoda. Zadowolenie. Prawie uśmiech. Jakby mówił: Co tam ręce... Najważniejsze: ŻYJĘ!

Zniknął w zejściu do subwayu. A ja postawiłem stopę na obcasie, zaruszałem palcami w dziurze i pomyślałem beztrosko: przecież mam w domu *crazy glue*. Odetnę skrawek skóry od języczka i zakleję tę dziurę. Dolary przydadzą mi się na coś istotniejszego niż buty.

W „Przeglądzie Polskim" znakomity wywiad Romana Żelaznego z pisarzem Włodzimierzem Odojewskim (wyjechał z kraju w 1971 – żyje w RFN – pracuje w R.W.E. – autor między innymi cyklu powieści kresowych – przeczytać „Zasypie wszystko, zawieje"). Inteligentne pytania, przejmująco szczere odpowiedzi.

O swoim emigranckim samopoczuciu na obczyźnie: *A więc świat widzi się trochę tak, jakby przez szybę. Ta szyba stale jest. Widzi się różne rzeczy, słyszy się głosy, chłonie się ten świat wszystkimi zmysłami, czasem nawet zachłannie, a ta szyba wciąż jest. Ja ją w każdym razie wciąż czuję. Więcej: wiem, że nigdy nie zniknie.*

A ja? Ja nawet TAM żyłem jak „za szybą". Może miasto było moją obczyzną? Ale przecież kiedy wróciłem do rodzinnej chaty i okolicy, też czułem „szybę".

Może ta nabyta w mieście-obczyźnie obcość pojawiła się mi jako „szyba" oddzielająca mnie od ojcowizny-ojczyzny? Szkoły, uczelnie, biblioteki, muzea, podróże ułożyły się w grubą na kilkanaście lat szybę?

W „Ogłoszeniach drobnych" dział „Wróżki": *Janice Williams (wróżka) pomaga we wszystkich problemach – w miłości, małżeństwie, biznesie, chorobie, rozwodach. Łączy rozdzielonych. Przywraca pogodę ducha. Rezultat gwarantowany...* Dalej telefon i adres, na Manhattanie. Ogłasza się też wielu bioenergoterapeutów.

Turyści – najbardziej znerwicowana grupa społeczna. Turyści imigranci – wszyscy my „wysadzeni z siodła" (czytać: wysadzeni z domu, z rodziny, z zawodu, z języka, z obyczaju – z sensu).

Prezydent Havel na fecie w Nowym Jorku: *Nie mogę uwierzyć w to wszystko, co dzieje się wokół mnie. Na przykład pan Paul Newman. Oczywiście, znałem go z filmów. Ale jest on taką legendą, że właściwie nigdy nie wierzyłem, że istnieje naprawdę.*

Rozmowa Havla z Faulem Bellowem i Gregorym Peckiem:
Havel: *W Czechosłowacji nic nie idzie naprzód, ale wszystko się liczy, ma znaczenie.*
Saul Bellow: *U nas wszystko idzie naprzód, ale już nic nie ma znaczenia.*
Havel: *Przyjechałem do USA uczyć się demokracji i podziwiać amerykańską kulturę.*
Gregory Peck: *To my chcemy uczyć się od pana i od Czechosłowacji wzorów i wiary w demokrację i kulturę.*

W „Nowym Dzienniku" trzy oferty kursów azbestowych. W jednej informacja: zarobek od trzystu do stu tysięcy rocznie. Rozmowa z Jankiem T., mówi: „Kurs kosztował mnie pięćset, wkupienie się do kontraktora siedemset, popijawa dla grupy sto. Potem tydzień męczarni: dusiła maska, bo nieprawidłowo zakładałem gumki, do tego skleiłem włosy. A nikt nie pomoże nowemu, taki obyczaj. Zarabiam – zależy, co i komu robimy – najmniej siedemnaście na godzinę. Mieliśmy taki obiekt, że za siedem godzin – i ani minuty więcej – przynosiłem co dzień dwieście dziesięć. Pełne amerykańskie BHP, powietrze z maski, przefiltrowane, zdrowsze od tego na ulicy. Ci na rozbiórkach wdychają azbest – bo on tu wszędzie jest – bez masek i za połowę tego, co ja. Grunt nie mieć przestojów. Z owertajmem zarabiam po trzysta i więcej. Kumpel popracował dwa lata i powiózł do grajdoła sześćdziesiąt badoli. Co niedzielę rzucam na tacę piątaka, żeby jakaś antyazbestowa ustawa nie wyszła...".

Koniec miesięcznego piekła „turystycznego" (w dwóch pokojach z kuchnią: cztery kobiety, turysta i ja). W portorykańskiej dzielnicy. Te ich wyprawy „do miasta" za pracą – wertowanie ogłoszeń – telefonowanie – nadzieje – pożyczki – rozliczenia – konflikty o łazienkę – patelnie – podkradanie cukru – kto posprząta kuchnię – wyniesie śmieci – hałasy – bezsenność... PARRANOOJAAAA! Anioł Stróż mnie w to wplątał – żeby powieść miała więcej „mięsa"?

3 kwietnia, wtorek. Mieszkanie na skraju Greenpointu. Kilkanaście wypadów po zakupy i do telefonu. Trzy razy, w różnych sytuacjach, zaczepiła mnie ta sama młoda kurewka. Portorykanka, piętnaście, szesnaście lat, ładniutka, wesoła. Mówi „Dindobry" – śmieje się chwilę i kiwając dłonią, mówi „Dowidzynia".

9 kwietnia, poniedziałek. 5 rano. „Moja" kurewka idzie ze starą zdzirą. Rozchełstane, rozmazane, na kacu. Wracają, skąd? Smutno, żal.

„Nowy Dziennik": Biznesmen z Waszyngtonu, Jan Kowalczyk, chce przejąć Pałac Kultury w Warszawie – podwyższyłby budynek, upodabniając go do Empire State Building i ukoronowałby czubem i iglicą w stylu Chryslera! („N.Dz." chyba powtórzył bezwiednie jakąś informację primaaprilisową). Cha, cha, cha! Kiedy pierwszy raz zobaczyłem Empire State Building, momentalnie skojarzył mi się z moskiewskkimi „pałacami kultury" (warszawski skopiowany z nich). Te radzieckie „empajery" wzięły się przecież ze współzawodnictwa z najwyższym wówczas budynkiem świata.

13 kwietnia, Wielki Piątek. Czy W. rzeczywiście pości – jak zapowiadała? „Ameryka Ameryką, a ja to ja. W Polsce od dziecka w Wielki Piątek piłam tylko wodę. Czemu w Ameryce mam to zdradzić?".

Z rana wstąpiłem do J. i M. Osiem kobiet w trzech pokojach. Wróciły z rezurekcji. Dwie poszły do znajomych na śniadanie świąteczne. Jedna śpi. Trzy siedzą w kuchni. Greenpoinckie nabożeństwo rozczarowało.

Pani Czesia: „U nas jak ruszą dzwony, to jeszcze nie było roku, żeby mi się łzy nie posypały".

Pani Jadwiga: „U nas jak ksiądz rzuci «Wesoły nam dzień dziś nastał», to ludzie odhukną z takim zgodnym zapałem, że mówię panu, pułap w kościele się rozlatuje i niebo widać".

Czesia: „Tutaj nie ma takiej radości". (płacze).

Jadwiga: „Tutaj ludzie zanadto podejrzliwi". (płacze)

Trzecia: „Aha". (płacze)

Ja pocieszam płaczące niewiasty, że następną wielkanoc odświętują dubeltowo. Weselej, zamożniej. Po co płakać. Cieszyć się trzeba, że Ameryka zobaczona, zielone zarobione, zdrowie niestracone.

Czesia: „A ja lubię popłakać!"

Ja: (zaskoczony) „Ooo!"

Jadwiga: „Ze łzami złość spływa z człowieka. Kiedyś doktorzy pijawki przystawiali, żeby wyssały zepsutą krew. Ta zła krew, co ją pijawki spijały, robiła się ze złości".

Tygodnik „Express Wieczorny" wydawany w Toronto: felieton „Wąsal pozna wąsala" – omówienie ogłoszeń seksualno-towarzyskich w krajowym tygodniku „TOP".

Atrakcyjne małżeństwo czterdziestolatków zaprasza sympatyczną, niepruderyjną dziewczynę na jacht motorowy na Adriatyku.

Niekonwencjonalny 30-letni zabrzanin o miłej aparycji pozna kobietę lub mężczyznę szczodrze obdarzonych przez naturę.

Dojrzały student zaspokoi potrzeby seksualne pań. Tylko poważne oferty.

Dojrzały student otrzymał czterdzieści ofert. Aktualnie zaspokaja systematycznie pięć pań. Jedna wynajmuje mu trzypokojowe mieszkanie w centrum Warszawy. Zaspokajanie potrzeb seksualnych student traktuje usługowo. Jak inne potrzeby – za których zaspokajanie się płaci.

Ostatnie zdanie artykułu: *Coś, czego nie było!* Tak, ale to także smutny obraz ludzkiej pustki i samotności. Kwestia wyboru: albo zgrzebność, albo coś lukratywnego. *W gruncie rzeczy ci ludzie nie mogą zaistnieć w rzeczywistej strukturze społecznej. Czują się samotni, bo upadły dawne standardy etyczne, a nowe się nie pojawiły.*

Prawda, ale nie całkiem. Nowe zasady pojawiły się. Dokładniej – nowa zasada. Nazywa się: wolność.

A swawolność to też wolność

Jedziemy, T. – za kierownicą. Trzeba zaparkować. T. znajduje lukę, wmanewrowuje się. N.: „Tu nie wolno, pompa!" T. wysiada, bierze spod płota duży plastikowy kubeł, nasadza na pompę, dnem do góry. I do N. „Jaka pompa, żadnej pompy nie widzę". N. (z podziwem): „Cholera, bystrzak, daleko tu zajdzie".

Rozmowa u K-skich o chamstwie. Że w urzędach, sklepach amerykańskich więcej gładkości, uśmiechów, uprzejmości. A w polonijnych – opryskliwość, niechęć, dłubanie w nosie, chytre spojrzenia, ordynarne naciąganie. J., który słuchał w milczeniu, włącza się głosem człowieka ciężko doświadczonego: „A ja wolę tych chamowatych. Od razu wiem, z kim rzecz. I uważam. A kulturalny? Nie wiadomo, czy on kulturalny naprawdę, czy odgrywa kulturalnego, życzliwego. Dla mnie im kto uprzejmiejszy, tym niebezpieczniejszy".
R.: „E, między uprzejmymi też zdarzają się uczciwi".
J.: „A ja ci mówię, prędzej trafi się chamowaty uczciwy niż uprzejmy uczciwy".
R. „Mówi się, że krew spije i dziurki nie zostawi. Czy to o uprzejmych?"
J.: „O, właśnie".
R.: „To mi powiedziała żona".
J.: „O kim?"
R.: „O mnie".

14 maja, poniedziałek. Trzeci dzień chłodów. „Trzej ogrodnicy" rządzą pogodą także w Nowym Jorku? Sprawdzić, czy tak było w poprzednich latach. Jeśli tak, paść na kolana.

Do artystów horroru wkracza z prawdziwym horrorem życie (np. banda Mansona i tragedia Polańskiego). Oto syn „ojca chrzestnego", Christian Brando zabija strzałem z rewolweru narzeczonego swej siostry – za znęcanie się nad nią. Była w ciąży. Zabójstwo w rezydencji Marlona Brando w Kalifornii – Marlon wzywa policję...
Ileż razy, od „Młodych lwów" począwszy, aktor ten zabijał na niby, umierał na niby. A tu... Prawdziwa krew, prawdziwa śmierć... Wierzący powiedzą: „kara boska"?

Jackson Heights. Co to jest? Zaręczyny? Ona w tiulach, lat z siedemnaście, szczupła, przygarbiona, zawstydzona, na oko dziewica. On – przed trzydziestką, sto siedemdziesiąt wzrostu, sto pięćdziesiąt kilo wagi żywej, byk, czołg, garnitur i sylwetka absolutnego wieśniaka. Z nimi jej rodzice. Latynosi. Wysiedli z taksówki, on trzyma ją za rączkę. Nieporadni. Zakłopotani – w środku rozjazgotanego nowojorskiego tłumu. Już podglądałem na Manhattanie szczerych wieśniaków, z zabitych wsi, mówiących gwarą, z Polski. A ci są, zdaje się, z Ekwadoru, wchodzą do ekwadorskiej restauracji...

Za rok-dwa będą nowojorczykami.

Marek, syn znajomych z Williamsburga, lat 12, opowiada jak mu „odjechał" jego rower.

„Wjechałem do parku Mc Carren, bo lubię tam jeździć po dróżkach, choć nie wolno. Ale pusto było. Naraz wychodzi przede mną Murzyn, rękę podniósł, żebym stanął. Pewnie chce powiedzieć, że tu rowerem nie wolno. Zatrzymałem się, a on mówi, żebym zsiadł. I wziął za kierownicę, ogląda i mówi, że mój rower jest „wery najs". Potem wsiadł i pyta, gdzie „ring", czy nie mam go w „poket". Ja mówię, że nie mam. A on na to: „weit hije" – i stanął na pedale, ruszył i pojechał. Obejrzał się potem i krzyknął „senkju!", i popedałował w stronę Lorimer. To ja puściłem się biegiem, ale on prędko dojechał do Driggs, skręcił – i po wszystkim..."

Chłopak opowiada przygodę, półsiedząc na ramie roweru.

– Jednak zwrócił ci – mówię, wskazując oczyma maszynę.

– Nie, ja potem tak płakałem, że tata kupił mi drugi. Ale ten tańszy i gorszy. Używany.

Odstawia rower, ogląda, skrzywiony.

– Yyy, grat. Pfu! – prycha. – Tego by mi Murzyn nie zabrał!

Jackson Heights. Parę nocy temu widziałem, jak strażacy gasili płonący samochód. Wpompowali wody i piany, ile się dało. Zamknęli, ponotowali, odjechali. Przez wybitą szybę parowało.

Rano, idąc do subwayu, zauważyłem, że samochód nie ma przednich lewych drzwi. Wieczorem, kiedy wracałem, dostrzegłem, że brakuje przedniego fotela, tego przy kierowcy. Nazajutrz z rana brakowało już kół. Niedomknięta była maska silnika, a pokrywa bagażnika sterczała pionowo. „Krwawiąca ryba... – pomyślało mi się... – Dookolne rekiny rozszarpują ranną rybę..." Nie było mnie parę dni. Kiedy przechodziłem znowu, zajrzałem do tej skorupy. W środku leżały butelki, puszki, gazety, szmaty. Kierownicy nie było. Pod potrzaskaną szybą różowiły się zmemłane majtki i prezerwatywa. Zgnieciona paczka po papierosach. Pety... „Wrak zapełnił się śmieciami, jak zewłok robakami i szczurami" – pomyślało mi się. Nazajutrz stał już w tym miejscu czysty, ładny pontiac.

Union Square. Chodnik przy Czternastej Ulicy. „Dzień dobry panu!" – słyszę dziewczęcy głos. Oglądam się: nastolatka. Natężam pamięć... – Pan mnie nie poznaje? – uśmiecha się. – Byliśmy sąsiadami na Williamsburgu... Danka jestem. Znał pan przecież mego tatę. Józef... Niewysoka, ale zgrabna. Przykrótka spódniczka, opalone łydki, tenisówki.. Bluzka z wcięciami, opalone ramiona, krągły „agresywny" biust. Włosy przygładzone, zduszone – ale że bujne, widać po grzywie wyrywającej się na plecy, spod klamry na karku. Twarzyczka bez makijażu.

Młodość, radość – w zielonych oczach, w równych, białych, śmiejących się ząbkach.

– Pan jeszcze w Nowym Jorku?

– Jeszcze.

– Słyszałam, że wrócił pan do kraju...

– Jak widzisz, jestem.

– A zamierza pan wracać?

– Wracać to ja będę i do Polski, i do Ameryki. Ale najchętniej jeździłbym tam, gdzie jeszcze nie byłem.

– Szkoda czasu na powroty?

– Szkoda. Lata lecą. A co u ciebie?

– Chodzę do high school..

– A potem?

– Chyba uniwersytet. Prawo może? Adwokaci mają tu dobrze...

– Bardzo dobrze – przytakuję. Obserwując.

Józek, sąsiad z bildingu, zajmował mieszkanie w przeciwnym skrzydle, tak usytuowane, że mogliśmy się ponad podwórzem pozdrawiać, on ze swego okna, ja ze swego; więc tenże Józek, po trzech latach urządzania się w Ameryce, sprowadził żonę i czternastoletnią córkę. Myszka to była, cicha, posłuszna – jedynaczka stłamszona nadopiekuńczością rodziców, ich nadtroską, nadczujnością. A teraz dodatkowo przestraszona Nowym Jorkiem, speszona językami obcymi.

Trochę miesięcy minęło...

Raz, wracając późno, zauważyłem we wnęce przy bramie, miętoszących się namiętnie małolatów. On był Murzyn. Ona? Chyba biała. Zapamiętałem włosy: blond-burza wokół głowy.

Miesiąc później powiedziała mi w hallu „Haj!" dziewczyna w kwiecistym „jumpsuit", wysokich szpilkach, wielkich wampirskich czarnych okularach z piętrową blond czupryną. „Nie poznał mnie pan! – ucieszyła się. – Będę bogata!"

Którejś nocy doleciały od podwórza przeraźliwe wrzaski... Wrzeszczała, jęczała dziewczyna – wtórował jej panicznym szczekaniem i skowytami pies. Józkowie mieli psa. Wilczura. Brzmiało to tak, jakby działo się w ich mieszkaniu. Odgłosy te, przeraźliwe, powtarzały się.

Któregoś wieczora, spacerując, zobaczyłem – ze dwie przecznice od domu – hałaśliwy samochód z otwartym dachem. Z radia rąbała perkusja, zawodził saksofon, brzęczały gitary, na przednim siedzeniu splecione ramiona i głowy. Układ uwieńczony blond grzywą. Kiedy wróciłem do domu, usłyszałem z naprzeciwka wrzask mężczyzny – powtarzały się słowa „a masz! a masz!". Reagował na to skowytami i jękami pies. Zawiązali jej usta – domyśliłem się.

Pies skowyczał i w następne wieczory, przeważnie między dziesiątą i jedenastą. Czasami później.

Raz spotkałem Józka przed domem – na twarzy miał kilka plastrów, spod jednego wyzierał i krył się we włosach przekrwiony siniak. „Drakę miałem – objaśnił zmieszany. – Córkę mi zaczepili jacyś Portorycy, postawiłem się, no i widzisz".

– Za ambitny tu nie bądź, bo cię zatłuką – doradziłem. – Na cudzych śmieciach nawet szczury są groźne.

– Szczyle, po siedemnaście lat. Czterech było, fakt. – Nachmurzył się. – Ale jakby obrażali, to co, udawałbyś, że nie rozumiesz?

– Rzeczywiście – mruknąłem współczująco. I żeby go podbudować dodałem: – Ale, Józek, nie ma co, ładną masz córę...

– Wolałbym brzydką.

Tymczasem inny znajomy, z Greenpointu, opowiedział mi o swoich małolatach, sprowadzonych świeżo z kraju. Z synem pół biedy, wyznał, ale córka? Oszalała! Uważaj dziewczyno, Nowy Jork to nie kino – mówię jej – ludzie tu ciężko pracują, uczą się, dorabiają. Basiu, tłumaczę, te wystawy, te okładki porno, te szampony, te westerny, te sterja i vidja, ten pisk opon, hard-rok i panki, te lizytajlor, nikolsony i reklamy – to piana tylko, pozór! I, Edward, nic! Niczym jej trafić do rozumu nie mogę! Do kościoła zabierałem, w muzeum byłem, katedrę Patryka pokazałem, do West Point zawiozłem! Patrzy, a nie widzi! Głucha, ślepa! A niech no zobaczy takich rozwydrzeńców z lakierowanymi włosami, rozwalonych w samochodzie przy tej wariackiej muzyce – mówię ci, Edward – mdleje. Postawi jej taki colę z lodem – possie przez słomkę i już pijana jak po spirytusie. Że ona taka Amerykanka. Że taki Holiud. A szczęka to jej nawet we śnie chodzi, bez gumy. Co robić, bachora mi przyniesie! Wiesz, jest tu na Greenpoincie jeden smotrypiczka, skrobie za pół ceny, słyszałem, że prawie wszystkie to takie zaczadziałe Ameryką małolaty, jak moja...

– Zgadza się – odpowiedziałem. – Przyjaciółka była sekretarką u ginekologa na Brighton Beach. Żyd z Rosji. Mówiła: „osiemdziesiąt procent klientek – Polki. A osiemdziesiąt procent tych Polek – nastolatki...".

I oto staję przed Danką. I widzę: przebiła się jakoś przez te okładki, wystawy. Przez tę pianę. Przez pozór Ameryki. Przez te maski, kostiumy, pozy, maniery, mody – fantazyjne, błazeńskie, desperackie...

– Już cię tata nie leje? – zaryzykowałem.

– Nnnie... – mówi, jakby spłoszona. Ale rozjaśnia się. – Już nie! – potwierdza. – Ale lał, oj, lał! – Śmieje się i kręci głową. Jakby zdziwiona, że wytrzymała.

Roman jest kontraktorem. Odnawia, przebudowuje mieszkania i domy ludziom bogatym. Long Island, Connecticut. A najwięcej – Manhattan.

W Nowym Jorku, tej prawie dwudziestomilionowej metropolii, najbardziej dokucza mu samotność.

– Sam mieszkam – opowiada. – Mieszkanie mam niemałe. Lokatorów nie biorę, bo mam więcej kłopotu niż rentu. No i wracam do pustego mieszkania. Zapalam światło... Otwieram wszystkie drzwi, sprawdzam szafy – upewniam się, czy duchów nie ma. I, nie uwierzysz, zacząłem mówić do siebie. Smażę stejka i – gadam do stejka: „A teraz przerzucimy cię na drugą stronę". Do patelni mówię: „A co ty, kochana, tak skwierczysz?" Do wody – czemu taka gorąca...

Z wykształcenia chemik. Przepracował w zawodzie dwadzieścia lat, z sukcesami, bywał za granicą. W Stanach siedzi dziesięć lat, w kraju był raz, prawie rok, jak dostał *green card* półtora roku temu. – Ludzi mi nie brakuje – wyjaśnia. – Ja z ludźmi cały dzień i sześć dni w tygodniu. Ja tu cały czas w ludziach: robota – ludzie, subway – ludzie, ulica – ludzie, sklepy – ludzie. Ale...

Pytam, czy „Samotność w tłumie" czytał. Napisaną przez Amerykanina.

Nie czytał.

– Tu trzeba być ostrożnym. Ja nie lubię być podejrzliwy, lubię zaufanie. I wyczuwam ludzi. Niektórym bardzo ufam. Ale – nikomu do końca.

Pytam o to newralgiczne słowo: samotność.

– Załóżmy, wziąłem na noc dziewczynę, niekoniecznie za pieniądze – mówi. – Dobrze, sam nie jestem, pościskaliśmy się, fajno było. Ale cały czas uważać musiałem, żeby mi czegoś z mieszkania nie buchnęła. Albo wrobić w coś nie chciała. Czyli – niby razem, a oddzielnie byłem. Sam. Samotny. Rozumiesz?

Roman, kiedy myśli o ludziach, myśli o kilkorgu bliskich za morzami, górami. Kwadrans w tygodniu nie jest samotny: kiedy rozmawia z nimi przez telefon.

Pracuje dużo i ciężko, zarabia pierwszorzędnie, tam wybudował im i wyposażył dom, mają nawet antenę satelitarną. Tutaj urządza im amerykańskie mieszkanie. Remontuje. Gromadzi meble.

W sobotni wieczór: wanna. Telefon do kraju. Potem heineken i kanał 13. Spać. W niedzielę sprzątanie. Pranie. „New York Times". Ogłoszenia, wiadomości, magazyn. Wieczorem: telefony towarzyskie do znajomych polskich i amerykańskich. Także – biznesowe. Żeby ustawić tydzień. W poniedziałek od piątej rano dyscyplina i tempo.

Remontował tego lata apartament milionerowi. Trzykondygnacyjny, przy West Central Park. Milioner kupił trzy mieszkania w pionie. W jednym z nich Józkowa brygada darła tynki, zrywała klepki, kafelki... Mieszkanie to zajmowała przedtem osiemdziesięcioletnia nędzarka. Zdziwiłem się. Nędzarka mieszkanie przy West Central Park?

– Tak, staruszka, chora, leczyła się na koszt miasta. Zmarła w tym mieszkaniu i nie zostawiła testamentu. Nie miała krewnych. W takich razach mienie bierze miasto. Przyszła odpowiednia komisja, specjaliści wyceniali rzecz po rzeczy, punkt po punkcie. Trochę starych, ale stylowych mebli. Drogie świeczniki i lustra. Kosztowny dywan, ale zmurszały ze starości.

Pod tym dywanem znaleźli osiemset tysięcy dolarów. W banknotach.

Spytałem Romana, dlaczego ona nie trzymała ich w banku. – Potrącano by jej z konta koszty leczenia – wyjaśnił. – A tak, jako bezpieniężną, opłacało miasto. Oszczędna była. Przecież wiesz, że tutaj kto

94

tylko idzie na większe leczenie, wycofuje przedtem konto, żeby nie wy-
drenowali. Medycyna to ruina! – Śmieję się życiowo.

Zrozumiałem – tak, wie już: w Ameryce nie daj Boże popaść w ręce adwokatów i lekarzy.

– Bo widzisz, ona zmarła w tym mieszkaniu – wyjaśnił Roman. –
Zaczęło cuchnąć – najpierw na piętrze, potem wyżej i niżej. No i wywą-
chali sąsiedzi, z których drzwi tak jedzie... Wezwali policję. Wyważy-
li. Już te, no... łaziły po łóżku... Szósty dzień leżała.

Tyle forsy, sama, ni służącej, ni znajomych. Dziwne.

– A mówi się, że kto ma pieniądze, ten ma dużo krewnych i przyjaciół – przytoczyłem porzekadło.

– Mieć pieniądze? – zastanowił się Roman. – Mieć i mieć. Ona miała. Ale „miała pod dywanem". Co to za „mieć"?

Zadumał się.

– Wiesz! – ocknął się, ożywiony. Rozjaśniony. – Chyba nigdy w życiu tak się nie cieszyłem, jak wczoraj przy telefonie, kiedy mi żona, syn
i córka dziękowali za tę antenę satelitarną. Na balkonie im inżynier ustawił, cały świat oglądają!

Pociąg linii „G". Nietłoczno. Stoję plecami do drzwi. Przy drzwiach
naprzeciwko trójka młodych Polaków. Pośrodku wysoki i bardzo szczupły, lat dwadzieścia pięć, może dwadzieścia osiem, nie więcej. Pociąg
dojeżdża do przystanku Greenpoint. Hamuje. Raptem ten najwyższy ła-
mie się we troje i... pada. Zwalił się jak wór cementu.

Konsternacja wkoło. Dwaj kumple chwytają go pod pachy.

– Zbyszek, co ty!

Pociąg stanął – oni taszczą go na peron, nogi nieszczęśnika wloką
się jak płetwy.

Ocknął się, przytomnieje. Stoi na własnych nogach. Wstrząsa głową, rozgląda się zdumiony.

– Co z tobą, Zbyszek! – powtarzają kumple.

Gapie odchodzą. Po widowisku.

Trójka idzie peronem ku schodom. Wysoki męczy się z pierwszym
schodkiem. Podciąga się po poręczy.

– Czy ty, k....a, pijany? – pyta kumpel, podpierając go.

Ja niby poprawiam sznurowadło.

Wysoki dyszy, dyszy, łapie oddech – szykuje się do powiedzenia czegoś.

– K...a, ja czwarty.... dzień... nie jem – mówi.

Stał przed tablicą ogłoszeń w Credit Union. Zobaczył mnie, przywitaliśmy się, co słychać itd.

– Masz już robotę? – spytałem.

– Miałem. Ale... – Nie kończy, wymownie kiwa głową. Wiem. Wacek traci – wcześniej czy później – każdą kolejną pracę. Kiedy wypije, wpada w dwutygodniowy „ciąg". A wiadomo, co to tutaj znaczy.

Mieszkałem u Wacka miesiąc. Wynajmują z żoną trzy pokoje z kuchnią na Borough Park – z tego dwa pokoje odstępują sublokatorom i tym sposobem mają chatę za darmo. Za mego pobytu Wacek był zdesperowany: od trzech miesięcy nie mógł „dorwać" pracy. Szukał. Wychodził z rana, wracał wieczorem. Z dnia na dzień smętniejszy. Nie szło mu. Lat trzydzieści. Inżynier. Ale kulał. I od czegoś tam trzęsła mu się lewa ręka.

Krzyczał na żonę. Ładna blondynka, trochę młodsza. Robiła na plejsach. Krzyczał na nią z rozpaczy.

Raz wieczorem usłyszałem przez drzwi jakieś łoskoty, jęki i nagle: „Ratunku! Panie Edwardzie! Ratunku!"

Wpadłem: leżała na tapczanie na wznak – on siedział na niej okrakiem, obiema dłońmi wpił się w jej szyję i, tak, na pewno – dusił.

Dusił z rozpaczy, że ona pracuje, a on nie.

Tak sądzę.

Siedzimy na kanapie – Heniek, jego żona i ja – przed nami jarzy się kolorami telewizor. Popijamy, gadamy. W telewizorze coś się dzieje – samochody, widoki, ulica, tłum – coś rusza się, zmienia. O czym to, nie wiemy, nawet fonia wyłączona, żeby nie przeszkadzało nam w gadaniu.

Ale wszyscy troje nie odwodzimy wzroku z ramy ekranu.

„Kominek" – pomyślało mi się, Te kolorowe kształty falują w ekranie jak ogień w kominku.

Ogień to coś jak wiatr, jak deszcz, jak rzeka. Żywioł.

Kominek wnosił życie między ściany – przestawało być martwo. Patrzyło się w ogień – jak w ognisko.

Gadamy – patrząc w płomienie ekranu.

Astoria, supermarket „King Kulen" przy Steinway Street. Dział chlebowy. Szukam chleba, który byłby podobny do polskiego. Ten? Nie. Ten też nie...

Rety, ileż tu rodzajów chleba.

Wtem myśl: policzę.

Wracam do początku ściany półek i liczę. Od najniższej półki do najwyższej. Metr po metrze liczę rodzaje chleba. Aha, są porcje większe, mniejsze. Uwzględnijmy i to.

Italian bread. Jewish bread. Lituanian bread, German bread...

Chleb, chlebki, buły, bułeczki...

Pięćdziesiąt...

Sto...

A do końca ściany chlebowej jeszcze daleko.

Dwieście.

Trzysta!

Trzysta piętnaście, uff, koniec!

Trzysta piętnaście istot chlebnych!

I podobnie z wędlinami. Piwem. Samochodami. Narodowościami.

W PIW-owskiej serii spotkałem taki futurologiczny termin: „społeczeństwo obfitości".

Myślałem: abstrakcja, trele-molele.

Wysoki szczupły Murzyn niesie „do skasowania" dwa wory puszek. Ile puszek może być w takim wielkim plastykowym worze? Spróbujmy oszacować...

W typowej *shopping bag* zmieści się ile? Ze trzy *six-packs*. Więcej, cztery. Powiedzmy: dwadzieścia pięć puszek.

W tym worze zmieściłoby się takich toreb... cztery.

Cztery razy dwadzieścia pięć równa się sto.

Czyli w dwóch worach ten grzybiarz niesie dwieście puszek. Za każdą dostanie pięć centów. Na jeden dolar trzeba dwadzieścia puszek. A więc niesie... dziesięć dolarów.

Tylko dziesięć dolarów? Za tyle godzin zbierania tych swoich miejskich grzybów – po miejskich wykrotach, polankach, krzakach.

Rozczarowanie!

Ale – zaraz – który to ze sławnych gwiazdorów zaczął od zbierania puszek...

Roosevelt Avenue. Południe. Głośno, tłoczno, sklepiki, stragany, szyldy. Nad ulicą, jak dach, tory subwayu, co parę minut dudni „siódemka".

Idę za dziewczyną w cielistym, lśniącym, obcisłym kostiumie – w takich występują baletnice. Przymrużyć oczy – wydaje się, że naga.

Idę zafascynowany.

Fryzura ogromna, kulista, kula ma pół metra średnicy. Nad tą fryzurą przeciwsłoneczna parasolka w żółto-zielono-czerwone pasy. Na ramieniu torba, meksykańska, peruwiańska, nie wiem. Ale też wszechkolorowa.

Dziewczyna jest w butach z cholewami pod kolana, na wysokim obcasie. U dołu ostrogi, klamry, dzwoneczki.

Faluje biodrami i ramionami – jak modelka na pokazie. Wyraziście pracują pośladki.

Idę za nią wpatrzony, zafascynowany – ale głównie dlatego, że – na oko biorąc – każdy z tych pośladków ma pół metra średnicy. Każde udo to kłoda.

Dziewczyna jest monstrualnie gruba i niezgrabna. Potwór!

Jestem zafascynowany pytaniem: dlaczego? Odwaga to? Absolutne poczucie wolności? Wyzwanie? Czy... choroba?

Ale jeszcze ciekawsze, że choć zrobiła wszystko, żeby budzić zainteresowanie – mało kto ją podziwia. Ten i ów zatrzyma na niej wzrok nieco dłużej. Nikt nie wzruszy ramionami, nie roześmieje się, nie skarci.

Tylko ja idę za nią zdumiony, zachwycony. Ja, facet z monotonnego, szarego kraju.

Gdyby szła tak Marszałkowską, stanąłby ruch uliczny, nadjechałyby karetki milicyjne, medyczne.

I wozy strażackie.

Dzieci radzą

Marysia, lat 7: Niczego się nie bać. Ja już piątego dnia bawiłam się z amerykańskimi dziećmi. W Ameryce najbardziej lubię dżinsy.

Dagmara, lat 12: W Polsce miałam koleżanki, które lubiłam, a one mnie lubiły. W Ameryce długo nie miałam koleżanek ani kolegów, bo nie mogliśmy się dogadać i było mi bardzo źle. Dlatego radzę uczyć się angielskiego, słówek i wymowy, żeby nikt się z nas nie śmiał i nie żartował sobie.

Arek, lat 12: Najbardziej byłem tym zdziwiony, że w Nowym Jorku jest polska telewizja. I polskie gazety. Ale w szkole mówią po angielsku i jest trudno. Dlatego najpierw trzeba kupić słownik i uczyć się angielskiego. I zwiedzać miasto. Nowy Jork to taki statek na wodzie.

Jak Amerykanin z Polakiem

Piotr: Mam 17 lat, urodziłem się i mieszkałem w Warszawie. Do Nowego Jorku przyjechałem półtora roku temu. Przed wyjazdem chodziłem do I klasy liceum. Grałem na gitarze, uprawiałem sport...

Ameryka interesowała mnie z powodu swojego bogactwa, ekscentryczności, geografii, ludzi, kultury i tego wszystkiego, czego nie mogłem zobaczyć czy dostać w Polsce.

Przyjechałem do Ameryki do ojca, który jest tutaj ósmy rok. Już trzeciego dnia zapisałem się do Grover Cleveland High School na Queensie. Gram w tenisa w szkolnym klubie sportowym, uczę się gry na gitarze i fotografowania. Pracuję w weekendy w sklepie, przepracowałem też całe ubiegłe lato, i przepracuję lato '89. Za własne pieniądze kupiłem do tej pory dużo rzeczy, nieosiągalnych dla moich rówieśników w Polsce.

W przyszłości chciałbym być artystą, tworzyć coś. Jeśli to nie będzie możliwe, będę robił coś, co da mi najwięcej pieniędzy – jakiś prywatny biznes. Albo będę pracować dla firmy, żeby mieć ubezpieczenie, dobrą pensję i możliwość mieszkania gdzieś w Ameryce, gdzie jest bardzo pięknie. W mieście nieprzekraczającym dwustu tysięcy mieszkańców. Gdzieś w górach. To by było dla mnie idealne miejsce. W tej chwili prawie wyobrażam sobie, jak to będzie wyglądało. Chciałbym też mieć własną rodzinę. Dzieci... Wiem, że te marzenia są do spełnienia.

Steve: Urodziłem się, mieszkałem i mieszkam w Nowym Jorku. Mam 18 lat. Chodzę do Grover Cleveland High School, razem z Piotrem. Lubię fotografować i, tak jak Piotr, należę do klubu fotograficznego. W przyszłości chciałbym fotografować zawodowo – jako fotograf artystyczny. Jeśli nie, to w fotografii przemysłowej, tam są lepsze zarobki. Jeśli mi to nie wyjdzie, będę studiował prawo. Lubię historię, zwłaszcza Ameryki i Europy, interesuje mnie kultura innych narodów. Jeden z moich dziadków przyjechał z Europy Wschodniej, z pogranicza polsko – niemieckiego, inny – z Włoch. Lubię sport, gramy z Piotrkiem w szkolnej drużynie tenisa, w deblu byliśmy najlepsi w całym Nowym Jorku, drużynowo wygraliśmy nowojorskie mistrzostwa szkół. Lubię też koszykówkę i *football*. I muzykę – różne rodzaje muzyki i różnych narodów. Z Polski podobają mi się zespoły Lady Punk i Manaam. Często chodzę do kina. Cztery razy w tygodniu, po zajęciach w szkole, pracuję w laboratorium fotograficznym, zarabiam pięć dolarów na godzinę. Do tej pory zajmowałem się obróbką techniczną fotografii. Ponieważ ta moja firma ma kłopoty finansowe, ostatnio tylko sprzątam. Nie odchodzę jednak, dlatego że mam dostęp do fotografii i ciągle uczę się w tym miejscu czegoś nowego.

Osobiście to bardziej wolałbym być człowiekiem sławnym niż bogatym. Będzie wspaniale, jeśli uda mi się jedno i drugie. Gdybym miał dużo pieniędzy, zamieszkałbym na Manhattanie albo na Long Island, ale niedaleko miasta. Nie cierpię nudy, ale lubię być sam. Muszę być tam, gdzie coś się dzieje. Chciałbym też pomieszkać w innym kraju, aby poczuć się obco i doświadczyć tego, co przeżywało wielu moich znajomych, przybywając do Ameryki z innego kraju, gdzie nie mówią po angielsku, na przykład w Niemczech. Nie myślę, że mógłbym wyprowadzić się do Polski, ale nigdy nic nie wiadomo.

Piotr, nie byłeś pierwszym Polakiem, którego poznałem. Generalnie biorąc wy – nowi, stamtąd – wszyscy zachowujecie się między nami sztywno. Obco. Reagujecie, jakbyście nie byli tak dobrzy jak my.

Kiedy spotkałem ciebie, Piotr, po raz pierwszy – było to bardzo interesujące. Nigdy ci tego jeszcze nie powiedziałem. Pamiętam tego nowego faceta na korcie tenisowym. Grał bardzo dobrze. Wszyscy zastanawiali się, kto to jest. Mówił niedużo, był cichy, tylko grał. Moje pierwsze wrażenie: on jest z Czechosłowacji. Ale nie rozmawia z nami, bo myśli, że jest lepszy od nas wszystkich. Kiedy po raz pierwszy graliśmy razem, powiedziałeś, że jesteś Polakiem. Spodobało mi się to, bo miałem już bardzo sympatyczne znajomości z Polakami. Pomyślałem: jeśli jest Polakiem, to nie może być zarozumialcem, na którego wygląda. Zaprzyjaźniliśmy się i wszystko podejrzliwe, co o tobie przedtem myślałem, okazało się nieprawdą. Ty nie myślałeś, że jesteś lepszy od nas. Ty myślałeś, że jesteś gorszy. Tak!

Piotr: Jadąc do Nowego Jorku, wyobrażałem sobie was, amerykańskich nastolatków właśnie tak, jak wyglądacie. I nie byłem zawiedziony co do wyglądu. Ale sądziłem – przepraszam cię Steve, ty jesteś inny – sądziłem, że amerykańskie nastolatki są inteligentniejsze. W szkole chyba najwidoczniejszą grupą są Amerykanie włoscy. Ich główne zajęcie to jazda samochodem, słuchanie muzyki popularnej i dziewczyny. Nie mam nic przeciw dziewczynom. Ale...

Owszem, podoba mi się u was – mówię generalnie – że macie odwagę robić różne rzeczy, na które ja bym się nie zdobył, może dlatego, że nie jesteście zastraszeni, nikt na was nie krzyczy ani w szkole, ani w domu. Macie odwagę zadawać dziwne pytania, rozmawiać na luzie, swobodnie, bez blokady.

Ale czasem mówicie, nie myśląc. I mówicie głupio. Ot, paplecie.

No, ty, Steve, jesteś inny, lepszy od przeciętnego tutejszego nastolatka, ty, Steve myślisz. Analizujesz. Zajmujesz się sprawami, które inni twoi rówieśnicy olewają. Zauważyłem, starasz się zrozumieć obcokrajowców. Bez mojego tłumaczenia się rozumiesz różne moje reakcje. Słuchasz nie byle muzyki, ale takiej, która coś znaczy, z której można się czegoś nauczyć. Cenię to, że próbujesz zaakceptować mnie takiego, jaki jestem, że wczuwasz się w to, co ja, nowy, obcy, przechodzę. I pomagasz mi. Wyrozumiale, z cierpliwością.

Steve: Na początku byłeś bardzo niepewny – i zgadzałeś się na wszystko. Na przykład chciałem, żebyś coś polubił – i ty chwaliłeś to. Na niby. Uważałeś, że trzeba lubić, co ja lubię – bo ja jestem Amerykanin, a ty przybysz. Ale potem zacząłeś mieć swoje zdanie. Objawiałeś niezależność. Teraz potrafisz powiedzieć: Steve, to jest niedobre, ja tego nie lubię!

To mi się podoba, tak trzeba. Choć nie podoba mi się, kiedy zaczynasz być Amerykaninem. Za bardzo Amerykaninem. Podgrywasz. Denerwuje mnie to z dwóch powodów.

Po pierwsze, Piotr, nie czujesz, że to nie po amerykańsku, że to nie tak. Tobie wydaje się tylko, że to coś robisz po amerykańsku, do tego upierasz się, że to właśnie po amerykańsku. I to jest niemądre.

Po drugie, możesz grać sobie kogo chcesz, ale nie przede mną, jesteśmy kumplami, czy nie?

Piotr: Na początku wydawało mi się, że jesteś, Steve, bardzo pewny siebie. A teraz, po półtora roku znajomości, widzę, że wcale nie masz takiej wiary w siebie, o jakiej myślałem.

Steve: Zacząłeś więcej rozmawiać, Piotr. Zaczynasz być przyjacielem moich przyjaciół. Podoba mi się to. To, że zaczynasz czuć się swobodnie w naszym gronie.

Piotr: Wiesz, że mam niewielu amerykańskich przyjaciół – z wyjątkiem ciebie i jeszcze paru.

Steve: Nie zrażaj się, że kilka osób, z którymi się zetknąłeś, zareagowało na ciebie dziwnie czy z niechęcią – bo jesteś Polakiem. Nie poddawaj się. To mogło być dziesięciu Amerykanów. Ale ty nie próbuj być Amerykaninem „na siłę". Bądź sobą. Może ten jedenasty będzie twoim przyjacielem. I nie pozostawaj z Polakami, dlatego że boisz się amerykańskiej grupy. Bądź wymienny, próbuj mieszać się z tłumem. Ale nie przestań być Polakiem. Wiadomo, że wszystko zależy od osobowości, odwagi. Ale nie zrażaj się problemami, które powstają, nie bądź zanadto speszony. Amerykanie są uprzejmymi ludźmi. Masz wierzyć w to, co robisz. I nie zagłuszaj swojej polskości. Po co? Obserwuj i ucz się wszystkiego, co cię otacza, ale nie staraj się być kimś, kim nie jesteś...

Piotr: Tak ty myślisz, Steve. Chciałbym, żeby więcej moich nowojorskich kolegów myślało jak ty.

DZISIAJ:
Steve – 33 lata. Ukończył Academy of Fashion Technology (technologię mody). Po kilku latach zmagań na „arenie mody, sławy i próżności" wycofał się w zwyczajność, na etat miejski, jako *park ranger* (strażnik parkowy) w Nowym Jorku. Nie fotografuje. Ma dwoje dzieci. Utył.

Piotr – 33 lata. Ukończył architekturę na Cooper Union. Pięć lat pracy w zawodzie w NYC. Potem zwiedził pół świata, przez rok wykładał w Bombaju, zajął się profesjonalnie fotografią artystyczną, współpracuje z czasopismami (m.in., „New York Times" i „Newsweek Polska", oraz jako fotosista filmowy (tak, w Hollywood też!).

Z podniesioną głową

Rozmowa z Grażyną Bogutą

Nie znam nikogo, kto nie zaczynałby w Ameryce od degradacji. Inżynier bierze do ręki szczotkę, lekarz pędzel... A pani zaczęła od awansu.
Tak, to był awans.

Wskoczyła pani do amerykańskiego pociągu.
I od razu do pierwszej klasy.

Ukończyła pani w Polsce studia językowe. I...
Pracowałam jako tłumacz, przeważnie w radiu i telewizji, jeździłam po Polsce z zachodnimi reporterami, na przykład z BBC. Za radą znajomego wysłałam podania do kilku uniwersytetów w USA. Otrzymałam zaproszenie z Pittsburgha. Kiedy płynęłam sobie „Batorym", czekała już na mnie praca – po polsku nazywając – asystenta na uniwersytecie. Oczekiwał promotor przyszłej pracy doktorskiej. I trzystudolarowe stypendium. Wynajęłam skromne mieszkanie w dzielnicy studenckiej, podjęłam się korepetycji z rosyjskiego... Ot, kilka dni niepewności, tremy. Po tygodniu wiedziałam już, że dam radę. Tym bardziej że współpracownicy nie szczędzili mi sympatii i pomocy, i nie ukrywali podziwu.

Naprawdę żadnych lęków, stresów, zaskoczeń?
Były. Ale pozytywne. Na plus. Na przykład zaskoczenie różnorodnością rasową, etniczną, religijną... Teoretycznie wiedziałam o tym tyglu. I choć przedtem niemało podróżowałam po Europie i nie brakowało mi obycia z odmiennymi niż polska kulturami, w Ameryce musiałam się nauczyć wielu subtelności... Drugie zaskoczenie: po roku przyjechał do mnie brat i wybraliśmy się w półtoramiesięczną podróż dookoła Ameryki „Greyhoundem". Byłam wstrząśnięta i zachwycona ogromem tego kraju, bogactwem geograficznym i cywilizacyjnym, różnorodno-

ścią sfer i krajobrazów. A także – ludźmi. Ich życzliwością, bezinteresowną sympatią. Ta ich fantazja, luz, optymizm... Ameryka okazała się wspanialsza, niż ją sobie wyobrażałam.

Czym Nowy Jork zwabił panią z Pittsburgha?

Nie zwabił. Studiując, bywałam w Nowym Jorku. Zwiedzałam, chłonęłam. Podobał mi się. O przeprowadzce jednak nie myślałam. Ale zrobiłam ten doktorat i otrzymałam ofertę pracy, personalną. Gdyby była z Arizony, pewnie pojechałabym do Arizony. Moja była z Nowego Jorku.

I to z Greenpointu?

Tak, ze szkoły języka angielskiego. Stanowisko dyrektora programowego. A przecież moimi uczniami byli głównie Polacy, naturalną koleją rzeczy kontaktowałam się z Centrum Polsko-Słowiańskim. Tak poznałam świętej pamięci pana Mieczysława Przybyłowskiego, który potrafił wzbudzić we mnie – ku memu zdziwieniu – zainteresowanie i talenty... społecznikowskie. Tak! Do tej pory myślałam, że tak zwaną działalnością społeczną powinni zajmować się ludzie starsi, mający za dużo czasu, emeryci na przykład, niespełnieni zawodowo, klasowo, towarzysko.

Pracując w Centrum, miała pani do czynienia z imigrantami wszelkiego pokroju. Od wykształconych po analfabetów, od cwaniaków po fajtłapy i ofiary losu. Jakie cechy negatywne przejawiali najczęściej?

Narzekactwo. Biadolenie. Smętny pesymizm. Za mało cieszymy się tym, co osiągamy, co mamy, za dużo martwimy się tym, czego jeszcze nie mamy. A w Ameryce nie lubią narzekania. Trochę posłuchają – z uprzejmości. I uciekają od takiego malkontenta. Malkontentowi nikt nie pomoże, nikt w malkontenta nie zainwestuje, bo w sukces malkontenta nikt nie wierzy i nie chce utopić z nim swego czasu ni pieniędzy. Mówię zarówno o jednostkach malkontenckich, cierpiętniczych, jak i o cierpiętniczych organizacjach.

Następne wady...

Nieumiejętność organizowania się – tak w wymiarze zbiorowym jak i jednostkowym. Z Polakami bardzo trudno założyć organizację czy zorganizować akcję zbiorową.

Moim zdaniem to nieumiejętność rodem z PRL, gdzie nie było autentycznych oddolnych organizacji, a więc treningu autentycznego oddolnego działania...

Być może. A w wymiarze jednostkowym? Rzadko który Polak potrafi określić sobie precyzyjnie cel, sformułować program czy harmonogram i potem konsekwentnie, dzień po dniu realizować go. Dalej: nieumiejętność zorganizowania sobie dnia: pracy, odpoczynku, zajęć dodatkowych, snu. Czyli sprawa samodyscypliny. Idąc jeszcze dalej: sprawa umiejętności panowania nad własnymi nastrojami, uczuciami, nerwami. Emocjonalność wciąż w wyższej cenie niż opanowanie, powściągliwość czy sztuka gry międzyludzkiej. U nas: jak zawziętość, to do przesady, jak pracować, to do upadłego, jak pić, to na umór.

Jak Amerykanie zdobywają tę swoją samodyscyplinę? Powściągliwość? Kto ich tego uczy? Szkoła? Rodzina?

Przede wszystkim rodzina. Proszę zauważyć, że im rodzina zamożniejsza, czyli im lepiej zorganizowana, bo zamożność bardziej wynika ze zorganizowanego współdziałania niż z samej pracowitości, tym prawdopodobniejsze, że dzieci też osiągną sukces. Im rodzina biedniejsza, czyli im bardziej zdezorganizowana, tym prawdopodobniejsze, że losy dzieci z tej rodziny będą przypadkowe. To zorganizowana rodzina dopinguje dziecko, żeby było najlepsze w klasie, dostało się do najlepszego college'u, do najlepszego uniwersytetu... A potem ambicja staje się cechą własną. Najlepsza praca, najwyższe zarobki, najelegantsza dzielnica...

Czyli Polacy dochodzą do zamożności bardziej pracowitością i oszczędzaniem niż „sposobem"?

Ogólnie biorąc, tak.

Rozmawiamy w pani gabinecie na jedenastym piętrze, za oknem widzę wieżowce, Wall Street, Hudson River i, hen, New Jersey. Jesteśmy w Human Resources Administration, Office of External Affairs przy Church Street. Za chwilę pojedzie pani na Greenpoint – do Credit Union – na zebranie Rady Dyrektorów... Tylko pół godziny jazdy. Ale czy nie jest to podróż na drugą półkulę?

Chyba, w jakimś stopniu, tak.

Porównajmy pracowników tu i tam...

Sam pan widział, choćby na tym piętrze. Ludzie są pogodni, życzliwi. Bez lęku. Na luzie... Wyjdą o piątej z jedną myślą: teraz odpocząć. Jakieś drobne zakupy. Przyrządzenie jedzenia. Spacer z psem, zabawa z dziećmi. Wyspać się. I spokojnie do pracy. Tak do weekendu. A w sobotę wyjazd: na plażę, do parku, za miasto. Albo *barbecue* na *back-yardzie*. Ludzie pewni swojej pracy, swego czeku w piątek, urlopu, ubezpieczenia. I teraz przeskok na Greenpoint między ludzi znerwicowanych, niepewnych swego... Twarze zalęknione albo spanikowane. Przemęczone. Często zawzięte, ponure. W oczach podejrzliwość, czasem strach, czasem nienawiść, czasem prawie obłęd.

Po czym rozpoznaje pani Polaków w tłumie międzynarodowym? Na przykład na Broadwayu? Czy przy Rockefeller Center? Pomijając mowę, oczywiście.

Po ubraniu. Nawet jeśli ubrani z amerykańska, zdradzi jakość. Jakość materiału... Bo polscy turyści – mówię o prawdziwych turystach – jeśli wyróżniają się zachowaniem, to raczej na plus. Zachowują się powściągliwie, z kulturą, oglądają w skupieniu, dociekliwie.

Porównaliśmy pracowników, porównajmy instytucje i organizacje amerykańskie z polonijnymi...

Amerykanie uczą się samorządności i demokracji od dziecka – od przedszkola do szkoły. Kłócą się przed podjęciem decyzji. Ale kiedy ją podejmą – mniejszość respektuje uchwałę większości. Organizacja jest własnością wszystkich członków. W polonijnych organizacjach i instytucjach prezes czy dyrektor często zachowuje się tak, jakby to on był właścicielem tej instytucji czy organizacji. Jednym słowem: jak dyrektor. Jak mały Breżniew.

To byłoby zrozumiałe wśród młodszej Polonii. Ale wśród starszej?

Niestety, też.

Może to echa rozkazodawstwa wojskowego?

Może. Faktem jest, że nie umiemy pracować w organizacjach, nepotyzm i intryga wypierają współdziałanie. Co gorsza, młodsza imigracja w ogóle nie chce wstępować do organizacji. Na przykład nowojorski oddział KPA kostnieje. Istnieje tylko z nazwy. Co będzie jak odejdą weterani?

Jest pani członkiem Mayor's Ethnic Advisory Council, to jest Rady Etnicznej przy Mayorze Miasta i – podobnie jak redaktor Wierzbiański – pełni pani funkcję łącznika między Mayorem i polską grupą etniczną. Pani rady i przestrogi dla Polonii jako zbiorowości...

Rada: organizować się. Jesteśmy jedną z najliczniejszych grup etnicznych – w Nowym Jorku więcej jest tylko Włochów, Żydów, Irlandczyków i Niemców. Są do osiągnięcia różne stanowiska, przywileje, dotacje, stypendia, budynki, programy, inwestycje. Gdybyśmy byli zorganizowani i potrafili działać w sposób zorganizowany, moglibyśmy na przykład teraz, na giełdzie przedwyborczej, sprzedać korzystnie nasze głosy. W zamian za obietnice i zobowiązania wobec polskiej grupy...

Inny przykład: Prezydent Bush obiecał Polsce sto milionów dolarów pomocy gospodarczej, Kongres zatwierdził dziesięć. Protesty organizacji polonijnych zaczęły się dopiero po fakcie...

Protesty post factum są zwykle oznaką słabości, nieumiejętności. Organizacje, które uzurpują sobie prawo do reprezentowania nas politycznie, zagapiły się, a zawodowi politycy przespali sprawę. Czy na przykład nowojorski oddział Kongresu Polonii Amerykańskiej zażądał spotkania z nowojorskim lobby? Przedstawił swoje sugestie nowojorskim politykom?

Może za dużo energii pochłaniają naszym polonijnym politykom jubileusze? Odsłonięcia pomników?

Zostawmy mierne pomniki, kiczowate plakietki, smutne bankiety. Skoncentrujmy się na silnym, wpływowym, inteligentnym reprezentowaniu interesów polskich. Ludzie, którzy nie potrafią działać poza wymiarem towarzystwa wzajemnej adoracji, powinni odejść. Bo tylko blokują nasz rozwój, ściągają w dół. Nieraz – kompromitują.

Co pani sądzi o Paradzie Pułaskiego? Ja widziałem dwie. Żałosne. Doceniam dobre chęci organizatorów, trud uczestników, ale... Sądzę, że taka, jaka jest, kompromituje Polaków. Tych nowych też.

Inne grupy etniczne wybierają marszałków, których samo nazwisko przyciąga polityków jak magnes. Zgłaszają się sami, maszerują, żeby się danej grupie przypodobać, zwabić do głosowania. Bo czują siłę grupy.

Na przykład, kto mógłby być takim marszałkiem?

Dlaczego nie ktoś z Polski? Na przykład... Wałęsa? Dlaczego nie zaprosić? Wajda? Penderecki? Kuroń? A z amerykańskich Polaków: Dan Rostenkowski, Profesor Brzeziński. Miłosz. Kardynał Król. Edward Muskie. Barbara Mikulska... Każdy z nich zgodziłby się marszałkować, gdyby parada wyglądała jak parada, a nie procesja.

Więc trzeba ją przeorganizować.

Przedtem trzeba przeorganizować się, czy raczej zorganizować się samemu.

Ale jak się organizować? Czy nowi imigranci mają wstępować do Kongresu Polonii Amerykańskiej? Do Stowarzyszenia Weteranów Armii Polskiej w Ameryce?

Proponuję inne rozwiązanie. Pierwsza emigracja – chlebowa – miała swoje motywacje i cele. I miała odpowiednie przykościelne, ziomkowskie organizacje. Druga emigracja – wojenna – miała charakter polityczny. I stworzyła odpowiednie – polityczne – organizacje. Zaś emigracja lat osiemdziesiątych ma charakter ekonomiczny. Zarobkowy. Dlatego powinna stworzyć struktury zawodowe. Oto plastycy zorganizowali się w Polish American Artists Society. Współdziałają, pomagają sobie. Nie wszystko im wychodzi tak, jakby chcieli. Ale niemało się udało. Podobne stowarzyszenie założyli muzycy. Jest już, próbuje działać, organizacja inżynierów i techników. Jest organizacja lekarzy. A powinny powstać następne stowarzyszenia branżowe. Powinni zorganizować się dziennikarze i literaci. Prawnicy. Nauczyciele. Studenci. Sportowcy. Idzie o to, aby nowo przybyła pielęgniarka miała do kogo zgłosić się o poradę, adresy, protekcję – i mogła pracować w swoim zawodzie, za przyzwoite pieniądze, a nie „klinować" za frajerskie stawki. Te organizacje branżowe tworzyłyby federację, z szefami branżowymi jako zarządem federacji. Rada spotykałaby się systematycznie, na przykład raz na kwartał, aby w razie potrzeby organizować i ogłaszać akcje i wystąpienia wspólne całej federacji jako grupy etnicznej. Tak działają od dawna Żydzi. I tak ostatnio, na naszych oczach, organizują się Koreańczycy i Chińczycy.

Rady i przestrogi indywidualne. Może najpierw dla tych, którzy jeszcze nie przyjechali, którzy dopiero tam w Polsce szykują się do wyjazdu, stoją w kolejkach do konsulatów...

Język! Przyjeżdżający Polacy są na ogół ludźmi odważnymi, zdolnymi, przedsiębiorczymi. Niestety zachowują się jak bezradne dzieci... kaleki... pracują za marne stawki, spadają na dno. Dlaczego? Przyjeżdżają głuchoniemi. Ja właśnie jestem najlepszym przykładem tego, co znaczy przyjechać do Ameryki, znając język angielski. A głuchoniemi? Czeka ich wstrząs, upokorzenie. To brak kontaktu językowego pogłębia osamotnienie, lękowe zamykanie się w polskim getcie, a w efekcie zagęszczenie konkurencji i gorsze zarobki. Oczywiście, nie każdy może ukończyć anglistykę. Ale niechże ukończy chociaż kurs półroczny. Niech ucząc się wie, że każda godzina poświęcona językowi podwyższy mu tutaj wynagrodzenie o trzy czy pięć dolarów na godzinę, każdy dolar wydany na korepetytora zwróci się mu w Ameryce stu dolarami. Pamiętam, kursy angielskiego były w Polsce na całkiem niezłym poziomie. Przecież nikt nie wyjeżdża z dnia na dzień i jest dość czasu, żeby nauczyć się choćby kilkudziesięciu podstawowych zwrotów... Pocieszanie się: „wezmę się za angielski na miejscu, tam szybciej mi pójdzie" – jest samooszustwem. Bo tutaj idzie wolniej, a nie szybciej. Bo przemęczenie, głowa zablokowana szokiem, kłopotami, lękami, bezsennością...

Następne rady...
Nie jechać na ślepo. Więcej niż połowa przyjeżdżających otrzymuje zaproszenia od osób, których nie widziała na oczy. Co najwyżej ktoś czeka na lotnisku, przywiezie do Greenpointu. I radź sobie sam. Taki nowicjusz zanim znajdzie pracę, mieszkanie, bywa oszukany, miota się bezradnie, traci czas, zdrowie, nerwy.

Trzecia rada: u kogo powstaje zamiar pozostania w Ameryce, to choćby prawdopodobieństwo pozostania nie przekraczało trzydziestu procent, niech zaczyna starać się o pobyt stały i załatwia papiery z takim przekonaniem, jakby pozostania był pewien w stu procentach. Rzecz w tym, aby czas pracował dla niego. Nie marnował się. Łatwiej potem, jeśli zielona karta okaże się niepotrzebna, zrezygnować z niej, niż ją zdobyć.

Pomówmy o tęsknocie... Polacy leczą ją po polsku: w piątek czy sobotę pół litra na łeb. I potem dzwonienie kwadransami do rodziny...

Tęsknota mniej dokucza, kiedy powiemy sobie jasno, dobitnie, ile jeszcze czekania: kiedy my odwiedzimy albo kiedy nas odwiedzą. Druga rada: godzin wolnych, a tym bardziej dni wolnych nie spędzać w domu. Wyjść! Nie żałować dwóch dolarów na przejażdżkę na Manhattan, spacer po ulicach, sklepach, Central Parku. Czy na kino. Bo to nie to samo: tkwić samotnie przed telewizorem, a pobyć dwie godziny z amerykańską widownią, śmiać się razem, oklaskiwać. Poza tym warto wiedzieć, że jest na Manhattanie, zwłaszcza w weekendy, mnóstwo imprez, koncertów, widowisk bezpłatnych lub prawie za darmo. Są bezpłatne boiska, korty tenisowe, baseny. Plaże... Ba, na samym Greenpoincie niemało imprez... Nie żałować więc na gazety, przewodniki, mapy. Po tygodniu pracy dać sobie nagrodę w postaci biletu do kina... Po roku zafundować sobie dwutygodniową wycieczkę na Florydę i z powrotem. Czy „Greyhoundem" do San Francisco albo do Nowego Orleanu. Co opowiemy naszym znajomym w Polsce, kiedy ich spotkamy? To, co widzieliśmy w telewizorze? Nie wiem, śmieszne to czy tragiczne: pracując w Centrum, spotykałam Polaków, którzy wracali do Polski po dwóch, trzech latach i ani razu nie byli na Manhattanie.

Spuentujmy rozmowę optymistycznie...
Nowi imigranci kończą okres urządzania się indywidualnego: zaczynają „wychodzić z domu" i „zbierać się". Stworzyli dwa programy telewizyjne. Dwa miesięczniki. Nadają ton „Nowemu Dziennikowi". Próbują głosu w Centrum i w Unii. Organizują imprezy towarzyskie

w nowym, dyskotekowym stylu, chyba wejdą one do kalendarza na równi z balem „Nowego Dziennika" – myślę o Andrzejkach, Ostatkach, Maskaradzie. Cieszy, że nowo przyjeżdżający chodzą po Nowym Jorku z podniesioną głową. Brylują na kursach angielskiego. Nostryfikują dyplomy. Szukają pracy i zarobku na miarę swego wykształcenia i umiejętności. Przystępują do egzaminów konkursowych. Nie boją się pójść po interwencję do kongresmana czy senatora...
Pani zdanie o „Przewodniku Nowojorskim"?
Gratuluję. Choć jestem w Ameryce jedenasty rok, po raz pierwszy trafiam na takie opracowanie historii Nowego Jorku, Ameryki i Polonii jednocześnie, dowiedziałam się wielu ważnych faktów. I jestem autentycznie zaskoczona danymi statystycznymi o Polonii: że Amerykanie polskiego pochodzenia są najlepiej wykształconą i najlepiej zarabiającą grupą etniczną. Wprawdzie to dane ze spisu w roku 1980...*
Może dane ze spisu w 1990 roku będą jeszcze pomyślniejsze?
Może? Oby.

DZISIAJ:
Grażyna Boguta – z odejściem z urzędu Mayora Edwarda Kocha w 1990 wycofała się z administracji miejskiej do środowiska akademickiego; pracuje jako profesor na uniwersytecie stanowym, obecnie jest dziekanem wydziału humanistycznego. Ponadto jest profesorką języka angielskiego (Polka!) na sławnym CUNY. Mąż, W. Kenda, jest uznanym w Nowym Jorku malarzem i marszandem. Córka rozpoczęła właśnie studia na prywatnym uniwersytecie (historia sztuki i... biznes). Mieszkają w eleganckiej dzielnicy Forest Hills na Queensie. Zmęczeni i zdegustowani swarami i intrygami w instytucjach polonijnych świadomie przenieśli się – i to całkowicie – do „Ameryki amerykańskiej".

* Mój błąd! Amerykańscy statystycy w spisach imigrantów wpisują nie narodowość, lecz obywatelstwo urodzenia (państwo!). Od 1919 roku najliczniejsza grupa imigracji żydowskiej w USA – ta z zachodniej Ukrainy, zachodniej Białorusi, z Wileńszczyzny oraz z byłej Kongresówki – podawała pod *nationality* już nie Rosję, ale Polskę. Uwzględnić też trzeba, że w latach 1918–39 od 35 do 60 procent emigracji polskiej z II RP do USA stanowili właściwie Żydzi.
Wbrew statystyce mniejszość polska plasuje się w USA na dole tabeli zamożności, żydowska zaś w ścisłej czołówce. Zrozumienie tej „polonijnej" sprzeczności między amerykańską statystyką a rzeczywistością zawdzięczam m.in. pracom polonijnego publicysty, wydawcy, polityka, śp. Edwarda Puacza. (przypis Autora).

Emigracja przygodowa

Mówi dwudziestodwuletni emigrant Tomek:

– Zrobiłem to samo, co zrobił mój ojciec dziesięć lat temu. Mieszkaliśmy na końcu Polski, w trzydziestotysięcznym Powiatowie. Ojciec po śmierci swego ojca, czyli mego dziadka, spieniężył gospodarstwo, kupił w Powiatowie działkę i wybudował na niej dom typu bunkier, z pustaków, brzydki, ale duży i wygodny, z chlewikiem w podwórzu i prosiakiem oraz kurami. Do tego grządka warzywna, buda, pies. Taka baza uniezależniała nas w znacznym stopniu od przemysłu spożywczego. Ojciec jest kolejarzem, ale z maturą i ambicjami wyższymi. Należał do zespołu pieśni i tańca przy domu kultury, został radnym i marzył o przeistoczeniu Powiatowa w prawdziwie miejskie miasto. Jego zasługą był kabaret przy domu kultury – który stać się miał zaczątkiem prawdziwego teatru. Wiele wieczorów poświęcił na organizowanie tygodnika społeczno-literackiego, który by sławił piękno naszego regionu. Niedziele oddawał drużynie piłki nożnej, aby z III ligi awansowała wreszcie do drugiej. Jego największym sukcesem było sprowadzenie do Powiatowa poety, autora prawdziwej, drukowanej książki. Wydębił mu od miasta przydział mieszkania i posadę instruktora w domu kultury. Poeta napisał słowa, ojciec ułożył melodię piosenki o naszym Powiatowie i rzeczce, która przepływa przez miasto, oraz o Marii Konopnickiej, której pomniczek bieleje na rynku... Wielce ojciec był szczęśliwy, że nasze Powiatowo staje się miastem coraz bardziej miejskim, mamy już jeden sześciopiętrowy wieżowiec z windą, na następne dziesięciolecie zaplanowano hotel i szpital, mówi się o budowie drugiego kina, a około roku 2010 ma powstać filia uniwersytetu wojewódzkiego... I będzie można studiować, nie wyjeżdżając z Powiatowa...

– Ale wysłano mego ojca na jakieś szkolenie kolejarskie do Warszawy – kontynuuje Tomek, popiwszy heinekena. – Na cały miesiąc pojechało ojczysko i... I oszalało. Rzucił się ojciec w wir stołeczności: chodził do teatrów, był w operze, zaliczył kilkanaście filmów, zwiedził muzea, widział przejazd prezydenta Cartera... To wszystko opisywał nam entuzjastycznie w listach i na widokówkach. A kiedy wrócił – coś się z nim stało. Osowiał. Stracił zapał do drużyny futbolowej, domu kultury i kabaretu. Aż po miesiącu rozterek wyznał zdecydowanie: „Żono, synu... Dlaczego ja mam dwadzieścia czy trzydzieści lat deptać w Powiatowie za czymś, co ja gdzie indziej mogę mieć za miesiąc?" „Co?" – spytaliśmy. „Miasto – odpowiedział. – Domy towarowe, kina, operę, teatry, kabarety, pierwszoligowe i międzynarodowe mecze..." „Jak?" – spytaliśmy. „Tak" – odpowiedział zagadkowo.

Jeszcze tego samego miesiąca sprzedał dom, chlewik, wieprza, kury i psa, i kupił na Woli własnościowe M-3. Ciasno było, bez podwórza, bez brzozy i chłodku pod brzozą, ale za to z rozrywkami pod ręką, uczelniami, sklepami. Wiadomo, stolica. Przyjaciele z Powiatowa – póki się z nimi widywał – zarzucali ojcu, że uciekł, że zostawił, że zdradził ich, miasteczko, rzeczkę i Marię Konopnicką. Odpowiadał: „To i wy zdradźcie, pomogę"... Później już im nie mówił, bo kontakty się urwały.

– Szanowni państwo... – Emigrant Tomek zaczerpnął powietrza więcej, żeby starczyło do puenty. – Ja zrobiłem dokładnie to samo. Polska będzie w tym punkcie cywilizacji, w którym Ameryka już jest, za lat pięćdziesiąt, może trzydzieści. Ja dzięki wycieczce do Grecji oraz instytucji pod nazwą obóz dla uchodźców pokonałem w ciągu kilkunastu miesięcy dystans lat trzydziestu, jeśli nie pięćdziesięciu.

– Ale to jakieś takie – zaczęła pani domu. I urwała.

– ...niepatriotyczne? – dokończył za nią Tomek.

– Właśnie – przytaknęła. – Przecież gdyby tak wszyscy...

– Proszę pani – na to młokos. – Argument „gdyby tak wszyscy" jest oszustwem, jest błędem logicznym. Jakoś tak się dzieje, że nie zdarza się, aby wszyscy naraz chcieli tego samego. Godzinę temu zapytała pani, co komu podać do picia. Jedni wybrali wódkę, inni coca-colę, a ja piwo. Jedni chcą i muszą wyjechać z Powiatowa, a innych wołami stamtąd nie wyciągniesz do stolicy.

– Z szacunkiem słuchałem wywodu pana Edwarda – zwrócił się do mnie – o emigracji Polaków do Ameryki. Tak, to ciekawe, co pan powiedział, że emigrantów politycznych było nie więcej niż jeden procent. Niecałe pół tysiąca po powstaniu listopadowym, tysiąc po styczniowym. A zarobkowych emigrantów – tych uciekających z nędzy, bezrobocia, bezrolności – po sto tysięcy rocznie. Dopiero dziewiętnaście tysięcy wracających hallerczyków i kilkanaście tysięcy z Armii Polskiej na Zachodzie po drugiej wojnie światowej, dopiero to jakieś liczby zauważalne. A zastanawialiście się, ilu jest politycznych w ostatnich latach? Oczywiście, na upartego wszystkich można nazwać politycznymi, dziś wszystko się z polityką wiąże. Jak Freudowi z seksem. Ale miejmy umiar... Więc liczcie sobie, tylko proszę, mnie odliczcie. Ja ani polityczny, ani zarobkowy, nie wypędził mnie reżym, nie wygnała mnie bieda.

– Więc co? – zdziwił się Pan Domu.

– Mnie wygnało to samo z Warszawy do Nowego Jorku, co mego ojca z Powiatowa do Warszawy. Co wygania do Chicago, San Francisco, Nowego Orleanu tysiące tysięcy chłopców i dziewcząt z miasteczek i farm Iowy, Nebraski, Kentucky. Ja jestem najliczniejszą z emigracji – liczniejszą od politycznej i zarobkowej... Bez niej nie odkryto by Ameryki, nie powstałyby Stany. Jestem emigracją Kolumba, Arciszewskiego, Szopena, Conrada...

– Cóż to za emigracja? – spytałem.

– Emigracja przygodowa – odparł młokos. – Ja, proszę państwa, wyemigrowałem z ciekawości. I mam odwagę do tego się przyznać.

III 1989

Ameryka ma ładny uśmiech

Rozmowa z Niną Havel

Czy z Polski wyjeżdżała pani „na zawsze"?

Skądże! Na rok, półtora. Aby zarobić, zobaczyć, wrócić i przywiezionymi dolarami podreperować domowy budżet. Choć, prawdę mówiąc, nie wyjeżdżałam „z biedy". Chciałam mieć lepiej. Inna sprawa, że w owym – 1978 – roku zaczęło iść w kraju ku gorszemu. Braki w zaopatrzeniu, kolejki.

Ale zabrała pani córeczkę...

To tylko dowód na to, jak optymistycznie wyobrażałam sobie zarabianie i oszczędzanie w USA...

Tymczasem?

Zaczął się koszmar. O pracy w zawodzie nie było mowy! Bez angielskiego? A gdybym nie znała rosyjskiego, nie dostałabym się nawet do tej pracy przyklasztornej. Pensjonariusze znali rosyjski. Praca niskopłatna, ale ze służbowym pokojem i wyżywieniem. Córeczka poszła do amerykańskiej szkoły od razu do szóstej klasy, nie znając słowa po angielsku... Musiałam szukać dodatkowej pracy, żeby utrzymać nas obie.

Rzeczywistość nie bardzo podobna do krajowych legend o Ameryce?

Szkoda słów. Z początku sądziłam, że to może ja jestem taka wyjątkowo niezaradna czy pechowa. Wkrótce przekonałam się, że przez taki czyściec przechodzą wszyscy nowo przybyli Polacy i nie-Polacy. Wszyscy nowi, nielegalni.

Dlaczego pani nie wróciła?

Gdybym wiedziała, ile jeszcze trudu przede mną, pewnie bym wróciła. Ale... Brnęło się do przodu, póki starczało sił, ambicji, ciekawości. A po dwóch latach znalazłam się w sytuacji człowieka, który wypłynął za daleko na morze: poczuł się zmęczony, spojrzał przed siebie i za siebie i przeraził się...Wracać? Z listów od rodziny i przyjaciół, z prasy polonijnej i amerykańskiej wynikało, że na brzegu ojczystym – nędza i lada moment wojna domowa albo interwencja rosyjska... Rzeczywiście, wkrótce ogłoszono stan wojenny, informacje z Polski były przerażające. Drugi brzeg wydawał się bezpieczniejszy. I o wiele bliższy, niż był naprawdę. Nie wiedziałam, ile wirów i trudów przede mną. Mówiąc „drugi brzeg", mam na myśli prawdziwą, pełnoprawną Amerykę, życie w niej normalne, a nie gorsze, kalekie.

Jak wróciła pani do swego zawodu?

Nostryfikacja dyplomu i praca w swoim zawodzie wydawały mi się – po pierwszych latach poniewierki – czymś nieosiągalnym. Nawet nie odważyłam się o tym marzyć. Cały czas, oczywiście, nie przyznawałam się do swojego wykształcenia. Później, pracując jako *mental hygienist*, uczęszczałam na kurs medyczny. I choć ledwo-ledwo znałam angielski, test końcowy, pisemny, zdałam tak dobrze, że aż wykładowca zainteresował się mną, był zdumiony. Wtedy przyznałam się do dyplomu. A on do mnie, ze zdziwieniem: „Kobieto! Co ty tu robisz!"

Czyli: „dlaczego się marnujesz"?

Tak. Ale od ambicji ważniejsza dla mnie była zachęta. To, że ten świetny testowy wynik przyszedł mi tak łatwo. I tak zakiełkowała myśl o studiach i nostryfikacji. Zdobyłam informacje. Polski dyplom uprawniał mnie do rozpoczęcia dwuletnich studiów w Dental Center na New York University, z obowiązkiem ponownego zdania, w języku angielskim, wszystkich egzaminów krajowych, kilku nowych, amerykańskich oraz odbycia praktyki klinicznej. I tak skazałam się na – w sumie – trzyletni wysiłek, nie wiem, z czym go można porównać. Chyba tylko z trzyletnim biegiem maratońskim. Studia, dwie prace, opiekowanie się córką, która przeżywała swoje frustracje adaptacyjne. Do tego moje własne kłopoty ze zdrowiem, nerwami. Żadnych pięciu minut nie mogłam zmarnować, każdą chwilę zużywałam na czytanie lub sen, w subwayu, kolejce, nawet w windzie. Bywało, że nie zmrużyłam oka przez dwie doby, że spałam kilka godzin tygodniowo...

Załamania?

Nie mogłam sobie na nie pozwolić! Byłam w sytuacji owego pływaka: albo dopłynę – i doholuję córkę – do drugiego brzegu, albo – jeśli załamię się – utoniemy. Jesienią 1985 roku zdałam przed National Board egzamin końcowy, trwał trzy dni. Pozostało czekanie na wynik. Uzyskałam minimum, które wynosiło siedemdziesiąt pięć punktów.

Czekanie ciągnęło się trzy miesiące. Pamiętam ten moment – chyba najbardziej dramatyczne moje przeżycie w Ameryce. A może w całym dotychczasowym życiu.

Proszę opowiedzieć...

To było w piątek. Prosto z kliniki doktora Linkova pojechałam do mojej podopiecznej, staruszki. Piąta wieczorem... Zatelefonowałam do domu, czy są listy. Córka mówi, od niechcenia, że tak, coś urzędowego z Albany. Wiedziałam, że to TO! Otwórz, córeńko, są tam jakieś punkty? Tak, mówi. Ja, z lękiem: Ile?! Oną, obojętnie: siedemdziesiąt osiem... Odłożyłam słuchawkę i rozpłakałam się, spazmatycznie, straszliwie-szczęśliwie. Pół godziny szlochałam, może więcej – dziw, że sąsiedzi nie interweniowali... Tak, potem zrozumiałam ten swój szloch. Był on mimowolnym wyrazem i odruchową miarą zarówno ośmioletniego wysiłku – trudu – bólu – koszmaru, jak i szczęścia. Że dotknęłam drugiego brzegu...nie utonęłam, jestem ocalona!

A gdyby tam, w Polsce, nie wyjeżdżając – zdobyła się pani na taki wysiłek? Nie osiągnęłaby pani więcej? Doktorat? Może stopień profesorski? Może stanowisko dyrektora instytutu, czy szpitala?

O, na pewno, gdybym włożyła tyle trudu, wyrzeczeń, ambicji. Na pewno. Ale...

Ale?

Rzecz w tym, że w kraju nie zdobyłabym się na to.

Dlaczego?

Brak motywacji.

Nie rozumiem.

Gdyby kontynuować porównanie z wodą: w kraju przetaplałabym te lata. Płytka woda. Mielizny. Ja w Ameryce znalazłam się na bezlitosnej głębinie. Sytuacja zmusiła mnie do przebijania się „na drugi brzeg". Z biedy i poniżenia do dostatku i przyjemności.

A co Amerykanów motywuje do kształcenia się i pracowitości? Przecież nie bieda, nie zagrożenie. Więc co?

Amerykanów dopingują konkurencja i wysokie nagrody za zwycięstwo. Zarobki większe kilka lub kilkanaście razy, a nie jak było w Polsce: o kilka czy kilkanaście procent. Daleko nie szukając: mój pierwszy czek na stanowisku dyrektora kliniki był pięć razy – tak, pięć razy większy od czeku, który otrzymywałam jako higienistka. Oto Ameryka...W kraju zyskałabym nie czterysta, ale co najwyżej czterdzieści procent podwyżki.

Awansowała pani materialnie...

Zdobyłam swój dom, swój gabinet. Oczywiście samochód, meble i różne sprzęty nieosiągalne kiedyś w Polsce dla dentystki z przychodni.

A zawodowo?

Dzięki półtorarocznej praktyce w gabinecie słynnego doktora Linkova – z którym zresztą utrzymuję do dziś kontakty – jestem na bieżąco z najświeższymi nowościami w stomatologii amerykańskiej, przodującej w świecie. Przodującej w metodach, materiałach, instrumentarium.

Amerykanie dbają o zęby wyjątkowo.

Dlatego chyba, że uśmiech należy do ich filozofii narodowej. Uśmiech i uprzejmość.

Które z cech amerykańskich ceni pani najwyżej?

Fachowość. Słowność. Grzeczność. Kiedy odwiedzam Polskę, bardzo mi tego u rodaków brakuje.

Dlaczego, mając tyle klienteli, takie powodzenie – nie rozbuduje pani gabinetu? Mogłaby pani zatrudnić asystentów, mieć większy przerób i większe dochody. Skąd więc umiar? To nie po amerykańsku.

Tak. Może ten umiar przywiozłam z Polski. Istotnie, nie pilno mi do rozbudowy gabinetu na skalę przychodni-przedsiębiorstwa. Jakoś bardziej czuję się lekarką niż biznesmenką. Znalazłam sobie pewne optimum – wygodną proporcję między ilością pracy i kłopotów a dochodami. Asystenci? Jakoś wolę polegać na sobie, na swoich umiejętnościach. Zresztą lubię samo wykonawstwo, czynności manualne...

Miała być pani pianistką...

O, tak. Podobno byłam nawet bardzo utalentowana. Ale po śmierci ojca nie było stać mamy na moje kosztowne lekcje muzyki. Warunki bytowe skłoniły mnie do wybrania tak zwanego konkretnego zawodu. Który, na szczęście, polubiłam. Muzyką zabawiałam się dorywczo, w zespołach studenckich. Pozostało mi czytać o sukcesach koleżanek, z którymi ćwiczyłam... Ale pierwszym „meblem", który zdobyłam do mojego nowego domu w Ameryce, był nie stół, nie łóżko, ale... fortepian. Nowy, dobry, na raty. A od niedawna wciągnęło mnie hobby też bardzo związane ze sztuką: zbieractwo obrazów, rzeźb i różnych przedmiotów artystycznych.

Pasjonujące hobby...

Łączy w sobie emocje wycieczkowo-turystyczne i artystyczne. Handlowe, hazardowe, towarzyskie. Uczestniczę też w aukcjach, podkształcam się z historii i teorii sztuki.

Ale czasu wolnego ma pani mniej niż w Polsce?

Tylko w niedziele. Drugi dzień, kiedy nie przyjmuję pacjentów – środy – pochłaniają sprawy organizacyjno-zaopatrzeniowe gabinetu. Mieszkam w stanie New Jersey, w malowniczym, spokojnym miasteczku. Ale przyjazd tutaj – do gabinetu na Greenpoincie – zabiera mi średnio półtorej godziny, powrót prawie godzinę.

Czuje się pani Polką czy Amerykanką?

Polką, czującą się coraz lepiej, coraz bardziej swojsko wśród Amerykanów. Myślę, że dopiero moja córka poczuje się Amerykanką. Amerykanką polskiego pochodzenia. Uczyła się, studiuje tutaj. Już nie tylko mówi – ale myśli i czuje po amerykańsku. Ja jestem jednak Polką, bo Ameryka mnie nie zaspokaja... Aby ten brak, to niezaspokojenie duszy dopełnić, muszę bywać w Polsce. Z drugiej strony – nie wyobrażam już sobie życia bez Ameryki.

To nie przeprowadzi się pani ze swoim gabinetem do Polski?

Leczę Polaków, ale w Ameryce. Proszę spojrzeć do mojej książki przyjęć. Prawie połowa to nazwiska polskie.

1991

DZISIAJ:
Nina Havel: „Chyba popadłam w workholizm – piętnaście lat pracowałam sześć dni w tygodniu, często do drugiej w nocy".

W niedzielę kontynuowała „łowiectwo artystyczne". Kupiła drugi dom – w górach – żeby pomieścić zbiory i odpoczywać. Ale zorganizowała życie dopiero dwa lata temu: pracuje tylko 3 dni w tygodniu, jeździ w swoje góry, znowu gra na pianinie. Córka ukończyła studia administracyjno-biznesowe, pracuje w bardzo dobrej firmie w New Jersey. Wnuczka już w szkole.

Wolność, po prostu wolność

Mówią Inka i Zbyszek Koralewscy

Zbyszek: Przyjechałem w 1976 roku, na sześć miesięcy, zarobić na mieszkanie. Okazało się, że nie takie to łatwe. Owszem, byłem przygotowany na ciężką pracę. A tu zaskoczenie: nie tylko o pracę idzie. Do tej pory dawałem sobie w życiu radę, a tu załamano mnie... Zostawiłem w Polsce ukochane Tatry, Kraków. I wspaniałą pracę. Przyjaciół. Rajdy w góry. Ukochane książki. Ale też rozpadające się małżeństwo i cudowną, dwuletnią córeczkę Kasię! I panią Inkę, którą poznałem pół roku przed wyjazdem.

Tam w Krakowie ceniony inżynier, szanowany człowiek – w Chicago żyłem w straszliwym upokorzeniu. Najpierw sprzątałem sklepy. Potem pół roku harowałem przy trawnikach. Później rok pracowałem w fabryce z XIX wieku, jako *maintenance-man:* osiłek do wszystkiego...

Od początku zdawałem sobie sprawę, że moim kalectwem jest nieznajomość angielskiego, że wielkim błędem było przyjeżdżać bez znajomości języka. Chociaż, z drugiej strony, trudno sobie tam w Polsce wyobrazić, czym jest język i przygotować się rzeczywiście. Trudno przyjechać z gotowym planem...

Inka: Ja wiedziałam, że jadę na stałe. Nie miałam do czego wracać...

Zbyszek: Ja tam miałem Tatry, Kraków, Skałki... Nie wracałem z uporu, nie poddawałem się, chciałem wrócić zwycięsko. Tak, brak języka powodował moje depresje i szamotaninę. To, że nie mogłem zdobyć normalnej pracy. Na miarę mojego wykształcenia i umiejętności. A praca dla samych pieniędzy to przecież niewolnictwo. Moje kalectwo uniemożliwiało mi oglądanie telewizji, słuchanie radia, rozumienie, co ludzie mówią, nawiązanie jakiegokolwiek kontaktu, wyrwanie się z upiornego środowiska, w którym się znalazłem. A to ważne, z kim się zadajesz. Kto wprowadza cię w Amerykę. Tam, gdzie wylądowałem, mówiono mi: papiery nieważne, język nieważny, ważne chodzić do roboty. Chcesz zarobić więcej, weź dwie roboty, pracuj w weekendy, zamieszkaj na piątego, będzie taniej. Ściąganie w dół. Do szczotki. Większość po studiach, spotykaliśmy się w soboty i w niedziele, jeśli były wolne. Takie spotkania zawsze kończyły się popijawą. I zamiast dyskutować, doradzić sobie, jak się wywindować – narzekanie i wyśmiewanie się z innych narodowości, z Portoryków na przykład, i przechwałki: my, Polacy, jacy my super! To pozytywne, że ludzie po studiach potrafili zniżyć się, pracować bardzo ciężko, dla swoich rodzin. Negatywne – że nie próbowali odbić się od dna, wskoczyć do swego zawodu. Na dwudziestu, których znałem, tylko jeden wiedział, czego chciał: postanowił zostać profesorem na uniwersytecie. Pracował w dzień, studiował po nocach, robił doktorat – naśmiewali się z niego. I mając 32 lata, został tym profesorem – i to w komputerach – zatrudniony od razu za czterdzieści tysięcy.

Inka: Wyobraźmy sobie Afrykanina, który przyjeżdża do Polski, ze swoim suahili, a polskiego nie zna i nie uczy się. Jaką pracę dostałby? Czy może marzyć o jakiejkolwiek karierze? Jeśli nie potrafi się porozumieć? Też by zamiatał...

Zbyszek: Wśród tych Polaków cierpiałem w gruncie rzeczy przeraźliwą samotność. I żyłem z poczuciem bezwartościowości... Jak człowiek, który dobrowolnie pozbył się swojej wiedzy, zawodu, dorobku. Godności i dumy. Dolary dolarami – czułem się zeszmacony, te dwa lata były najgorszym w moim życiu okresem, coś jak czyściec na ziemi, piekło za wszystkie grzechy... Nieraz oglądałem swoją szafę, przymierzałem się z paskiem, żeby zakończyć cierpienia, szło już tylko o to, czy kołek wytrzyma...

Przez dwa lata wysyłałem zarobione pieniądze, starałem się każdemu z bliskich wysyłać jakąś sumkę czy paczkę... oszczędzając na autobusach.

Inka: Dziś wiem, że nie warto zawracać sobie głowy paczkami, wysyłaniem. Oni tam nie docenią. Przyjechałam, też wysyłałam paczki, odejmując sobie od ust, każda paczka, wiadomo, z pięćdziesiąt dolarów... Ale „trzeba pomóc". Nie, nieprawda, nie trzeba: przesłaliśmy rodzinie sto dolarów, byli oburzeni: dlaczego nie tysiąc, dlaczego nie parę tysięcy, czemu jeszcze nie zafundowaliśmy im samochodu, dywanów...

Zbyszek: Tak, jak wysyłać to raczej konkretnie ileś dolarów...

Inka: Albo konkretną rzecz, której nie mogą tam kupić nawet za dolary...

Zbyszek: Pod koniec drugiego roku postanowiłem zbierać wreszcie dla siebie: żeby pójść do szkoły języka angielskiego. Odłożyłem dwa tysiące i w marcu '78 wyjechałem do college'u. Był to moment przełomowy. Zaczął się nowy okres w moim życiu. Szkoła na przedmieściu Chicago. Miała dziewięć stopni, każdy stopień cztery tygodnie. Ja wylądowałem na czwartym stopniu, bo już próbowałem uczyć się sam, po pracy, ale przychodziło mi to ze strasznym wysiłkiem. I z małym efektem. Wskutek zmęczenia, bardziej psychicznego niż fizycznego. Choć praca była fizyczna.

Szkoła nastawiona na nauczanie obcokrajowców – *English as second language* – miała wspaniałych nauczycieli – jest przy Teacher College, a więc przy normalnej uczelni amerykańskiej. Piękna lokalizacja, naokoło ogrody, basen, korty tenisowe, stadion. Wspaniałe miejsce do nauki i wypoczynku. Sześć godzin dziennie, m.in. po godzinie gramatyki, czytania, konwersacji, laboratorium... Po lekcjach dużo zadań domowych. Ale był czas na piłkę, tenis, znajomości, rozmowy.

Podczas całego kursu, w ciągu sześciu miesięcy, spotkałem tylko jednego Polaka, z Warszawy. Z początku był zdziwiony, może obrażony. Bo w momencie, kiedy zacząłem naukę, przerwałem wszelkie kontakty z Polakami, a jeśli ktoś miał coś do mnie, musiał to robić po angielsku. Przestałem czytać polskie gazety – a takie otrzymywałem z kraju – starałem się unikać odpisywania na listy. Po to, by żyć angielskim na co dzień, przesiąknąć nim... Myśleć po angielsku.

Nauczyłem się dużo, choć mózg nie mógł absorbować tak prędko. Gdyby to było rozłożone na dwa lata, przyswoiłbym więcej. Może dziewięćdziesiąt procent. A tak skorzystałem w czterdziestu, może w trzydziestu procentach. Ale mieszkałem w kampusie, miałem styczność z Amerykanami, nawiązałem wiele przyjaźni, głównie przez sport, czułem się wśród nich jak wśród swoich, zapraszali do siebie, dyskutowaliśmy. Byli wyrozumiali wobec moich błędów językowych, doradzali, opowiadali o sobie i Ameryce, ja im o sobie i o Polsce. Przyjaźniłem się z Irańczykami, Arabami, Europejczykami... Cały świat tam był, tak: cały świat! Ameryka Południowa, Afryka...

Po zakończeniu kursu językowego zapisałem się do college'u na dwa trzymiesięczne kursy komputerowe i na trzeci kurs, językowy: *speech communication*. Robienie tych trzech kursów naraz było niesamowitym wysiłkiem. Ale warto było. Z głuchoniemego przeobraziłem się w normalnego człowieka.

W końcu listopada zakończyłem pomyślnie te kursy i na Thanksgiving przyjechałem starym buickiem do Nowego Jorku. Planowałem wprawdzie z moimi przyjaciółmi wycieczkę rowerową po Europie, ale... Nie miałem dokumentów, paszport polski został mi odebrany w konsulacie, kiedy złożyłem do przedłużenia. Poza tym zapożyczyłem się na dwa tysiące i bałem się już dalszych pożyczek.

Zamieszkałem na krótko na Manhattanie, potem w Jersey City. Kiedy zobaczyłem tłum na Broadwayu i Times Square, od razu poczułem się jak w Krakowie. Oczywiście, śmieci, bezdomni – to uderzyło. Ale ta różnorodność typów ludzkich, ta wieża Babel! Poczułem się w Nowym Jorku bardzo dobrze. Od pierwszych dni jeździłem do Public Library przy Piątej Alei, amerykanizowałem moje polskie wykształcenie – elektronikę – dałem ogłoszenie do gazet, że poszukuję pracy i przygotowywałem się do interview. Ze zgłoszeń wybrałem firmę Leviton na Long Island, blisko Queensu, reklamującą się jako największa prywatna firma osprzętu elektrycznego na świecie. Zakład spodobał mi się: wyglądał super, po amerykańsku, ludzie sympatyczni, Amerykanie. Dwa lata pracowałem jako *test-engineer*, potem przeszedłem do *Research Departament* – miałem projektować i wykonywać prototypy aparatów testujących. Od dwóch lat jestem managerem, mój zespół liczy cztery, pięć osób. Już po roku wynająłem mieszkanie w pobliżu pracy, chodzę na piechotę – dwadzieścia minut spaceru. Naprzeciwko zakładu, po drugiej stronie ulicy, mam salę gimnastyczną, chodzę tam podczas lunchu: podnosiłem ciężary, gram w piłkę nożną i kosza. Od pięciu lat trenuję karate. Oficjalnie mam pół godziny lunchu, ale gram godzinę, czasem półtora, wolno mi – moja praca ma charakter twórczy, nieraz przychodzę do pracowni w weekendy sprawdzić jakiś pomysł, nieraz w środku nocy... Ta bliskość, ta wygoda, oczywiście kosztują mnie. Na przykład na Manhattanie miałbym za tę samą pracę z piętnaście tysięcy więcej.

Inka przyjechała w piątym roku mojego pobytu w Ameryce – kiedy już pozbierałem się zupełnie, złapałem równowagę.

Inka: Przyjechałam – w pewnym sensie – na gotowe. Nie wylądowałam w piwnicy na Greenpoincie, nie musiałam sprzątać...

Zbyszek: Kiedy przyjechałaś, chciałaś sprzątać – żeby nie być ciężarem – pamiętam, zabrało mi trochę czasu, żeby ci wytłumaczyć, że tego robić nie będziesz. Na pewno. Za żadną cenę.

Inka: Miałam dach nad głową i to w dobrej dzielnicy, co tutaj jest ważne. I oparcie. Cztery miesiące uczyłam się języka. Szkoła wysłała mnie na interview i dzięki temu, że umiałam pisać na maszynie – zaczęłam pracować w kompanii ubezpieczeniowej, na Manhattanie, obok Carnegie Hall. Wyrzucam sobie niekiedy, że pracowałam tam za długo – trzy lata – ale... Było to poznawanie Ameryki i swoich możliwości. I ćwiczenie języka. W Polsce pracowałam w zakładach elektronicznych jako psycholog. O kontynuowaniu tego zawodu w Ameryce nie było mowy – nie miałam doktoratu, a tutaj doktorat w tym zawodzie konieczny.

Po trzech latach postanowiliśmy ze Zbyszkiem, że przerwę pracę całkowicie i pójdę „w komputery". Wszyscy dziwili się, radzili: zarabiaj w dzień, studiuj wieczorami i w weekendy. Jednak ja postawiłam wszystko na jedną kartę.

Przerwałam pracę na rok, a to strata dwudziestu tysięcy dolarów. I kurs kosztował około pięciu tysięcy. Duża inwestycja. Ale była to dobra inwestycja. Dziedzina fascynująca, uczenia się bardzo, bardzo dużo. Kłopoty zaczęły się po skończeniu szkoły. Przez cztery miesiące nie mogłam zdobyć pracy. Rozesłałam około siedemdziesięciu *reasume's*, ale nikt nie chce osoby bezpośrednio po szkole, wymagają dwóch, trzech lat *experience*. Pracą dla mnie było wtedy szukanie pracy. Buty na wysokich obcasach zabierałam do torebki i w tenisówkach jechałam do Downtown, na Wall Street itp. Wypełniałam dziesiątki aplikacji. Na siedemdziesiąt wysłanych *reasume's* otrzymałam dwadzieścia odpowiedzi, w tym tylko jedno zaproszenie na *interview* i test. Test zdałam, ale – okazało się – praca miała być aktualna dopiero za pół roku. Poszłam na tak zwany *job-fair*. Taki targ. Targ ludzki. Przedstawiciele różnych kompanii wyławiają z tłumu kandydatów, kogoś dla siebie. Jestem wysoka, widać mnie w tłumie – chyba dlatego otrzymałam dwie propozycje. Obie przegrałam na egzaminie. Ale kiedy na kolejnym *job-fair* otrzymałam trzecią propozycję, już wiedziałam na czym polega *interview*. Było nas dziewięć kandydatek do jednego miejsca, test i wywiady trwały od dziewiątej rano do piątej po południu. Nazajutrz zaproponowano mi pracę, dostałam stanowisko programera w jednym z największych domów towarowych świata – Macy's. On sam reklamuje się jako największy. Prawdziwy test zaczął się teraz, w realnej pracy. Szkoła a produkcja – to niebo i ziemia, nawet w Ameryce. Nie nauczono mnie tysiąca rzeczy, które musiałam poznać sama, dopytywać się, zostawać po pracy, douczać się, czytać wieczorami, trenować w weekendy... A trudności językowe! A dwie godziny dojazdu rano, dwie wieczorem! W dodatku dwa tygodnie po rozpoczęciu tej pracy zaszłam w ciążę – dwie upragnione sprawy, dziecko i pasjonująca praca, zbiegły się w czasie... Potem musiałam przerwać pracę na pół roku. Po pół roku znowu przekwalifikować się z pieluch na komputery. W tej pierwszej pracy, choć była rutynowa, wcale nie miałam lekko. Ale naprawdę ciężko pracuję teraz, kiedy jestem *professional*. Tutaj jest inaczej niż w Polsce – tutaj im wyższą masz pozycję, tym ciężej pracujesz, więcej poświęcasz czasu. Nie zawsze mogę pójść na lunch. Nie mam kiedy zatelefonować nawet do Zbyszka. Muszę wyglądać i zachowywać się stosownie do mojej pozycji. Nie mogę przychodzić w sweterkach czy spodniach, muszę być odpowiednio ubrana. Jeśli mam *meeting*, koniecznie *suit*. Zadbane ręce, włosy, twarz. Buty i wszystko w odpowiednim gatunku... A to są pieniądze, pozycja wymaga odpowiedniego „wkładu".

Piszemy listy do przyjaciół, do rodzin w Polsce. Chcemy przedstawić im trudności życia w Ameryce. I nikt nam nie wierzy. Ci, którzy wracają z Ameryki, pokazują tam głównie pieniądze. A zapominają – czy zatajają – sprawy przykre. Nie wspominają o swoim upośledzeniu. Pamiętam z Polski: o kimś, kto wracał za Stanów, mówiono z szacunkiem: ma forsę. Dolary. Nieraz myślałam: jak ten człowiek mógł poradzić sobie bez języka? Jak się porozumiewał? Kim był w Ameryce naprawdę? Jeśli pojechał bez angielskiego i wrócił bez angielskiego? Dziś wiem.

Zbyszek: Czym mnie Ameryka zaskoczyła? Podstawowa różnica to różnica skali. Skali Dobra i Zła. Wielkość, wspaniałość rzeczy dobrych w Ameryce. I straszność, ohyda rzeczy złych. Jeśli mamy na skali minus i plus, to w Polsce rozpiętość między dobrem i złem jest maleńka. A tutaj ogromna. Ameryka zaskoczyła mnie tym, że nie jest aż taka super, jak sobie wyobrażałem. Mimo że mnie przestrzegano, nie wierzyłem, że w Ameryce może być tyle... brudu. Dziadostwa. Tandety. I ten zalew kiczu. Kiczowatość życia.

Inka: Zalew reklamy.

Zbyszek: Zalew reklamy, informacji, nadmiar towarów. Większość naszych „turystów" traci poczucie rzeczywistości. goni za pieniądzem, chce doścignąć Amerykanów. Ale tylko materialnie, tracąc wartości duchowe. Kto ma słaby charakter, zatraca osobowość, niektórzy gubią się zupełnie. Znamy osobiście ludzi – przedtem na poziomie, inteligentnych, z zainteresowaniami – którzy teraz mają tylko jedną manię: konto. Prześcignąć innych w posiadaniu amerykańskich rzeczy. A o kulturze amerykańskiej nie mają pojęcia.

Inka: Polacy cierpią tu na samotność...

Zbyszek: Bo mają poniżającą pracę, pracują z ludźmi przypadkowymi. W fajnej pracy ma się fajnych partnerów. A związki z Ameryką zaczynają się przez pracę, przez współpracowników, klientów. Potem związki sąsiedzkie. W lepszej dzielnicy fajniejsi sąsiedzi. Potem sport. Zapisać się do klubu. Na przykład do *heath-club,* my mamy dużo przyjaciół stamtąd. Tenis, karate. Tego nie uprawia byle kto. W takich miejscach spotyka się całkiem innych ludzi niż w... barze. I krąg się powiększa.

Inka: Kupiliśmy dom. Jeśli nam czegoś brakuje, to najbardziej czasu. Tyle tutaj do nauczenia się, zobaczenia, zwiedzenia.

Zbyszek: A człowiek wraca o siódmej wieczorem, właściwie nieprzytomny. Dziennik, kolacja i spać. I jutro od nowa.

Inka: Po roku pracy dwa tygodnie urlopu. Po pięciu latach pracy – trzy tygodnie. Zbyszek też trzy. W Polsce od razu miesiąc, do tego dwa–trzy tygodnie różne takie okazyjne...

Zbyszek: Ale tam marnowałaś czas na staniu w kolejkach, na martwienie się o jutro – swoje, rodziców.

Inka: Jak oglądam w telewizji reportaże o kolejkach w Polsce, te matki stojące godzinami po mleko – zimą na mrozie... Boże, jak do tego doszło? Tutaj jest ciężko, bo nie starcza czasu.

Zbyszek: Sami narzuciliśmy sobie takie tempo.

Inka: Praca nas pochłania.

Zbyszek: Ambicje zawodowe. Praca stała się pasją.

Inka: Z drugiej strony, nie można być niewolnikiem swojej pracy.

Zbyszek: Musimy przyhamować.

Inka: Zaraz! Mówimy o samych negatywach. No to właściwie dlaczego my tu jesteśmy? Tam miałoby się więcej czasu...

Zbyszek: Mówiłem: przestałabyś ten czas w kolejkach.

Inka: Ameryka... Ta dostępność wszystkiego. To kraj niesamowity: każdy, kto pracuje – w pralni, czy w specjalistycznej kompanii – kto pracuje i oszczędza, może mieć na to, na co tam pozwolić sobie może tylko milioner. Może kupić na raty dom, mieć łódź, grać w tenisa, chodzić na lekcje muzyki, studiować, podróżować. Kto ma miliony, ma jacht za miliony, kto ma tysiące, może mieć łódź za dwa tysiące...

Zbyszek: Dlaczego tu jestem? Nawet w okresie największej szamotaniny, miałem poczucie, nadzieję, że jeśli to przetrzymam, mój świat nie będzie już ograniczony tylko do Polski. Że otworzą się przede mną wszystkie kraje i państwa. Czytałem dużo książek podróżniczych, pasjonował mnie świat.

Inka: Tam wyjazd zależał od różnych koszmarnych uwarunkowań. Od widzimisię jakiegoś czynownika... To składanie podań o bylę co. Wszystko podlegało władzy. Tu mnie nikt nie ogranicza. Czy chcę zmienić pracę, czy przenieść się do innego miasta, czy stanu, studiować to, czy tamto.

Zbyszek: Wolność wyboru.

Inka: Wolność, po prostu wolność.

Zbyszek: W Polsce nie mogłem nigdy nigdzie wyjechać! A tutaj, kiedy przyjechała Ineczka i po roku załatwiła papiery, zaczęliśmy rozjazdy po świecie. Najpierw pojechaliśmy do Europy. Zwiedziliśmy cztery stolice.

Inka: Amsterdam...

Zbyszek: Nieoficjalna stolica Holandii. Paryż...

Inka: Amsterdam, Bruksela, Paryż, Londyn.

Zbyszek: Moim marzeniem zawsze było zobaczyć Paryż i Londyn. Później pojechaliśmy na Karaiby. I do Brazylii. Rio de Janeiro – chyba najpiękniejsze z miast, które dotychczas widzieliśmy.

Inka: Potem Vancouver, Seattle... Potem Mediolan, Rzym, Monte Cassino, Neapol, Wenecja.

Zbyszek: I Skandynawia. Norwegia, Szwecja, Dania... Znowu Karaiby. Wyspy Dziewicze. I wiele przepięknych miejsc w Stanach i w Kanadzie.

Inka: Tak jeździliśmy sześć lat, do urodzenia dziecka. Dwa lata temu urodził się nam syn. Nazywa się Brian Thomas, o, właśnie obudził się.

Zbyszek: Brajanek, powiedz panu dzień dobry.

Inka: Powiedz panu dzień dobry, Brajanek.

Brian: Haj!

NYC, 1989

DZISIAJ:

W 1995 Zbyszka dopadła redukcja i kilka (!) lat bezrobocia. Elektronik, przekwalifikował się (Ameryka) krańcowo: obecnie pracuje jako terapeuta. Inka przetrwała kilka redukcji – awansowała – obecnie jest w Macy's szefową dwóch (!) wydziałów. Brian – na II roku studiów inżynieryjnych. Wybitny sportowiec. Gra na kilku instrumentach. Pasjonuje się historią Polski i Europy. Wszyscy troje aktywni w Polonii, m.in. w Ogiński Male Choir, jako kontynuatorzy fenomenalnej, ponad stuletniej tradycji chórów śpiewaczych.

Nasz Tadeusz Wielki

Rozmowa z Naczelnikiem
– generałem Andrzejem Tadeuszem Bonawenturą Kościuszką

Naczelniku – zacznijmy od nazwiska...

Przodek mój imieniem Konstantyn był Rusinem z Wielkiego Księstwa Litewskiego. Kiedy został dworzaninem króla Zygmunta Starego, nazywano go tam Kostiuszko. Zdrobnienie – jak Jaśko od Jana, Staszko od Stanisława. Król nagrodził go za służbę herbem szlacheckim i majątkiem Siechnowicze na Litwie. Synowie i wnukowie Kostiuszki, spolonizowawszy się, pisali się jako Kościuszko. Zresztą dużo polskich nazwisk ma kresowo-ruskie pochodzenie. Mickiewicz to przecież potomek Mićki-Mitriona. Sienkiewicz – Sieńki-Siemiona. Ja urodziłem się w siódmym po Konstantynie pokoleniu – kiedy Siechnowicze przeszły już w obce ręce.

Wiemy: urodził się pan 4 lutego 1746 roku w skromniutkim dworku w Mereczowszczyźnie. Gdzie to?

Kilkadziesiąt kilometrów na wschód od Białowieży, blisko błot i źródeł, z których wypływa Narew. I nie wyściubiłem stamtąd nosa do dziesiątego roku życia.

Kto nauczył pana czytać i pisać?

Rodzice. Matka – Tekla z Ratomskich Kościuszkowa i Ludwik, miecznik województwa brzeskiego.

Miecznik!

Eee, żadnym potentatem ojciec nie był, godność to tylko tytularna, należeliśmy do szlachty ubogiej. Prawie całe życie dzierżawił cudze majątki i ciułał, żeby uzbierać na wykup Siechnowicz. W roku 1755 wyekspediował mnie i brata Józefa, starszego o trzy lata, do gimnazjum w Lubieszowie. Niestety, trzy lata później zmarł, zaczęło brakować funduszy na kształcenie i w roku 1760 musieliśmy – Józef, uczeń ostatniej klasy, ja, uczeń przedostatniej – zrezygnować ze szkoły i wrócić do Mereczowszczyzny matce na pomoc. Wspólnym wysiłkiem odkupiliśmy Siechnowicze, nasze rodowe gniazdo.

Aż pięć ważnych młodzieńczych lat zeszło panu na poczciwym zaściankowym bytowaniu. Czy nie były to lata zmarnowane?

Nie. To tam – w Mereczowszczyźnie i Siechnowiczach, wśród różnorodności stanowej, religijnej, językowej, nauczyłem się tolerancji dla innowierców, współczucia dla chłopów, rzemieślników, biedoty.

Jakim językiem mówiono u pana w domu?

Szlachta między sobą po polsku, a ze służbą i chłopami po białorusku. Oczywiście, mówiono też po litewsku, rosyjsku, ukraińsku. W miasteczkach słyszało się gwarę żydowską. Szlachta tutejsza, spolonizowana, była wyznania rzymskokatolickiego. Ale współżyła całkiem zgodnie z ludnością greckokatolicką, czyli unitami, z prawosławnymi i starozakonnymi. Do tego trafiali się mahometanie – w dwa dni można było dojechać do tatarskich meczetów w Kruszynianach i Bohonikach pod Sokółką.

Czy pracował pan wtedy fizycznie?

Tak, i to dużo, jak to na wsi. Od dziecka bawiłem się z moimi chłopskimi rówieśnikami, często w tajemnicy przed rodzicami. Nauczyłem się wielu prac w ogrodzie, w domu i w polu, umiałem doglądać zwierząt. Lubiłem naprawiać i majsterkować.

Muzea przechowują niemało pamiątek po panu – różne misterne rękodzieła świadczące o pańskich talentach artystycznych. Drewniany ołtarzyk, drewniana kapliczka, szkatułka z drewna i masy perłowej, także cukiernica z łupiny orzecha kokosowego – które wykonał pan jako więzień carycy Katarzyny w Petersburgu, mając lat pięćdziesiąt. Dalej: toczony lichtarz drewniany, wykładana rogiem szkatuła, wykonane w Solurze w Szwajcarii, kiedy liczył pan sobie siedemdziesiąt...

Nie szkatuła, lecz urna, redaktorze. I wykładana nie rogiem, lecz szylkretem. To takie zrogowaciałe płytki okrywające pancerz kostny żółwia.

A w Ameryce, budując twierdzę w West Point, urządził pan sobie i uprawiał własnoręcznie ogródek z kwiatami i niektórymi warzywami. Skąd się wzięły te upodobania? Nie z Siechnowicz?

Tak, to prawda, z dzieciństwa. Z Mereczowszczyzny i Siechnowicz.

Studiując w Paryżu inżynierię wojskową, zapisał się pan także do Akademii Malarstwa i Rzeźby. Rysunki, obrazy i portrety, które się za-

chowały, oraz projekty architektoniczne, a nawet same szkice inżynie-ryjno-topograficzne – dowodzą artystycznej wyobraźni i ręki. Nie mówiąc już o kunsztownym, kaligraficznym charakterze pisma. **Biografowie ponadto potwierdzają pański smak i umiar co do kroju i koloru w ubiorze, bezpretensjonalność uczesania. Przy okazji, czy to prawda, że słynny z przystojności, wąsa i czupryny książę Józef Ponia-towski był łysy?**

Jak kolano. Ale wtedy prawie wszyscy nosili peruki. Król też.

A pan nie próbował?

Nie. Nie lubiłem sztuczek i pozy.

Tak, na wspomnianej urnie wypisał pan trzy zasady: „Skromność", „Obywatelstwo", „Łagodność". Czy zechciałby pan wyjawić swoje ro-zumienie tych słów?

Skromność to nie chcieć od ludzi i Pana Boga więcej, niż się zasłu-żyło. Obywatelstwo – czcić ojczyznę i dążyć do tego, żeby była silnym i sprawiedliwym państwem. Łagodność? Być dobrym dla wszystkich ludzi, nie tylko dla szlachetnych czy nieszczęśliwych, ale nawet dla przestępców.

W Solurze, będąc starszym i schorowanym człowiekiem, poruszał się pan po mieście wolantem. Podobno pański koń tak przyzwyczaił się do tego, iż daje pan biednym jałmużnę, że rozpoznawał żebraków na ulicy i sam zatrzymywał się przed nimi. Czy to nie przesada, taka wszechdobroć? Obecny prezydent USA, George Bush, mówi, że ow-szem, leżącego trzeba podnieść. Ale nie nosić...

Ja uważam, że człowiek biedny czy nieszczęśliwy, a także nikczem-ny, tylko po części jest winny swej niedoli czy nikczemności.

A kto jeszcze?

Rodzice. Nauczyciele. Świat. Tak samo bogactwo czy sława tylko po części są naszą osobistą zasługą.

Komu zawdzięcza pan wyjazd z Siechnowicz do Warszawy?

Królowi, matce i sobie. Sobie, bo to ja padłem przed rodzicielką na kolana dowiedziawszy się o założeniu Szkoły Rycerskiej. Matce – bo mnie wyekspediowała. Królowi Stanisławowi Augustowi – bo tę szko-łę założył już w pierwszym roku swego królowania. Ja, rozochocony lu-bieszowskim gimnazjum, pragnąłem nauki i świata, ukończyłem wła-śnie lat dziewiętnaście, wszystko pasowało. Pojechałem, ach, ten przeskok spośród łąk i brzezin – do wielkiego świata.

A Warszawa była wtedy zaledwie trzydziestotysięcznym miastem.

Ale pod ręką młodego, wykształconego króla natychmiast nabrała światowości, dość powiedzieć, że po trzydziestu latach, pod koniec jego rządów urosła do stu piętnastu tysięcy. Szkoła mieściła się w Pałacu Kazimierzowskim przy Krakowskim Przedmieściu, dziś jej budynki wchodzą w skład Uniwersytetu Warszawskiego. Program i metody nauczania od początku były ambitne i nowoczesne. Już po roku uzyskałem stopień chorążego i zostałem instruktorem specjalnego kursu. W trzecim roku komendantem szkoły mianował król księcia Adama Czartoryskiego, generała i polityka, a przy tym mecenasa artystów i pisarza. Nauka obejmowała kształcenie ogólne, zawodowe oraz pielęgnowanie kunsztów: fechtunku, jazdy konnej, tańca, muzyki – przygotowywano kadeta do boju, polityki i życia w salonie.

Wiadomo, że szkoła była oczkiem w głowie króla Stanisława Augusta.

Tak, odwiedzał ją często – widziałem i rozmawiałem z królem osobiście wiele razy, ba, nawet udało mi się zdobyć jego uznanie i życzliwość – skutkiem czego znalazłem się w Paryżu jako królewski stypendysta. Wielce życzliwy był mi też książę komendant – zresztą swego czasu także pretendent do tronu.

Jakie król robił wrażenie na panu?

Królewskie. Był mężczyzną postawnym, pełnym wdzięku, ale i majestatu – mówiono, że nie masz w Rzeczypospolitej innego dlań zajęcia niż być królem. Należał do najlepiej wykształconych i najświatlejszych ludzi Europy, wystarczy jak powiem, że znał dwanaście języków.

A romans z carycą Katarzyną?

Jeszcze jeden dowód jego wielkości. Zafascynował ją przecież intelektem i światowością, bo pod ręką miała nie mniej przystojnych zalotników.

I był pan wielbicielem Stanisława Augusta – mimo jego uległości wobec Rosji i carycy?

A jakież miał inne wyjście? Pomoc z zewnątrz? Od kogo? Prusy? Austria? Same miały chrapkę na polskie ziemie. Więc kto? Francja? Anglia? Turcja? Mrzonki! Pamiętajmy, że odziedziczył Polskę po Sasach, nie po Jagiellonach. Chorą i zepsutą. Był w podobnej sytuacji, co wasz Jaruzelski za Leonida, Jurija i Konstantina. Kokietował carycę, zwodził – i usiłował cichcem robić swoje. A za wiele nie mógł, bo jak Grabski, Kociołek, Olszowski za plecami Jaruzelskiego, tak za jego plecami czyhali kresowi magnaci, gotowi przelicytować go u carycy w uległości, w zamian za stanowiska i przywileje. A reszta narodu? Większość szlachty wisiała u klamek magnatów-królewiąt, przedkładała pie-czeniarstwo i lokalne politykowanie nad interes państwowy. Mieszcza-nie nie mieli praw obywatelskich, więc i poczucia odpowiedzialności za państwo. A chłopi? Uznojeni pańszczyzną, niewydajni, prymitywni, ży-li od wiosny do wiosny – w swoim półbydlęcym świecie, poza polityką i sprawami państwowymi. Król dążył do reform stanowych – bo chciał ożywić i zainteresować ojczyzną wszystkie stany, cały naród – a więk-szość szlachty samolubnie brała to za zagrożenie jej wolności. Stąd wzięła się konfederacja i rebelia barska.

Patrząc politycznie: pan i Kazimierz Pułaski znaleźliście się wtedy w przeciwstawnych obozach. Pan – zwolennik i pupil króla. Pułaski – rzecznik księcia Karola Sasa, przeciwnik Stanisława Augusta na tyle zdecydowany, że podejmuje się udziału w zamachu antykrólewskim.

Pułaski miał magnackie ambicje. Później, w Ameryce tytułował się księciem. A ja? Drobnica, szarak.

Ale pański brat przystał jednak do konfederatów.

Cóż, pomimo pijarskiego gimnazjum w Lubieszowie, pozostał tylko zaściankowym patriotą. Ja w Warszawie zetknąłem się z luminarzami i reformatorami europejskiego formatu. Książę komendant, Ignacy Po-tocki, Hugo Kołłątaj, Staszic, Konarski, biskup Krasicki... Do tego ar-tyści, architekci, filozofowie, sprowadzeni przez króla z Francji, Włoch, Anglii, Niemiec. Powiedziałem już: to, czym się człowiek stanie, zale-ży między innymi od nauczycieli i świata.

Tedy jesienią 1769 znalazł się pan w Paryżu, aby studiować inżynie-rię wojskową oraz malarstwo i rzeźbę. Pan studiuje wojaczkę, a Puła-ski zasadza się ze swoimi partyzantami po chatach i lasach Słowacji, Roztocza, Podola, werbuje i szkoli ochotników. On traci brata pod Orzechowem, krwawi ranny pod Grabiem, pali, zabija, broni, a pan rysuje alegorie patriotyczne...

Takich, co po dawnemu i o dawne cele wojować umieli, były w Pol-sce miliony. Takich, co po nowemu wojować umieliby i o cele nowe – była w Polsce gromadka.

Trafił pan do Paryża w nadzwyczaj ożywionym, przedrewolucyj-nym okresie...

O tak! Przebywałem we Francji pięć lat, do 1774 roku. Na moich oczach ukazywały się ostatnie tomy Wielkiej Encyklopedii Francuskiej. W gazetach, klubach i salonach brylowali Diderot, d'Alembert, w szko-łach entuzjazmowano się „Kandydem" i „Prostaczkiem" Woltera, „Nową Heloizą" i „Umową społeczną" Rousseau. Pojawiły się hasła równości, wolności, braterstwa ludzi, stanów, narodów. Lud miejski, lud wiejski, mieszczanie – podniecani przez filozofów i żurnalistów – domagali się praw ekonomicznych i obywatelskich. Atakowano dogmaty religijne. Czyż mogłem o tym nie czytać, nie myśleć, nie dyskutować? **5 sierpnia 1772 caryca Katarzyna II, cesarz Austrii Józef II i król pruski Fryderyk II podpisali akt rozbioru Polski. Obszar państwa zmniejszył się z siedmiuset trzydziestu tysięcy kilometrów kwadratowych do pół miliona, liczba ludności z czternastu milionów do dziesięciu. Co pan wtedy na to?** Ta wiadomość dotarła do Paryża w kilka dni. Nas, gromadkę tamtejszych Polaków, raziła jak grom. Rzeczpospolita Obojga Narodów – jeszcze niedawno największe państwo Europy, ograbiona jak pijak w karczmie? Czekaliśmy, co uczynią król, sejm, naród. Będzie opór, powstanie, wojna? My, płacząc, przysięgaliśmy ratować Ojczyznę.

Ale wróciwszy w 1774 roku do kraju, wojażował pan po dworkach i pałacach, zamiast wstąpić do wojska.

Bo nie było dla mnie etatu w zredukowanej traktatem pokojowym armii! W Siechnowiczach zagnieździł się brat Józef, zresztą były zadłużone wskutek jego udziału w konfederacji barskiej. Aby z czegoś żyć, zatrzymałem się we dworze Józefa Sosnowskiego, hetmana litewskiego, w zamian za lekcje francuskiego dla jego córki, Ludwiki.

Musiała być utalentowaną uczennicą, skoro niebawem poprosił pan hetmana o jej rękę...

Mój błąd, naiwność. Zdawało mi się po Francji, że wykształcenie, wiedza, znajomość języków i świata wyrównają moje niemagnackie pochodzenie. Gdzie tam. Rekuza... „Synogarlice nie dla wróbli" – usłyszałem. Nie widząc perspektyw dla siebie ni w gospodarstwie, ni w wojsku, ni w polityce – choć wszechstronnie, gruntownie wykształcony specjalista, czułem się niepotrzebny, bezrobotny i goły – pojechałem za pracą i chlebem do Francji.

Ach, więc nie żądza walki „za wolność naszą i waszą" – jak to malują pańscy hagiografowie – lecz bezrobocie i bieda pchnęły pana w świat?

Ledwo starczyło mi na podróż. Sakiewka, z którą przybyłem do Paryża, opróżniła się w parę tygodni. Gdyby nie łaskawość polskich i francuskich przyjaciół, nowy – 1776 rok – przywitałbym głodny i na bruku. 4 lutego ukończyłem trzydzieści lat. Rocznica jak dzwon – przypominająca, że niczego w życiu nie dokonałem, ponaglająca do czynu. W tym czasie instalował się w Paryżu Beniamin Franklin, ambasador generała Washingtona – niechybnie zesłany mi przez świętego Tadeusza, patrona desperatów – i zaczynał werbunek do armii amerykańskiej.

Werbowali też Anglicy do armii przeciwnej...

Płacili nawet więcej. Ale ja ideowo i towarzysko związany byłem z Francuzami – którzy zgłaszali się do Franklina. Zaoferowałem się jako inżynier-fortyfikator. Zaaprobowano mnie prędko, półamatorska armia Washingtona, uzbierana głównie z farmerów i rzemieślników, potrzebowała fachowców. Za podpisanie kontraktu dostałem bilet transatlantycki i małą zaliczkę.

Zawodowy żołnierz jest tym lepszy, im lepiej zabija?

A może: im lepiej broni? Sedno w tym, kogo i czego broni. Ja stanąłem po słusznej stronie – broniłem wolności.

Kiedy Kongres uchwalał Deklarację Niepodległości, znajdował się pan na Atlantyku...

Gdzieś w połowie drogi. O Deklaracji dowiedziałem się na początku sierpnia, wylądowawszy w Filadelfii. Zgłosiłem się do Kongresu i Wydział Wojny skierował mnie do generała Gatesa. Ale – podobnie jak teraz wielu waszych lekarzy, inżynierów, artystów – miałem dyplomy i rekomendacje, a nie miałem *american experience*. Generał spytał mnie wprost: „Co umiesz?" Odpowiedziałem krótko: „Wypróbuj, sir". I wypróbował – kilkanaście dni robiłem za szeregowca, w piechocie i artylerii. Jakoś zdałem ten egzamin.

Nie jakoś, ale doskonale: wyróżnił się pan odwagą i sprawnością – otrzymał nominację na pułkownika armii amerykańskiej z gażą sześćdziesięciu dolarów miesięcznie i powierzono panu zaprojektowanie obrony Filadelfii od strony rzeki.

Dowództwo obawiało się, że flota angielska może przez ujście Delaware przepłynąć z Atlantyku i zaatakować miasto od wody. Zaproponowałem przegrodzenie rzeki zaporą z potężnych bali. Gdy angielskie okręty uwikłają się w pokonywanie palisady, my łatwo rozwalimy je ogniem artyleryjskim z reduty wzniesionej na brzegu, przekonywałem.

I projekt spodobał się do tego stopnia, że natychmiast powierzono panu projektowanie dwu następnych fortyfikacji na Delaware. Wyróżnienie?

Oczywiście, nie byłem jedynym inżynierem-fortyfikatorem. O zlecenia ważniejsze, prestiżowe konkurowało się z innymi.

Błyskawicznie zdobył pan nie tylko uznanie, ale i przyjaźń generała Gatesa. W roku 1778 został on dowódcą armii północnej – wziął pana ze sobą i powierzył zmodernizowanie twierdzy w Ticonderoga nad jeziorem Champlain.

Dla obrony przed nadciągającą z Kanady armią angielską. Niestety, generała Gatesa przeniesiono na południe, a jego następca zlekceważył mój pomysł – Anglicy zaatakowali właśnie tak, jak przewidywałem. Musieliśmy wycofać się, ścigani ponieśliśmy w odwrocie niemałe straty.

Muszę dodać za pana: straty byłyby znacznie większe, gdyby nie przemyślne, szybkie umocnienia, wznoszone przez pana dla osłony doraźnych obozowisk. Tu pytanie osobiste: przyznanej gaży oficerskiej nie inkasował pan, bo... nie wypłacano jej panu, a pan nie dopominał się. Z czego pan żył?

Na co dzień starczyć musiał wikt żołnierski. Na zakupy specjalne pożyczało się.

Niektórzy biografowie pańscy suponują, że zapożyczył się pan u filadelfijskiego bankiera Haima Salomona, Żyda z Litwy. Pożyczali u niego zresztą nawet przyszli prezydenci USA: James Madison i James Monroe. I podobno... generał Pułaski. Biografowie ci przypuszczają, że właśnie tam, u Salomona, mogło dojść do spotkania Kościuszki z Pułaskim...

Tak zwane *wishful thinking* biografów i pisarzy. Mówiąc krótko: on mnie nie szukał, bo o mnie nie wiedział. A ja za nim nie tęskniłem, bo... O, wiele było przyczyn. O jednej już pan wspomniał: swego czasu on stanął przeciw królowi, gdy ja byłem za królem. Różniliśmy się pochodzeniem i zamożnością. Duchowo on był rodem spod Grunwaldu, Beresteczka, Wiednia – ja ze Szkoły Rycerskiej i francuskich akademii. Mnie pasjonowało myślenie, projektowanie, sztuka, jego – pęd, tętent, bijatyka, krew. Mnie ciekawiły angielskie rewolucje w rolnictwie i przemyśle, francuskie herezje, amerykańska demokracja, jego – szlachecka tradycja, szlachecka pobożność i demokracja szlachecka. Ja wierzyłem w fortyfikacje, mosty, artylerię, bomby, on – w konie, lance, szarże, pojedynki.

Biografowie piszą: Pułaski kończył wiek siedemnasty, pan zaczynał wiek dziewiętnasty.

Coś w tym jest.

Generał Gates, gdy powrócił na stanowisko dowódcy armii północnej, postanowił wydać Anglikom otwartą bitwę w dolinie rzeki Hudson i panu powierzył wybranie miejsca do walki oraz zbudowanie fortyfikacji. Pan zdecydował się na pagórkowate tereny koło Saratogi. Stoczona tu 7 października 1778 roku bitwa, zakończona kapitulacją siedmiotysięcznej armii generała Burgoyne, była decydującym, przełomowym punktem całej wojny. Po tym zwycięstwie Francja oficjalnie uznała państwowość i niepodległość zbuntowanych stanów i udzieliła Amerykanom otwartej pomocy finansowej i wojskowej. Gdyby Amerykanie pod Saratogą przegrali? Nie wiadomo, czy i kiedy powstałoby państwo amerykańskie...

Powstałoby. Później, inne, ale powstałoby.

Po triumfie pod Saratogą generał Gates w liście do Kongresu napisał dobitnie: „Pozwólcie być mi szczerym... Największymi taktykami tej bitwy były wzgórza i lasy, które młody polski inżynier umiał wybrać mi na moją bazę". A wódz naczelny, generał Washington, napisał o panu do Kongresu, iż jest pan „człowiekiem nauki i wyższych zalet" i że należy „mieć go w pamięci". Jeśli sam Washington zainteresował się panem, nie mógł nie słyszeć o takim rodaku Pułaski.

Ja po Saratodze otrzymałem zadanie na północy, jego w tym czasie skierowano na południe. A zadanie otrzymałem od samego generała Washingtona, zadanie nadzwyczajne, wymarzone: zaprojektować i wybudować w West Point nad rzeką Hudson twierdzę broniącą regionu nowojorskiego – serca ówczesnej Ameryki – przed inwazją z północy. Miała to być największa podówczas twierdza w Ameryce.

Projektowanie i budowa zabrały panu dwa i pół roku życia.

W jej skład wchodziły: cytadela nad sześćdziesięciometrowym urwiskiem skalnym, cztery forty i siedem redut. Rzekę przegrodziłem potężnym łańcuchem – ogniwa po sześćdziesiąt centymetrów długie, grube jak przedramię... Można je obejrzeć w West Point jako eksponaty. Załogę twierdzy stanowić miało dwa i pół tysiąca żołnierzy. Wiosną 1778 zaczęliśmy roboty. Pracowało ze mną osiemdziesięciu dwóch robotników, trzech murarzy, jeden kamieniarz. Latem przybył na inspekcję generał Washington. Owszem, pochwalił...

Rok później stacjonował u pana w West Point wraz ze swoim sztabem, miał okazję poznać pana dokładniej. Proszę mi powiedzieć, dlaczego Washington – choć znał pana i cenił – odnosił się do pana z rezerwą, nie kwapił z awansami? Szlify generalskie należały się panu już po Saratodze... Czy na jego stosunku nie zaciążyła pańska przyjaźń z generałem Gatesem? Wiadomo było, że Gates krytykuje strategię Washingtona, a nawet aspiruje do stanowiska głównodowodzącego.

Może to. A może z powodu Agrippy Hulla...

Wiem, że tak nazywał się pański służący, otrzymany od rządu Murzyn, którego natychmiast obdarzył pan wolnością. Ale nie rozumiem...

Wieść o tym wyzwoleniu czarnego niewolnika natychmiast rozeszła się wśród oficerstwa... Wielu wzięło to za dziwactwo, niektórzy za efekciarski gest. Ale wielu odczuło to jako wyzwanie, nawet policzek. Przecież każdy oficer trzymał jakiegoś Murzyna... A Washington miał w swoich posiadłościach trzystu murzyńskich niewolników. I choć traktował ich lepiej niż inni – przecież bytowali jako półludzie, półzwierzęta robocze, nieporównanie gorzej niż w Polsce pańszczyźniani chłopi. Traktowanie Murzynów i Indian przez Amerykanów otwarcie nazywałem barbarzyństwem, ściąłem się w tej kwestii nie raz... zanim postanowiłem zachować moje „francuskie" poglądy dla siebie.

Biografowie wspominają także o pańskiej nieśmiałości: że podobnie jak o gażę, nie dobijał się też pan o awanse.

Nieśmiałość? Dlaczego nie duma?

Latem 1779 roku armia angielska podciągnęła pod West Point. Trzy miesiące przygotowywali się Anglicy do szturmu i... zrezygnowali. Odstąpili.

Zorientowali się, że nie dadzą rady.

Było to wielkie pana zwycięstwo – bez utraty jednego żołnierza. A co pan robił 9 października owego roku?

Nie pamiętam. Co znaczy ta data?

Pod Savannah raniono śmiertelnie Pułaskiego. Dwa dni później zmarł.

Ach, tak. Co robiłem? Pewnie jak zwykle: rano listy, śniadanie, przyjmowanie meldunków, rozkazy. Potem objazd robót. Obiad, gazety, czytanie i pisanie listów służbowych. Wieczorem książki, notatki, obliczenia, rysunki...

Jesienią 1779 roku zaczął pan starania o przeniesienie na południe.

Bo tam odkomenderowano generała Gatesa i większość moich towarzyszy. I udało się: po ukończeniu West Point mianowano mnie głównym inżynierem armii południowej pod dowództwem generała Greena. Dwa i pół roku organizowałem przeprawy przez rzeki, fortyfikowałem obozy i twierdze, także walczyłem w polu jako dowódca liniowy.

„American experience"?

Tak, wojskowe i życiowe. W kotle różnych narodowości, obyczajów, charakterów.

15 listopada 1782 roku, w jednej z ostatnich bitew wojny, dowodził pan pięćdziesięcioosobowym oddziałem. Aż cztery kule przedziurawiły wtedy pański mundur – ciała nie drasnąwszy. Co to było? Cud? Ma pan trzech świętych patronów: Andrzeja, Tadeusza Judę i Bonawenturę. Interweniowali?

Zapewne. Święty Andrzej – patron rybaków, a także Polski i Rusi. Bonawetura znaczy: dobry los. Pomyślność. Zaś apostoł i męczennik Tadeusz Juda zajmuje się ratowaniem z beznadziejnych opresji.

Hm... Ostatnią twierdzą Anglików było miasto Charleston w Południowej Karolinie. 14 grudnia przypadł panu zaszczyt wkroczenia ze swoim oddziałem na czele armii generała Greena do zdobytego miasta. Czy wiedział pan, że trzy lata przedtem tymi samymi ulicami szły tłumy niosące symboliczną trumnę generała Pułaskiego?

Tak, wiedziałem. Byłem dumny, że mówiono o nim *from Poland*.

Nietaktowne pytanie: czy Pułaski osiągnąłby swoją sławę u współczesnych mu i potomnych – gdyby nie ta jego efektowna śmierć pod Savannah?

Nie gdybajmy. Że zapisałby się wśród najlepszych dowódców liniowych, to pewne. Mimo awansu techniki, broni maszynowej, artylerii – konnica liczyła się jeszcze nawet sto lat później w wojnie domowej. A Pułaski kawalerzystą – jeźdźcem i dowódcą – był naprawdę wybitnym.

W wojnie o niepodległość Stanów uczestniczyło tylko stu pięćdziesięciu Polaków.

Tylko. Nie było w Polsce potrzeby masowej emigracji. Innowiercy mieli u nas lepiej niż gdziekolwiek. Chłopi byli przypisani do ziemi urodzenia. Szlachta miała swój „dziki wschód" do kolonizowania, czyli ziemie kresowe. W gruncie rzeczy do Ameryki wyruszali z Polski tylko przygodowcy.

Wojna ustała z końcem roku 1782. Pan przebywał w Ameryce jeszcze kilkanaście miesięcy. Po co?

Deptałem za należną mi zaległą gażą i za obiecanymi awansami i nagrodami – wciąż jeszcze byłem bez grosza, a nawet... zadłużony.

Trzeciego października Anglia i USA podpisały układ pokojowy. Dziesięć dni później otrzymał pan szlify generała-brygadiera. 25 listopada ostatni oddział angielski odpłynął z Nowego Jorku. 4 listopada w nowo-

jorskiej Tawernie Francuskiej odbyło się słynne, historyczne pożegnanie generała Washingtona z najbardziej zasłużonymi oficerami. Jedynym cudzoziemcem zaproszonym przez głównodowodzącego, był pan, generale... Tak, niemałe to wyróżnienie. Wódz naczelny – wręczając mi osobiście dwa pistolety ze stosownym grawerunkiem na pamiątkę – podkreślił mój udział w zwycięstwie pod Saratogą. Zarekomendował też do kombatanckiego Towarzystwa Cincinnati i orderu Cincinnati. **Tylko trzech cudzoziemców dostąpiło tego zaszczytu. Późno, bo późno, jednak dostrzeżono i uhonorowano pana zasługi. I nie kusiło pana pozostanie w Ameryce, na weterańskich synekurach?** Czemu nie, kusiło. Ale siedem następnych miesięcy przewojowałem z biurokracją – o moje pieniądze. Wyznam szczerze, że to zmęczyło mnie bardziej niż sześć lat wojny z Anglikami. Wyczerpany, zirytowany, poddałem się – bez pieniędzy, poprzestawszy na obietnicach, wyruszyłem w lipcu 1784 – przez Atlantyk, Francję, Niemcy – do Polski. **Nie było pana dziewięć lat. Co w tym czasie zmieniło się w kraju i w Siechnowiczach?** Kraj podupadł gospodarczo i politycznie. Przybyło wojska i urzędników rosyjskich, a polska armia zmalała do dwudziestu tysięcy i nie było w niej dla mnie miejsca. **Dla generała z głośnej na cały świat wojny amerykańskiej?** Niestety. A Siechnowiczami rządziła siostra Anna, po mężu Estkowa – nawet udatnie – wyciągnęła je z długów. Cóż mi pozostało? Zainstalowałem się w tym mająteczku, gospodarowałem najpierw z nią, potem sam. Pięć lat. **Zastanawiające. Kawaler Orderu Cincinnati powtórzył los patrona Orderu – wodza Cincinnatusa... Świadomie? Podświadomie? Czy przez przypadek?** To była konieczność. To generał Washington – inicjator i Orderu, i Towarzystwa Cincinnatusa – świadomie, z wyboru, pożegnał się z wojskiem i powrócił na swoje plantacje. **Tu generale, dla czytelników, którzy tego nie wiedzą, wtrąćmy, że Lucius Quintus Cincinnatus był dowódcą rzymskim w V wieku przed Chrystusem. Obroniwszy kraj przed najeźdźcami, powrócił – choć Rzymianie prosili go, by został dyktatorem – na swoje wiejskie gospodarstwo. Odtąd wzór obywatela: w czas pokoju rolnik, a żołnierz w potrzebie.** Washington, redaktorze, miał opinię świetnego gospodarza, przy tym pasjonował się hodowlą, zwłaszcza krzyżowaniem zwierząt. Cieszył się tym zaledwie dwa lata, bo wyrwano go stamtąd znowu do polityki.

Pan też w Siechnowiczach nie tylko siał i młócił. Bywał pan w Grodnie, Wilnie, Warszawie, Puławach.

Tak, odwiedzałem i byłem odwiedzany – i bez końca wypytywany. O Indian, Murzynów, przyrodę, rolnictwo, miasta. Jedni wierzyli, drudzy nie. Oświecenie oświeceniem, ale spośród dziesięciu szlachciców słyszących, że ziemia jest okrągła – pięciu śmiało się, trzech wzruszało ramionami, a jeden chwytał za szablę... Ludzie światli, reformatorzy z Warszawy i Puław, dopytywali się o amerykańskie prawo, Kongres, demokrację.

Od stycznia 1786 roku delegaci stanów założycielskich pracowali nad projektem konstytucji nowego państwa. 17 września 1787 konstytucja została uchwalona, w następnych miesiącach przyjęta przez dziewięć stanów. W tym czasie w Polsce organizowano się do reform, zresztą pod egidą króla. 6 października 1788 rozpoczął obrady sejm, nazwany potem Wielkim i Czteroletnim. Jedną z pierwszych decyzji sejmu było ustanowienie stutysięcznej armii, a tym samym etatu dla... pana, generale.

O, nie od razu. Dopiero rok później, 12 października, król mianował mnie generałem-majorem wojsk koronnych. I tak wróciłem do „wyuczonego zawodu"; najpierw w garnizonie we Włocławku, potem w Lublinie i na Podolu, prowadziłem szkolenie oficerów i oddziałów.

Co z francuskiego wykształcenia i „american experience" nadawało się dla Polaków?

Dużo. Nowe operowanie artylerią, przygotowanie przedpola, fortyfikacje doraźne. I nadrzędna zasada skuteczności – zalecająca m.in. bluff, podstęp, wywiad, zdradę... Skuteczność ważniejsza niż efektowność i „honor".

Sejm tymczasem sypie ustawami, które mają ograniczyć samowolę „królewiąt", włączyć do współrządzenia mieszczaństwo, chronić chłopów i innowierców. Stronnictwo patriotyczne – z królem, Ignacym Potockim i Hugonem Kołłątajem na czele – formułuje ustawę zasadniczą i drogą właśnie gry i podstępu osiąga 3 maja 1791 jej uchwalenie. Czy w tych osiągnięciach dopatruje się pan, generale, swego udziału – jako przekaziciela idei francuskich i amerykańskich?

Niech to już inni ocenią.

Konstytucja 3 Maja wprowadzała zasadnicze zmiany ustrojowe, np. czyniła Polskę monarchią konstytucyjną. Ale jej wielkość polegała przede wszystkim na ustanowieniu gruntu pod następne, głębsze, praktyczne reformy. Do kontrofensywy ruszył wróg wewnętrzny w przymierzu z wrogiem zewnętrznym. Część magnaterii stanęła bardzo patriotycznie za królem i reformami. Niektórzy sprzymierzyli się z carycą Katarzyną.

Test: którzy?

Których interesy najbardziej od Katarzyny zależały?

Brawo, chłopcze. Szczęsny Potocki, Seweryn Rzewuski, Ksawery Branicki mieli ogromne majątki na Ukrainie, hetman Kossakowski na Litwie, jego brat Józef był biskupem inflanckim. Czym ich „przekonała" caryca? Jeśli Polskę zaatakuję, zabiorę wam i ziemie, i stanowiska. Jeśli zrobicie zamach stanu i przejmiecie władzę – w marionetkowym państwie dołożę wam stanowisk i ziemi. Proste? Ogłosili oni swoją konfederację w Targowicy 14 maja 1792 roku, ale ważniejszą datą jest 27 kwietnia, kiedy to przyszli targowiczanie zaklepali spisek w salonach carycy w Petersburgu. Ogłosili się, kiedy już wszystko było gotowe – sto tysięcy Rosjan tego samego dnia wkroczyło do Polski od północy i południa. Pod moimi rozkazami była jedna z trzech dywizji południowej armii, dowodzonej przez generała księcia Józefa Poniatowskiego, miał on dwadzieścia tysięcy żołnierzy przeciwko sześćdziesięciu czterem tysiącom. W Sejmie zamieszanie, wielu posłów załamało się, wielu wyjechało – 29 maja Sejm Wielki przerywa i kończy obrady. 18 czerwca książę Józef dowodzi bitwą i wygrywa pod Zieleńcami – przybywa optymizmu w wojsku i w narodzie, król ustanawia order Virtuti Militari. Wprawdzie cofamy się, ale bez większych strat.

Proszę powiedzieć nam o bitwie pod Dubienką.

W pierwszej połowie lipca wycofałem się z pięcioma tysiącami na zachodni brzeg Bugu i usiłowałem utrudnić – opóźnić przeprawę dwudziestopięciotysięcznej armii rosyjskiej. Dzięki fortyfikacji udało mi się oprzeć przewadze i związać walką gros sił przeciwnika. W tym czasie inne polskie oddziały mogły bezpiecznie wycofać się dalej i przegrupować. 18 lipca doszło do wielogodzinnej bitwy – kolejne oddziały rosyjskie łamały zęby na naszych ostrokołach, wilczych dołach i szańcach – my wycofaliśmy się o zmierzchu z nieznacznymi stratami, oni zostawili trzy tysiące zabitych i rannych.

Bitwę tę uznano w narodzie za sukces i zachętę, król odznaczył pana Orderem Virtuti Militari i awansował na generała-lejtnanta. A parę dni później...przystąpił do Targowicy! Dlaczego?

Dowiedział się, że Prusy, które w tym czasie nam sprzyjały – wznowiły konszachty z Rosją. Stanął przed strasznym wyborem: albo ocalenie z targowiczanami choćby pozornej państwowości w zamian za kapitulację, albo miażdżąca klęska i koniec państwa. Wiadomość o zdradzie królewskiej była dla nas szokiem.

I wtedy wśród wojskowych powstaje plan porwania króla – i zmuszenia go, by wyparł się Targowicy i wezwał do ogólnonarodowego powstania. Pan to wymyślił?

Byłem za, wymyślili inni.

Dlaczego zrezygnowaliście?

Sprzeciwił się książę Poniatowski.

Lojalność wobec stryja? Czy wobec króla?

Książę generał był za walką. Bał się jednak hańby zamachowca. Oczywiście, to, że był bratankiem króla i w pewnym stopniu jemu zawdzięczał stanowisko – dodatkowo komplikowało mu decyzję.

W razie wygranej mógłby zostać następnym królem...

Nie. Konstytucja 3 Maja zawarowała następstwo dla linii saskiej. Tymczasem nieszczęsny król – nasz wódz naczelny z urzędu – wydaje rozkaz zaprzestania walki. Co nam zostało? 30 lipca poprosiłem wraz z wieloma oficerami o dymisję. Uchodząc przed Rosjanami i przejmującymi władzę targowiczanami, udaliśmy się do Saksonii, większość do Lipska i Drezna.

23 stycznia 1793 Rosja i Prusy dokonały drugiego, strasznego rozbioru Polski. Wbrew zobowiązaniom carycy...

Tak, oszukała i króla, i targowiczan. Owszem, państwo pozostało na mapie – ale bezlitośnie okrojone. Obszarowo i ludnościowo biorąc – trzy i pół raza mniejsze niż przed pierwszym rozbiorem.

Zaraz potem udał się pan do Paryża...

Patrioci w Saksonii skupieni wokół Kołłątaja i Potockiego – Ignacego – wysłali mnie, by szukać pomocy. Mnie wybrali, bo pół roku przedtem Zgromadzenie Narodowe nadało mi honorowy tytuł „Obywatela Francji". Do tego znałem francuski i Paryż z uprzednich pobytów.

Co pan uzyskał?

Wsparcie, ale tylko moralne. Młoda republika sama ledwo zipała.

Jak doszło do wyboru pana na dowódcę przyszłego powstania?

W kraju patrioci spiskowali, kontaktując się z nami, emigrantami, w Saksonii. We wrześniu przybyli do mnie emisariusze zawiadomić, że mam kierować stroną wojskową przygotowań i walki. O tym wyborze zadecydowały moje umiejętności wykazane pod Dubienką.

I na pewno sława amerykańska, generale. Czy zdawał pan sobie sprawę z tego, że przeznaczono panu rolę polskiego Washingtona? I że spodziewano się analogicznego sukcesu?

Oczywiście. Zobowiązanie ciężkie, ale zaszczytne. Nie mogłem odmówić. Zresztą wierzyłem w zwycięstwo. Zaraz potem udałem się do Krakowa i zaboru austriackiego, aby się zorientować co do stanu przygotowań.

Wiemy, że imieniny 28 października spędził pan u komendanta Szkoły Rycerskiej, księcia Czartoryskiego, w Sieniawie koło Rzeszowa. Tam to księżniczka Maria narysowała pański profil, a jej matka, słynna Izabela, podpisała słowami: „Tadeusz Kościuszko. Dobry i waleczny, ale nieszczęśliwy". Dlaczego – nieszczęśliwy? Wiemy, że próbowano pana i księżniczkę skojarzyć, ale do mariażu nie doszło. Dlaczego?

Księżniczka miała lat dwadzieścia pięć. Ja – czterdzieści siedem. Byłem człowiekiem dojrzałym i zdecydowanym na służbę ojczyźnie, a nie na szczęście prywatne.

Pan oczywiście wie, że dwadzieścia lat później księżniczka napisała najlepszą polską powieść sentymentalną „Malwina, czyli domyślność serca"?

Wiem. My przecież tam widzimy i wiemy wszystko, co chcemy. Zresztą powieść tę pani Maria napisała jeszcze za mego życia.

Co pan zakomunikował przywództwu emigracyjnemu?

Że powstanie należy odłożyć co najmniej na pół roku. Aby nie powtórzyć błędu konfederatów barskich. Rozpoczęli oni powstanie nieprzygotowani ni zbrojnie, ni politycznie. Bez sojuszy wewnętrznych i zewnętrznych. Do zwycięstwa trzeba nam było stutysięcznej armii.

Mimo to już w marcu udał się pan do Krakowa proklamować powstanie. Dlaczego?

Władze carskie rozpoczęły w końcu lutego aresztowania spiskowców i zarządziły redukcję polskich garnizonów o połowę, a przy tym przymusowy werbunek „zredukowanych" żołnierzy do armii pruskiej i rosyjskiej. Kierownictwo emigracyjne w Lipsku i Dreźnie nie miało wyboru. Zadecydowano w połowie marca: już! Natychmiast ruszyłem do Krakowa. W przeddzień mego przybycia wymaszerował z miasta oddział rosyjski, taki zbieg okoliczności, fortunny. I 24 marca złożyłem na Rynku przed nie rozwiązanym jeszcze polskim garnizonem przysięgę jako Najwyższy Naczelnik Siły Zbrojnej Narodowej.

Pamięta pan słowa?

Tak. „Ja, Tadeusz Kościuszko, przysięgam w obliczu Boga całemu Narodowi Polskiemu, iż powierzonej mi władzy, na niczyj prywatny ucisk nie użyję, lecz jedynie jej dla obrony całości granic, odzyskania samowładności narodu, i ugruntowania powszechnej wolności używać będę. Tak mi, Panie Boże, dopomóż i niewinna męko Syna Jego". W tym czasie nasi wysłannicy agitują do powstania chłopów z podkrakowskich wsi. 1 kwietnia wyruszyliśmy z Krakowa ku Warszawie w sile pięciu tysięcy regularnego wojska i dwóch tysięcy chłopów, zbrojnych w kosy i piki.

4 kwietnia zagrodzili wam drogę Rosjanie...

Tak, pod Racławicami. Najpierw zmierzyły się wojska regularne. Tymczasem oddział trzystu dwudziestu kosynierów przesmyknął się do wąwozu nie opodal stanowiska artylerii rosyjskiej. Czyhali... W odpowiednim momencie poprowadziłem ich do ataku: zdobyli dwanaście dział, zginęło trzynastu. To samo powtórzyliśmy na drugim skrzydle, też zwycięsko. Rosjanie, przerażeni chłopską zajadłością i kosami, uciekli w rozsypce.

Prawda to czy legenda, że zaraz potem na racławickim pobojowisku nałożył pan chłopską sukmanę i czapkę-krakuskę?

Hm... nie pamiętam. Może zaraz, a może trzy dni później podczas parady zwycięstwa ze zdobycznymi armatami – na Rynku krakowskim.

Chociaż zwycięstwo racławickie, militarnie biorąc, nie było ni Grunwaldem, ni Wiedniem – podziwu godny jest jego skutek propagandowy. Oto lud wiejski i miejski uznał pana za swego naczelnika. Dwa tygodnie po Racławicach – wybuchło powstanie w Warszawie, tydzień potem w Wilnie. Do obozowisk pańskich w Bosutowie i Igołomii przybywają codziennie setki chłopów. Wojciech Bartosz, którego za odwagę awansował pan na chorążego oraz „uszlachcił", natychmiast zyskuje sławę ludowego bohatera – stanie się postacią historyczną... Do tego rozliczne odezwy – do obywateli, do wojska, do kobiet, do chłopów, broszura o sporządzaniu i stosowaniu kos i pik, hasło powstania „Wolność, Całość, Niepodległość", hasła takie, jak „Żywią i Bronią" na kosynierskim sztandarze czy „Śmierć lub Zwycięstwo", „Zginąć lub

Zwyciężyć" na innych sztandarach, złote obrączki z grawerunkiem „Oyczyzna obrońcy swemu" z inicjałami „T.K.", a przede wszystkim uniwersały, zwłaszcza Uniwersał spod Połańca, nadający chłopom wolność osobistą, zmniejszający pańszczyznę o połowę, a za udział w powstaniu całkowicie, wydawanie gazety powstańczej – oto przykład agitowania i współdziałania z całym narodem, metody zupełnie nieznane dotychczas na gruncie polskim. Wystarczy porównać je choćby z ograniczonością działań konfederatów barskich. Skąd tyle pomysłowości, Naczelniku? Z wojny amerykańskiej?

Owszem, przywódcy amerykańscy potrafili zaangażować do powstania lud amerykański. Ale proszę pamiętać, że byłem też trzykrotnie we Francji, między innymi w roku 1793, już po zgilotynowaniu króla, czyli w szczytowym okresie walk propagandowych, agitacyjnych, między jakobinami i żyrondystami. Boże, co się wtedy wyprawiało! W parlamencie, w gazetach, na ulicy, w domach... Walczono o serca i umysły.

I oto prawie cały naród uznał pana za swego przywódcę. Współczesny pisarz, Józef Maksymilian Ossoliński odnotował o panu: „Zapał dla jego osoby w obozie i narodzie jest nie do uwierzenia". Nazywano pana „dyktatorem z woli ludu". Niepowodzenie pod Szczekocinami w ogóle nie przyćmiło pana gwiazdy.

Tej bitwy nie mogliśmy wygrać: moim piętnastu tysiącom przeważnie amatorskiego wojska zagrodziła drogę trzydziestotysięczna regularna armia rosyjska. To, że daliśmy radę wycofać się bez pogromu i rozsypki, tracąc tylko dwa tysiące zabitych i rannych, znawcy uznali za sukces. Weszliśmy do Warszawy w połowie czerwca. Miałem tylko miesiąc na ufortyfikowanie miasta, bo już 14 lipca przystąpiło do oblężenia czterdzieści tysięcy Prusaków i Rosjan z dwustu pięćdziesięcioma działami. Ja miałem dwadzieścia pięć tysięcy, sto czterdzieści działań i pomoc cywilną, głównie przy robotach fortyfikacyjnych.

Forsował pan reformy na rzecz mieszczan, biedoty miejskiej i chłopów – aby przyciągnąć ich do powstania. Dlaczego więc zdjął pan radykalnego Jakuba Jasińskiego z przywództwa powstania w Wilnie?

Na oną Polskę w onych czasach był za radykalny. Tak zwani jakobini polscy odstraszali mi od powstania ludzi majętnych. A pieniądze były nam bardzo potrzebne.

I w Warszawie, i w Wilnie zawiśli na szubienicach targowiczanie. Po co?

Nie z mego rozkazu. Lud ich osądził, lud powiesił. Zresztą parę osób zaledwie. W Paryżu szły pod gilotynę tysiące.

Powstanie rozprzestrzeniło się. Lubelszczyzna, **Wołyń, Litwa, Wielkopolska, Pomorze. Czego zabrakło panu do zwycięstwa, Naczelniku?**

Regularnego wojska i dobrego uzbrojenia, zwłaszcza artylerii. We wrześniu wkroczył od wschodu z nową, świetnie wyszkoloną i wypoczętą armią generał Suworow; szedł dołączyć do armii generała Fersena, aby z Prusakami, siłą kilkudziesięciu tysięcy, zmiażdżyć Warszawę. Postanowiłem zaatakować najpierw Fersena, a potem jeśli się uda, Suworowa. W walce z połączonymi armiami nie miałbym szans. I tak zaatakowałem pod Maciejowicami czternastotysięczną armię Fersena moimi siedmioma tysiącami, licząc na cztery tysiące generała Ponińskiego, nadciągającego z Litwy. Niestety, nie zdążył. Nam po sześciu godzinach boju zaczęło brakować amunicji, jeden z kontrataków rosyjskich rozerwał mi szyki... Wycofując się, popadliśmy w rozsypkę...

Jak to było z wzięciem pana do niewoli?

Pokonując rozmokły rów, mój koń poślizgnął się i padł, przygniatając mnie. Wtedy przyskoczyli kozacy, raniąc mnie dwukrotnie. A po ciosie w głowę pałaszem straciłem przytomność. Później rozpoznano we mnie dowódcę i zaniesiono do kwatery Fersena.

Ale zanim dopadli kozacy z pikami, zdążył pan przystawić pistolet do swojej głowy...

Nie wypalił.

Jest legenda, że wykrzyknął pan wtedy: „Finis Poloniae!"

Nie. Wymyślili to i rozgłosili w swoich gazetach Prusacy, aby załamać obrońców Warszawy. Czyż zbliżający się do mnie prości, niepiśmienni kozacy mogliby zrozumieć i zapamiętać te łacińskie słowa? Bzdura.

Pod Maciejowicami zginęło trzy tysiące, a dwa tysiące poszło do niewoli. Zdobywanie Warszawy Suworow zaczął od straszliwej rzezi Pragi: wymordowano dziesięć tysięcy! Warszawa skapitulowała 6 listopada. W tym czasie wieziono pana przez Kijów do Petersburga. 10 grudnia znalazł się pan w Twierdzy Pietropawłowskiej. Z niezagojoną dziurą w głowie, z bezwładem nóg. Przy panu – adiutant powstańczy, polityk i pisarz, Julian Ursyn Niemcewicz. Z jego – i nie tylko jego – relacji wiemy, że popadł pan w krańcową depresję i apatię. Czy w tym załamaniu, w tej rozpaczy było poczucie winy?

146

Męczyła wątpliwość, że może trzeba było zasadzić się ze wszystkimi siłami w Warszawie, trwać jak najdłużej, licząc na zryw całego narodu i odsiecz z prowincji.

Maciejowicka przegrana raczej załamała powstanie z powodu utraty charyzmatycznego wodza niż jako klęska militarna. Czy musiał pan dołączyć do bijatyki?

Śmieszny zarzut. Wojna przecież... Czy mogłem przewidzieć poślizgnięcie się konia?

Z zapisków wiemy, że przestał pan jeść. Przypuszczano, że chce pan zagłodzić się na śmierć. Zaniepokojona caryca kazała przenieść pana z celi więziennej do Pałacu Marmurowego. Czym zaniepokojona?

Jej potrzebny był żywy Kościuszko. W grze z Prusami. Jeśli nie ustąpicie w tym a tym, wypuszczę na was Kościuszkę z Polakami.

W roku 1795 trzy mocarstwa rozgrabiły resztkę Polski. 25 listopada abdykował w Petersburgu – całkowicie zdruzgotany psychicznie i fizycznie – król Stanisław August. Rzeczywiście: Finis Poloniae, jak przepowiadali Prusacy. Czy pan, więzień przecież, wiedział o tych wszystkich nieszczęściach na bieżąco?

Im gorsza wiadomość, tym prędzej była mi podsuwana.

Co przyniosła panu wieść o śmierci carycy?

Nadzieję na odmianę losów, nie tylko osobistych. Następca, car Paweł, postanowił zabłysnąć w świecie tolerancją i łaskawością. Odwiedził mnie osobiście w mojej izbie i zaproponował mi wolność – w zamian za przyrzeczenie lojalności.

Co to znaczyło?

Wyrzeczenie się na zawsze powrotu do kraju.

Na zawsze czy tylko do śmierci tego, któremu pan przyrzekał?

Byłem schorowany, ledwo żywy. On był zdrowy i 8 lat młodszy. Kto przypuszczał, że go przeżyję? Kiedy przysięgałem, miałem na myśli: na zawsze.

Car Paweł zginął pięć lat później. Mógłby pan wrócić! Nikt nie wiedział, co miał pan na myśli...

Ktoś wiedział.

Kto?

Ja wiedziałem. I...

I?

I Pan Bóg.

147

Ach, tak. A wracając do uwolnienia... Pan, Naczelniku, wie, że tym zobowiązaniem wobec cara i wyjazdem do Ameryki zawiódł pan wielu rodaków. Mieli pana prawie za świętego. Byli tacy, co mówili: lepiej by było, gdyby dokonał żywota w celi, jako święty męczennik wolności, niż żeby psuł swój piękny obraz niedołężnym dożywaniem.

To też wiem, chłopcze. Wyjeżdżając, zyskiwałem możliwość – zdalnego wprawdzie, ale przecież – działania. Czy mogłem przewidzieć przyszłość Rosji, Europy? Polski? A głos wewnętrzny mi mówił: Jeszcze się przydasz Andrzeju-Tadeuszu-Bonawenturo...

Podróż do Ameryki trwała aż osiem miesięcy: wyruszył pan z Petersburga w grudniu, do Filadelfii dotarł w sierpniu. To długo. Z powodu choroby?

Płynąłem z Niemcewiczem i z adiutantem – młodym, silnym oficerem, który mnie... tak, nosił. Po drodze witały nas w Finlandii, Szwecji, Anglii tłumy, odwiedzali politycy, artyści, dziennikarze. W Filadelfii wyprzężono konie z powozu i tłum pół ciągnął, pół niósł karetę aż do mojej kwatery. Kogo czczono? Kościuszkę? Nie! Wysłannika ujarzmionego narodu witali. Apostoła ukrzyżowanego kraju. Choćby dla tego jednego warto było wydostać się z Petersburga.

Tłumy witały. A prominenci? Nie było pana w Ameryce trzynaście i pół roku. Wielu pana przyjaciół z wojny o niepodległość piastowało już wysokie stanowiska państwowe. A spośród nich tylko wiceprezydent Thomas Jefferson – późniejszy prezydent – wznowił znajomość i przyjaźń. Co się stało?

Dawni rewolucjoniści i idealiści urządzali się w nowym państwie. Pasjonowały ich kariera i biznes. Jefferson, tak, on pozostał wielki.

Co z zaległymi gażami?

Przyznano, nareszcie.

Wypłacono?

Nie. Obiecano. Ponadto Kongres obdarował mnie za owych osiem lat wojny ziemią w stanie Ohio. To było dwieście hektarów.

Ale wszystko to przeznaczy pan potem na wykupienie Murzynów z niewoli i kształcenie. Panie generale, proszę się przyznać: pan uparł się zawstydzać Amerykanów Murzynami.

Bo moim zdaniem Amerykanie, uwalniając się od Anglików, wywalczyli częściową niepodległość. Wolność – ale tylko zewnętrzną. Rozpoczynając powstanie polskie, oznajmiłem w Krakowie: „Za samą szlachtę bić się nie będę, chcę wolności całego narodu". Czy ja w Ameryce ryzykowałem życie i biłem się tylko za białych? A co z wolnością Indian i Murzynów? Czy mogą być naprawdę wolni ludzie, którzy niewolą innych?

Wie pan, kto napisał zdanie: „Żaden naród nie może być wolny, póki niewoli inne narody"?

Kto?

Engels. Pół wieku po pana śmierci.

Ten od Marksa?

Ten.

Hm. Nie wiedziałem, że byłem marksistą. A serio mówiąc, nie ja wymyśliłem abolicjonizm w USA. Wprost przeciwnie – ruch na rzecz uwolnienia i równouprawnienia Murzynów pomógł mi zrozumieć, że tym prędzej trzeba znieść niewolnictwo białych niewolników – w Polsce. Dzięki abolicjonistom zrozumiałem, że chłopi pańszczyźniani są naszymi białymi Murzynami.

Po roku znowu pożegna pan Amerykę. Dlaczego? Odpodobała się panu?

Nie, miałem dobrze. Prawie nie opuszczałem mego mieszkania przy Pine Street – bo wciąż nie dałem rady chodzić – rysowałem, czytałem, pisałem listy, odwiedzali mnie sąsiedzi. Ale przybył z Paryża wysłannik – proponując mi działanie u boku Francji, w sprawie polskiej. W najgłębszej tajemnicy – nawet Niemcewicza uprzedziwszy dopiero na godzinę przed wyjazdem – pod nazwiskiem Tomasz Kanberg wyruszyłem do Europy.

Panie Naczelniku, doszliśmy do frapującego momentu. Od Maciejowic – to jest od przygniecenia przez konia, zranienia pikami i pałaszem – nie mógł pan chodzić. I tym razem, jak zawsze w podobnej potrzebie, na statek wniósł pana ów wspomniany oficer – ordynans. I oto stanąwszy na pokładzie, nagle... wyzdrowiał pan! Niedowład nóg minął już na zawsze! Co to było? Cud?

Cud.

Naprawdę c u d?

Tak. C u d.

Niektórzy biografowie zakładają, że mógł pan tę chorobę – od chwili odzyskania przytomności w kwaterze generała Fersena ... symulować.

Po co?!

Jedni zakładają, że może z ostrożności... Inni przypuszczają, że dla uśpienia czujności strażników – by w sprzyjającym momencie wymknąć się niespodziewanie z niewoli. Jeszcze inni uważają, że kreował się pan na męczennika. Na męczennika i... świętego.

Nie rozumiem.

Wyczuwano u pana powołanie... potrzebę... dążenie do świętości. Ten cud mógł się zdarzyć, bo był potrzebny panu do beatyfikacji.

Tylko wariaci mogą przypisywać mi coś takiego. Albo – szydercy.

I co w Paryżu?

Rozszyfrowałem grę prędko. Potrzebny byłem francuskim politykom do wymuszania ustępstw na Prusach. Jeśli nie ustąpicie w tym a tym, Francja pomoże Kościuszce zrobić powstanie w zaborze pruskim.

W tym czasie tworzyły się legiony. Proszono pana, generale, o objęcie przywództwa. W hymnie napisanym przez Wybickiego ostatni wers brzmi jak błaganie: „Kościuszkę Bóg pozwoli". A pan odmówił.

Przewidywałem użycie polskich żołnierzy do brudnej roboty w cudzych interesach. Przyglądałem się politykom i uczestniczyłem w polityce od dwudziestu lat i wiedziałem już: nie można budować przyszłości – ni indywidualnej, ni zbiorowej – licząc na cudzą łaskę czy dobroć. Mówi się: pańska łaska na pstrym koniu jeździ. Niestety, to prawda.

W roku 1800 spod pióra pańskiego sekretarza Jakuba Pawlikowskiego wyszła broszura „Czy Polacy wybić się mogą na niepodległość?", zawierająca pańskie myśli, między innymi tę: „Naród żądający niepodległości potrzeba koniecznie, aby ufał w swoje siły. Jeśli nie ma tego czucia, jeżeli do utrzymania bytu swego nie idzie przez własne usiłowanie, ale przez obce wsparcie lub łaskę, można śmiało przepowiedzieć, iż nie dojdzie ani szczęścia, ani cnoty, ani sławy". Organizatorzy legionów we Włoszech, z generałem Dąbrowskim na czele, zawierzyli Napoleonowi. Pan – nie. Nawet kiedy tworzył Księstwo Warszawskie, pan nie chciał się do niego przyłączyć. Dlaczego?

Sposób, w jaki układał się Napoleon z Prusami i Rosją w sprawach polskich, wskazywał, że bardziej zależy mu na kolonii – bazie wojskowej we wschodniej Europie – niż na samodzielnym państwie polskim.

Ale po klęsce Napoleona spotkał się pan w Paryżu z carem Aleksandrem. Na co pan liczył?

Na wrażenie, że to władca nowoczesny, oświecony, świadom odrębności polskiego narodu i racji istnienia odrębnego państwa. Liczyłem na koncepcję dwóch równorzędnych państw słowiańskich pod jednym berłem.

Ale w dwa lata później, na Kongresie Wiedeńskim, skończyło się na niby-królestwie z carskim namiestnikiem.

Tak, pojechałem do Wiednia, przypomniałem carowi obietnice, namawiałem, przekonywałem, nawet prosiłem. I niestety... Jeszcze jedno potwierdzenie cynizmu polityki i polityków. Jeszcze jedno rozczarowanie. Tym razem ostatnie...

Lata 1816-17 spędził pan w Szwajcarii, w miasteczku Solothurn, w domu państwa Zeltnerów, w mieszkaniu na pierwszym piętrze. Czasami odwiedzali tam pana przejazdem Polacy. Ale 15 października, kiedy pan umierał, nie było przy łożu żadnego rodaka.

Za to po śmierci przypomniano sobie o mnie. Takiego wysypu hołdów i pomników nie przewidziałem. Kto wie, może naprawdę bardziej był potrzebny rodakom Kościuszko... nieżywy? Kościuszko-symbol, Kościuszko-bohater, Kościuszko-święty... Żywy przeszkadzał, bo krytyczny był, krnąbrny, niezależny. Nieżywy lepiej nadawał się do haseł i propagandy.

Szlachetnej propagandy, Naczelniku.

Nie przeczę, używaliście mnie jako amunicji patriotycznej.

Nie tylko Polacy, Naczelniku. Zaraz po pańskiej śmierci ukazało się w Anglii i w Ameryce kolejne wydanie powieści „Thaddeus from Poland" – sławiącej pana i Polaków. Na początku roku 1818 senator William Harrison wygłosił w Kongresie USA przemówienie. W nim między innymi zdanie: „Dopóki na ołtarzu wolności jej obrońcy składać będą swe życie w ofierze, imię Kościuszki trwać będzie wśród nas". Harrison zostanie prezydentem USA w 1841. A były prezydent Thomas Jefferson sformułuje na podstawie pańskiego upoważnienia słynny testament Kościuszki, polecający wykupienie za pańskie pieniądze odpowiedniej liczby Murzynów i kształcenie ich. Że ni Jeffersonowi, ni jego następcom nie udało się pańskiej woli zrealizować, to już inna sprawa.

Abraham Lincoln zrealizował, redaktorze. Aktem abolicyjnym...

Racja. A wracając do Polaków: zawiązali prędko komitet patriotyczny i już po pół roku pańskie ciało znalazło się w Krakowie. Takiego bicia dzwonów, takiej uroczystości patriotycznej mury tego starego grodu nie pamiętały. Spoczął pan na Wawelu, między królami, Naczelniku. Dwa lata później rozpoczęto sypanie na podkrakowskim wzgórzu kopca Kościuszki, ziemią uroczyście przywiezioną spod Racławic. Nie jest to piramida Cheopsa, ale...

Dziękuję, wystarczy. Trzydzieści cztery metry wysokości – tyle co dziesięciopiętrowy wieżowiec, a że na wzgórzu – widać go z daleka.

W roku 1834 największy nasz poeta napisał epopeję, której dał tytuł „Pan Tadeusz".

Może przypadek...

Nie, nie przypadek, Naczelniku: „bo tak nazywano / Młodzieńca, który nosił Kościuszkowskie miano / Na pamiątkę" – to dokładny cytat. A nazwy placów, ulic, statków, samolotów! A brygad, dywizji, pułków, towarzystw, fundacji, szkół, uniwersytetów! A Góra Kościuszki, najwyższy szczyt w Australii. A Kosciusko Island na Oceanie Spokojnym. A setki miasteczek w Ameryce nazwanych pańskim nazwiskiem. Jest i dziesięciotysięczne miasto Kosciusko w stanie Mississippi. Kosciusko County, czyli hrabstwo, w stanie Indiana, i Park Kościuszki w Australii. Pana pomniki stoją w wielu miastach Ameryki – w tym także niedaleko Białego Domu w Waszyngtonie. A najtrwalszy wybudował pan sam w postaci twierdzy w West Point nad Hudsonem, w której od roku 1802 mieści się amerykańska Akademia Wojskowa. Jej wychowankami byli między innymi prezydenci Grant i Eisenhower. A do tego niezliczone biografie, powieści, pieśni... Oto „życie po życiu". Jeśli prawdą jest, że dopóty żyjemy, dopóki ktoś o nas pamięta, pan ma zapewnione życie wieczne, Naczelniku. Szczęśliwy pan się czuje w roli świętego narodowego?

Różnie. Często dumny. Czasem zażenowany.

Gdy się kompromitujemy?

Nie jesteśmy narodem gorszym niż inne.

Podobno lepszym jesteśmy, wybranym?

Też nie. Raz lepszym, raz gorszym. Jak to w życiu. Jak każdy naród, każdy człowiek. A jesteśmy wszyscy i wielcy, i mali, i bohaterscy, i śmieszni. Tak, tak, moje dziecko.

Dziecko? Naczelniku, ja niedługo kończę pięćdziesiątkę.

Pięćdziesiątka? Cóż to jest! Ja 4 lutego skończyłem dwieście pięćdziesiąt cztery.

NYC 1990

Bumtarara

Odniosłem sukces. Jestem miliarderem. Na stanowisku. Liczą się ze mną.

Z pomocą gubernatora Cuomo udało mi się jakoś pogodzić tego przeambiconego Trumpa z mayorem Kochem. Ale... Choć sam Iacocca mi pogratulował, wychodziłem z City Hall zniechęcony. Znużony życiem, Ameryką, Nowym Jorkiem.

Po co mi to wszystko.

Nie wiem czemu, wracałem do domu przez Williamsburg Bridge, i nie wiem czemu – chyba instynktownie – skierowałem się ku Greenpointowi. Jechałem Bedford Avenue, uśmiechając się. Do wspomnień się uśmiechając. Kiedy mijałem McCarren Park, mój lincoln, ta wołga tutejszych dygnitarzy, sam zwolnił – żebym mógł rzucić okiem poza pręty ogrodzenia...

Przed laty, w pierwszych miesiącach mojego w NYC bytowania, nieraz przychodziłem tutaj ukoić nerwy, dotlenić układy.

Coś kusiło, żeby wysiąść i usiąść. Na trawie. Że ładnie będzie kontrastowało: zieleń trawy i mój różowobeżowy garnitur, fioletowy kapelusz i przeciwsłoneczne: a) okulary, b) parasolka.

Stało się. Zaparkowałem. Wysiadłem.

I kup „Nowy Dziennik" podszepnął duszek wspomnień. Jak przed laty kupowałeś, wertować ogłoszenia w poszukiwaniu pracy.

Nie pracy, poprawiłem duszka, lecz płacy.

Płacy bez pracy.

Kiedy kupowałem gazetę – róg Nassau i Manhattan – zadudniło pod stopami.

I w piersi zadudniło. Serce. Jak to? Subway? GG? Jeszcze kursuje? Szedłem do parku wzruszony. Doszedłem. Wszedłem. I na trawie, tak, na trawie usiadłem.

Czułem, że dobrze zrobiłem. Że wyglądamy ładnie. My, to znaczy beż, fiolet, róż i zieleń.

Poczułem się przyjemnie. Rozejrzałem się. Życzliwie. Ech... Jak kiedyś, jak przed laty, siedzieli na ławkach emeryci. Jak kiedyś, znęcały się nad nimi wnuczęta. Portorykańczycy bawili się w *baseball*. Włoch, lub ktoś włochopodobny, joggował bieżnią wkoło, pufając jak parowóz. Koreańczyk, prawdopodobnie południowy, ćwiczył karate: doskakiwał do drzewa, uderzał piętą, odskakiwał; drzewo cierpiało bezgłośnie. Tata, Grek chyba, uczył synka chodzenia na rękach...

Dzielni ludzie. Pilnujący formy. Rozwijający umiejętności. Gotowi do walki.

Tak trzeba. Tak mus. Niczego bez dyscypliny nie osiągniesz. Czy byłbym tym, kim jestem, gdyby nie lata pracy nad charakterem, intelektem, mięśniami?

Ameryka...

Otworzyłem gazetę. Lwów może oddali? Wilno zwrócili? Unieważnili Jałtę?

Nie oddali. Nie unieważnili.

Ale zakwestionowali. Prezydent zrobił aluzję w orędziu. Nie tak ostrą wprawdzie, jak dwanaście lat temu, ale ostrzejszą niż siedem. Więc jednak. Jednak coś się dzieje. Coś się rusza. Nie zasypiają. Gruszek. W popiele.

Posłyszałem głosy. Mowa wydała mi się znajoma. Jakby ojczysta. Obejrzałem się.

Szło ku mnie sześciu. Ubrani z amerykańska, letnio. Czyści. Ogoleni.

Estetyczność polskiego buma wzrosła, skonstatowałem nie bez dumy. Wzrosła niepomiernie.

Stanęli przede mną. Jeden trzymał przy piersi papierową torbę z czymś ciężkim. Drugi natomiast z czymś lekkim. To on, może dlatego, że miał lżej, popatrzył mi w oczy i otworzył usta. Coś powie, ciekawe, w jakim języku.

– Siedzieliśmy tam, pod tamtym drzewem – zaczął. Tak, nie pomyliłem się: po ojczystemu, w języku, w którym pisali Jan Kochanowski, Adam Mickiewicz i Czesław Miłosz. Wskazał drzewo, o które mu chodziło. – Dyskutowaliśmy – ciągnął – przemieszczając się wraz z cieniem. Niestety, nieubłagany bieg słońca po niebie, związany z ruchem obrotowym Ziemi, przesunął cień poza parkan, na chodnik i jezdnię. Niestety, powtarzam. Bo zgodzi się pan ze mną, że nie można siedzieć i kontynuować debaty na jezdni?

Pomyślałem: elokwentny. I skinąłem głową na znak, że jestem tego samego co on zdania.

– To drzewo, pod którym siedzisz, rzuca bardzo piękny cień – przejął głos drugi. Najstarszy. Chudy.

– Wobec tego, czy możemy usiąść koło ciebie, rodaku, a ty, czy przyłączysz się do nas? – zaproponował ten z ciężką torbą. Najważniejszy.

Hm... Niepolskie stroje na mnie. A przecież wyczuli. Że ja z tego samego plemienia. Krew z krwi, kość z kości. A więc się prześwieca. Polskość. Jak, którędy? I czy ciała, czy duszy?

– Tak, panowie – oznajmiłem – przyłączę się. My, Polacy na obczyźnie, powinniśmy się trzymać razem.

Usiedli na trawie. W niedbałych pozach.

Poczułem, że widok wart jest najlepszego pędzla.

Ważny wyjął z torby zawartość. Jak przypuszczałem, był to galon. Jednak nie Smirnoffa ani Romanoffa, lecz wina. I to białego.

– Wytrawne – objaśnił Ważny. I piękną, melancholijną dłoń położył na śrubie galona.

Elokwentny wyjął z torebki kubeczki, celuloidowe, i precelki.

– Tak naprawdę my, Polacy... – zaczął refleksyjnie – lubimy wino. Zwłaszcza wino białe, wytrawne. Do tego precelki. Ale pijemy wódkę – bo zmusza nas do tego tradycja.

– Tradycja uziemia! – rozwinął myśl inny. O obwisłych policzkach, opadającej szczęce i oklapniętych ramionach. Wyczerpany.

– Na szczęście jesteśmy daleko od kraju i nie musimy być jej niewolnikami. Jesteśmy w wolnym świecie! – wykrzyknął żarliwie młodzieniec około trzydziestki. Czarno obrodzony, wąsaty. Ale nie łysy. – Możemy pić, co lubimy! Niech żyje wino! Precz z wysokoprocentowcami! Jesteśmy wolni!

– Niezupełnie, kolego, niezupełnie – mruknął posępnie Ważny.

– A ja mam to wszystko – zaczął osobnik cienki, długi, sprężysty, układając się na trawie – mam to, powiedzmy, w nosie.

Węgorzem zaległ. Zygzakowato.

Ważny odkręcił śrubę, melancholijnie, i nalewał. Ciurkało. Ale inaczej niż ciurkają wysokoprocentowce. W tym ciurkaniu słyszało się kulturę. Wieki cywilizacji, amerykańskiej. Co najmniej dwa. I rajskość wzgórz winogronnych się widziało, i beztroskę południa się czuło. Spojrzałem. Istotnie, wino z Kalifornii rodem było.

– Ale naczynie – zwrócił się do mnie zakłopotany Ważny – naczynie musisz sam sobie zdobyć, rodacze.

– Nie ma sprawy – uciął Wyczerpany, wyjmując z kieszeni papierosy. Następnie zapalniczkę. Następnie scyzoryk. Następnie maszynkę do golenia. Następnie szczoteczkę. Następnie grzebyk. Następnie budzik. Następnie orła białego, ale żółtego. Z drewna. Następnie przedmiot o nieokreślonym ni kształcie, ni przeznaczeniu. Wreszcie...

Wreszcie: szklaneczkę. O dziwo, szklaną.

– Dyżurna – wyjaśnił. – Zawsze mi towarzyszy.

Wydmuchnął pierze, podstawił. Nalano. Nadpił niezwłocznie.

I każdy nadpił. I ja nadpiłem. I nie doznałem zawodu. Tak, wieki cywilizacji. Rajskość wzgórz winogronnych. A nie stęchlizna kartoflisk, desperacja rżyska. Tak, desperacja. Wóda jest trunkiem desperatów.

– Ech... – westchnął Brodacz.

– Otóż to – potwierdził Chudy.

– Właśnie – zgodził się Wyczerpany.

I cisza. Ale nie błaha.

– Cień nas opuszcza, panowie – westchnął Elokwentny. – Ziemia nam się obróciła o... – Spojrzał na zegarek. – O siedem i pół stopnia. Musimy zmienić współrzędne.

Dźwignęliśmy się. Ponieważ słońce wędrowało ku New Jersey od Staten Island, my przemieściliśmy się w kierunku od Bedford ku Driggs. Nie wszyscy, Węgorz pozostał tam, gdzie był leżał.

– Patrzę na tego biegusa – rzekł z podziwem o joggerze Wyczerpany. – Biega i biega.

– Ma zdrowie! – pochwalił Brodaty.

– I chce je zniszczyć! – zdenerwował się Chudy.

– Jest zdrowy, ale chce być jeszcze zdrowszy – sprzeciwił się Ważny.

– I po co mu to? – zdziwił się Wyczerpany.

– Awansować chce – wyraził przypuszczenie Ważny.

– Rats rejs – rzucił Elokwentny.

– Po jakiemu to? – spytał Brodaty.

– Po grecku – odrzekł Elokwentny.

Odwróciliśmy głowy, było coś denerwującego w zajadłości tego przeambiconego faceta.

– Zaraz, zaraz, panowie – przypomniał Ważny. – O czym to chcieliśmy dyskutować, kiedy cień wprowadził nas na kolce ogrodzenia i zmusił do szukania innego drzewa?

– Dlaczego w Ameryce jednym Polakom wychodzi, a drugim nie wychodzi – przypomniał Chudy.

– Konkretnie: dlaczego żadnemu z nas nie wychodzi – uściślił Brodaty.

– Dlaczego nam nie wychodzi, panowie? – zagaił Elokwentny. – Przecież każdy z nas zawód ma. Każdy dobre chęci ma. Każdy wyobraźnię ma. Każdy dalekosiężne plany ma. Każdy charakter ma. A jednak... Dlaczego? Na Boga! Dlaczego nam nie wychodzi!

– Dlaczego! – powtórzył boleściwie Wyczerpany.

– Co do mnie... – odezwał się towarzysz dotąd milczący. Zamyślony. Smutny. Od stóp do głów smutny. O twarzy smutnie wyrzeźbionej brakiem pieniędzy. O oczach smutnych brakiem wizji. O zębach smutnych, o szyi smutnej, o dłoniach smutnych. Zwłaszcza jego ramiona, brzuch plecy i kolana były smutne, mimo schludnego ubioru. Czy od spania na ławkach i krawężnikach? Inni dostają reumatyzmu. Ten dostał smutku?

– Co do mnie, ustaliłem przyczynę – wyznał.

– No, no? – zaciekawiliśmy się, popijając, pogryzając.

– Jak wiadomo, stosunek człowieka do świata i do ludzi rozstrzyga się w pierwszych czterech latach życia. Czy będziesz optymistyczny czy pesymistyczny. Radosny czy smutny. Ludzi lubić będziesz czy stronić od nich. Lękliwy będziesz czy odważny...

– Do czwartego? – upewnił się Ważny. – Interesujące – pochwalił.

– Mów dalej – zachęcił. – Słuchamy – poinformował.

– Otóż, panowie, moje pierwsze cztery lata życia przypadły na czas wojny. Drugiej wojny światowej. Najstraszniejszej rzezi w dziejach ludzkości. Słowo wojna jest zbyt kurtuazyjne, panowie. Rzeź to była.

– Rzeź nad rzeziami – lapidarnie ujął rzecz Elokwentny.

– Przez moje miasteczko podczas czterech pierwszych lat mego życia front przetoczył się, panowie, tam i z powrotem dwanaście razy. Ze wschodu na zachód. I z zachodu na wschód. Ze wschodu na zachód. I z zachodu...

– ... na wschód! – zniecierpliwił się Chudy. – Wiemy, razem dwanaście. I co z tego?

– Panowie, w ciągu moich pierwszych czterech lat życia dwanaście razy huczały nad moim domem samoloty! Dwanaście razy pękały koło mnie bomby! Dwanaście razy grzmiały mi działa! Panowie! – Smutny czaszkę ścisnął rozpaczliwie dłońmi roztrzęsionymi. – Czy ktoś, kogo od kołyski straszyły bombowce i bomby, czołgi, armaty, karabiny i pistolety – czy ktoś taki może być optymistyczny i konstruktywny? Czy teraz, kiedy usłyszeliście, co przeżyłem w pierwszych czterech linijkach mego życiorysu – dziwicie się, żem smutny? Że nie cieszą mnie praca ni pieniądze? Seks ni cukierki?

– Czy twoi rówieśnicy w twoim miasteczku też są tacy smutni? – spytał precyzyjnie Brodacz.

– Nie. Jest paru wesołych – przyznał Smutny. – Ale to ludzie mało myślący. Pies zamerda ogonem – a taki w śmiech. Oglądacze Myszki Miki. Rozumiecie, o jakim gatunku człowieka mówię.

Pokiwaliśmy głowami na tak.

– Pozwólcie, że spuentuję, panowie – kontynuował Smutny – dlaczego mi w Ameryce nie wychodzi. Otóż: Amerykanie nie lubią smutnych. A ja jestem smutny. Smutny zaś jestem z powodu wojny. Zatem?

Czekał. Patrzyliśmy po sobie. Ważny dał znak skinieniem głowy.

– Nie wychodzi ci w Ameryce – zaczęliśmy chórem – z powodu wojny – zakończyliśmy, chórem.

– Dziękuję – rzekł Smutny. Twarz schował w dłoniach i rozpłakał się.

– Dać mu poza kolejką – doradził Wyczerpany.

Ważny nalał, Smutny wypił, łzy otarł, pomogło. Uśmiechnął się. Sztucznie, ale dobre i to.

– A ty? – zwrócił się Ważny do Wyczerpanego. – Dlaczego tobie w Ameryce nie wychodzi?

– Mnnie rozkłada pochodzenie, panowie – odrzekł Wyczerpany. – Moje chłopskie pochodzenie. Jestem inżynierem. Inżynierem magistrem – podkreślił. – To niemało, panowie, prawda? Niemało. Tak. Ale... – Zaczerpnął powietrza dużo i rzetelnie, po chłopsku. – Ale ta wspinaczka z nizin najniższych aż na magisterskie wierchy kosztowała mnie tyle energii, że na Amerykę nie mam już siły. Ostatkiem, dosłownie ostatkiem sił doleciałem jeszcze do Kennedy'ego – i się rozsypałem. Koniec, panowie. Klops. Nie mam siły na ten amerykański *wrestling*.

Rzeczywiście, wyczerpany był. Szczęka mu opadła i nie miał siły jej podnieść.

– Ale temu to bym jeszcze dokopał – wystękał o biegaczu, bo właśnie przebiegał mimo. – Ten skurczygnat biega umyślnie. Żeby mnie dobić. Psychicznie.

– Biegnie. Ale donikąd biegnie – pocieszył Wyczerpanego Brodacz.

– On biega w kółko.

– W kółko, a jednak... A jednak dokądś – rozszczepił włos na czworo Elokwentny.

– A tobie... – zwrócił się Ważny do Chudego. – Dlaczego tobie nie wychodzi?

– Mnie też rozkłada pochodzenie – odrzekł Chudy. Najstarszy z biesiady. Siwo-łysy. A nawet łyso-siwy. Około sześćdziesiątki. – Ale nie chłopskie, proszę panów, lecz wprost przeciwnie: szlacheckie. Tak, szlacheckie. Jam szlachcic, panowie. Jak wiadomo, panowie, największym skarbem szlachcica był honor! Tak, honor! Cnota, w dzisiejszych zepsiałych czasach, zapomniana. Honor, powtarzam! Otóż... – zmierzał ku puencie. – Otóż jak na Amerykę jestem zbyt dumny, panowie. Do byle jakiej roboty nie pójdę, a dobrej, honorowej nie chcą mi dać. Oto mój dramat, panowie.

– Herbowyś? – upewnił się Elokwentny.

– Pytanie! – prychnął Chudy. I macnął się tam, gdzie byłaby karabela. Gdyby nie rok 1946, Bierut i reforma rolna. Która jednych awansowała, innych degradowała.

– E, tego... – chciał coś wygłosić awansowany Wyczerpany. Ale się rozmyślił.

Brodaty litościwie szczękę mu podniósł. I trzymał.

– Mój dramat jest w pewnym sensie podobny – włączył się w nurt. Szczękę tamtemu podtrzymując. W nurt dyskusji. Młodość jarzyła mu z oczu. I zuchwałość. Dwudziestoletni trzydziestolatek. – Moją barierą też jest duma. Ale duma, proszę panów, zawodowa. Jestem uczniem Hipokratesa. Ukończyłem uczelnię. Wyższą. Medyczną.

Popatrzył dumnie, wyzywająco.

– Yyy... – dał się sprowokować szlachcic. – Medyczną komunistyczną...

– Medyczną, mimo że komunistyczną! – odparował Brodacz.

– Komunistyczno-medyczną! – przyciął Chudy i macnął się za karabelą.

– Uspokój się acan! – rozkazał Elokwentny. – Człowiek się zwierza, a ty dworujesz.

– Dziękuję – rzekł Brodacz. I podjął wątek. – Muszę wyznać panowie, że jestem Ameryką... rozczarowany.

– O! – wyrwało się komuś anonimowo.

– Brałem udział w pewnym zrywie robotniczym...

Tu urwał. Zastanawiał się.

– W zrywie robotniczo-studencko-chłopsko-rzemieślniczym – rozszerzył. – Który omal nie przekształcił oblicza świata. Amerykanie? Ach, zachwycali się nami! Entuzjazmowali! A zagrzewali! A podniecali! A łechtali! A kochali! I myśmy ich kochali. Hm... Po nieszczęściu, które się naszemu ruchowi niesłusznie przytrafiło, przyjechałem do nich – jak przyjaciel do przyjaciół. Jak kochany do kochanych. Rozumiecie? Przyjaciel. Rewolucjonista. Absolwent. Przecież to niemało. Chyba ktoś taki ma prawo czegoś od przyjaciół oczekiwać. Prawda?

– Ma! – potwierdził zdecydowanie Zdziwiony, też absolwent, choć od Pitagorasa, nie Hipokratesa. – A twoi Amerykanie co?

– A oni mnie skazują na naukę angielskiego! Jakby medycyna polegała na języku. Panowie – co ma skalpel do języka?

– Brrr! – zadrżał Elokwentny.

– Mało tego, proponują mi stanowisko sprzątaczki w szpitalu, pod pretekstem, że powinienem otrzaskać się z odmiennymi realiami. Inną niż nasza organizacją szpitala. Obiecując awans na salowego – za trzy miesiące. Jeśli się sprawdzę jako sprzątaczka. Słyszeliście? Jeśli się sprawdzę... Ja! Absolwent. Przyjaciel. Uczestnik zrywu, który omal nie przekształcił.

– A co ty na to? – ciekawił się absolwent z chorągwi Pitagorasa.

– A ja ich welfarem! – na to absolwent z chorągwi Hipokratesa. – Welfarem! – powtórzył z mściwością w głosie. Mściwością zawiedzionego kochanka.

– To i tak skromny jesteś – zauważył Elokwentny. – Niech się cieszą, żeś nie zażądał Nobla.

– Oni powinni dać Polsce dziesięć milionów Nobli! – wyznał żarliwie Brodacz.

– A dali dwa tylko – zapiszczał Smutny. Ten, którego wojna zaponurzyła. – Sknery!

– A... – Ważny popatrzył na mnie. – A co z tobą?

– Co ze mną? – Natężyłem myśli. – Pozwólcie, że się zastanowię.

– Niech się zastanawia, a tymczasem może ty byś nam o sobie powiedział – zwrócił się do Ważnego Elokwentny. – Dlaczego tobie w Ameryce nie wychodzi? My – z innego kraju i obyczaju. A ty? Przecież urodziłeś się tutaj. W Ameryce. I to w Nowym Jorku. Więc? Dlaczego? Dlaczego ci nie idzie? Czym ten fenomen tłumaczysz?

– Sprawa nie jest prosta – zadumał się Ważny. Nalał sobie. Wypił. Nalał. Nie wypił. Wpatrzył się w zwierciadło wina. I głębiej. Poprzez zwierciadło. W kubek, jak w studnię.

– Tak, sprawa nie jest prosta – podjął po chwili. – Mój niefart, panowie, wywodzi się głównie z tego, że ja – Amerykanin polskiego pochodzenia – urodziłem się i wychowałem tutaj... – Półkole oczyma zatoczył: od Bedford i placyku im. Polskiego Księdza, przez Nassau ku Driggs i Metropolitan. – W polskiej dzielnicy.

– Greenpoint... – rozmarzył się Smutny. – Piękna dzielnica. Lubię ją. Bo smutna.

– Wcale nie – przeciwstawiał się Brodacz. – Mogę ci zaraz wskazać fragmenty radosne. Frywolne. A nawet rozpustne.

– Ale czego ty chcesz od Greenpointu? – spytał Ważnego zdziwiony Wyczerpany.

– Tego chcę, że mój ojciec Polak miał wszystko polskie! – rozpeklił się Ważny. – Żonę. Sprzęty. I obyczaje. Polskie! I sąsiadów! Że moi wszyscy kumple byli Polakami! Że żyliśmy jak na polskiej wyspie! Ja, panowie, całe moje życie przeżyłem na Greenpoincie. Chodziłem do polskiej szkoły na Greenpoincie. Ożeniłem się z Polką z Greenpointu. Pracuję u Polaka – z Polakami – dla Polaków – na Greenpoincie. Gazety czytam polskie. Do kościoła chodzę polskiego. Świętuję po polsku, jem po polsku, mieszkam po polsku, spółkuję po polsku, śnię po polsku, myślę po polsku, nie myślę po polsku!!! Na Manhattanie byłem wszystkiego sześć razy, bo po co? Wszystko można kupić tutaj. Na Greenpoincie. Blisko. I taniej. Panowie! Ja jestem Polak bardziej niż wy wszyscy razem. Was tam odpolszczali, wy już ni to, ni sio. A ja? Polak jestem, panowie, i to z drugiej połowy dziewiętnastego wieku, albowiem mój praszczur wywędrował do Ameryki spod Krakowa w roku tysiąc osiemset osiemdziesiątym ósmym! On nie mówił po angielsku, jego syn nie mówił, jego wnuk nie mówił. I ja nie mówię. Ameryka się nas nie ima! Jestem Polak w stanie czystym! Zaśpiewać wam co polskiego? Przytupnąć? Zaręczam: żaden z was tak nie tupnie, nie zaśpiewa! Oj! Żal mi czegoś, cholera, nie wiem czego! Oj, gorzko! Gorzko mi! Gorzki żal! Oooo! Gooorzkieee żaleee przyybywajcieee! – zaintonował ni stąd, ni zowąd, w środku zarówno lata, jak i Nowego Jorku – sercaa naaszee przeenikaajcieee, sercaaa naszeee... Ja do dziś z mamą i tatą różaniec... majowe. .. godzinki... Uch, Polacy, uch, wy! Wy...

– A czegóż ty chcesz od Polaków! – żachnął się szlachcic.

161

– Polak, to brzmi dumnie! – dołączył doń Brodacz.

– Przyjacielu... – poklepał Ważnego Elokwentny. – A Ojciec Święty? A Noblista Osiemdziesiąt Jeden? A Noblista Pokojowy Osiemdziesiąt Trzy? A Kopernik? Nie Polacy?

– A Tadeusz Kościuszko? A Ignacy Paderewski? – wyrąbał Chudy, macając za karabelą.

– A Fryderyk Szopen? – natarł Brodacz. – A Artur Rubinstein? Nie Polacy?

– A Maria Curie Skołodowska? A Matka Boska Częstochowska? – uzupełnił Smutny – Nie Polki?

Ważny uniósł ręce w geście kapitulacji.

– Polki – zgodził się. – Tak. Wałęsa i Kopernik, Ojciec święty i Matka Boska, tak, Polacy. Nawet Pan Bóg Polak, wiem to na pewno. Ale, panowie... Czy nie szkoda Nowego Jorku na to, żeby Polak żył w Polakach, Turek w Turkach, Żyd w Żydach? Jeśli Turek chce turszczyzny – niech do Turcji wypiernicza! Chce Żyd żydowania – Izrael się kłania! Jak Polak polszczyzny łaknie – niech do Macierzy bieży! Do Jasssnej Góry, pod Wawel! Czy Na Kolumnę Zygmunta! Panowie, ja tej polszczyzny mam już w Nowym Jorku potąd! – Pokazał kantem dłoni pokąd. – Mnie się ona odbija. Panowie! Trzeciego Maja, Jedenastego Listopada i w Wigilię ja tą polszczyzną co roku regularnie wy... Nie, nie odważę się wypowiedzieć tego słowa, ukamienujecie mnie, Polacy.

– ...miotuję? – pomógł Elokwentny.

– Właśnie. – Ważny dłoń na jego kolanie położył. – Dziękuję ci, bracie.

Powiało powiewem. Od polskiego placyku przy Bedford. Zapachniało świętością. Świeżą. Jeszcze nie kanonizowaną.

– Zaraz, zaraz – zwątpił Brodacz. – Jeśli ci polskość polskiej dzielnicy tak doskwiera, dlaczego nie przeprowadzisz się na Bronx? Albo na Chinatown?

– Za późno, panowie. – Ważny głowę opuścił żałośnie. – Ja już jestem ukształtowany. Moja osobowość uformowana i skrystalizowana. Już nie mam tej elastyczności co dziecko czy nastolatek. Już mi trudno się zmienić. A nawet... A nawet już nie wypada, panowie.

Butlę przechylił, wykapał ostatnie krople do kubka, z kubka wyssał, butlę zaśrubował.

– Ja już się pogodziłem – wyznał. – Już tu umrę. Na Greenpoincie. Pogrzeb będę miał polski. I pochowają mnie na polskim cmentarzu. Uuuu! I straszyć będę po polsku.

– Dzieci masz? – spytał Elokwentny.

– Troje, w wieku szkolnym.

– Czy może chodzą do szkoły... polskiej?

– Oczywiście! – odpowiedział Ważny. Z dumą.

– Toś Polonus! – orzekł Elokwentny. – Skrajny przypadek Polonusa.

– A ty przyjacielu? – na to Ważny. – Co z tobą? Język – słyszę i widzę – masz giętki. Bary i ręce, też widzę, masz nie od parady. Więc dlaczego? Dlaczego tobie w Ameryce nie wychodzi?

– Mój dramat jest natury ustrojowej – zaczął Elokwentny natychmiast. – Panowie, ja tam byłem działaczem. Moja praca polegała na przemawianiu. Przemawiałem. Na plenach, konferencjach, naradach, obradach. Na sesjach, sympozjach i kongresach. Na zgromadzeniach, wiecach. I akademiach. Przemawiałem w salach i halach. W gabinetach i izbach. Na placach i skrzyżowaniach. W polu i w zagrodzie. W cieple. I na zimnie. W mróz. I w spiekotę. W zaduchu. I na wietrze. W dzień. I o północy. Raz zacząłem referat o dziesiątej ej-em, a skończyłem o dziesiątej pi-em. Mógłbym przemawiać bez przerwy od Nowego Jorku do San Francisco, nawet gdyby mnie wieziono wołami. Niestety, panowie... Tutejsza sztuka przemawiania jest zaprzeczeniem tamtej. Tutaj im krócej – tym lepiej.

– Dlaczego się nie dostosujesz? – zauważył Brodacz.

– Dziwne pytanie. A dlaczego ty się nie dostosowałeś? Równie dobrze mógłbym cię spytać: dlaczego nie przestaniesz spożywać wina.

– Aha – pojęliśmy.

– Ludzie, mnie po prostu szkoda życia na nieprzemawianie. Przemawianie jest moim żywiołem. Kiedy wchodzę na mównicę, dostaję wzwodu, który trwa aż do końca referatu. Jest to tak zwany priapizm konferencyjny.

– Czyżbyś... – zaciekawił się Ważny. I nasze spojrzenia zbiegły się na nim w wiadomym punkcie.

– Czy mnie wzwiodło, zapytujcie? – A lubieżne skurcze potrząsały już jego ciałem. – Przy ostatnim „Niech żyje" doznawałem, panowie, tego, co nazywają orgazmem.

– Niech żyje przyjaźń polsko-chińska! – podjudził Brodacz.

– Niech żyje! – powtórzył Elokwentny. – Uch! – stęknął, napiął się całym sobą... oczy wytrzeszczył... drżał. Wtem puściło go. Zmiękł... oklapnął... sflaczał.

Zakaszlało. Obejrzeliśmy się.

163

To długi, w trawę wrelaksowany nie opodal, zygzakowaty jak węgorz – dał znak życia.

– A jemu? – zaciekawił się szeptem Smutny. – Dlaczego jemu nie wychodzi?

Niespodziewanie Węgorz uniósł głowę. Dosłyszał szeptanie.

– Mnie? – upewnił się.

– Tak, tobie – szepnął, tym razem głośno, Smutny. – My jesteśmy zablokowani przyczynami obiektywnymi. A ty?

– Ja, panowie?

Czochrnął się. Skrobnął. Podrapał. Dłubnął.

– A ja?

Okiem wiślanym potoczył wkoło.

– A ja to się po prostu... opierdalam – ziewnął.

Ziewnął. Wyziewnął. Wziewnął. Rozziewnął.

Zrobiło się nieprzyjemnie, nadwerężył nam Węgorz stylistykę biesiady.

– No nie! – obruszył się Brodacz. – To nie może być takie proste, jak ci się zdaje.

– Zastanów się – dodał Elokwentny, już oprzytomniały. – Na pewno masz jakiś kompleks. Jakiś uraz z dzieciństwa. Przypomnij sobie. Musiał być jakiś wstrząs. W wymiarze jeśli nie narodowym, to rodzinnym. Mów! Doktryna Breżniewa cię załamała, czy któreś z rodziców piło?

– Właśnie – nawiązał Węgorz. – Dajcie wina. Uwzględniając zaległe kolejki.

– Niestety – wymownie westchnął Ważny.

– To kopnij się, Brodaty, do storu – rozwiązał kwestię Węgorz. – Ty najmłodszy.

Brodaty rękę wyciągnął – położyliśmy po baku – powstał – poszedł. Placyk omijając.

Na którym zgromadziło się zgromadzenie. Wznoszące okrzyki.

– Niezwyciężeni – zauważył z szacunkiem Wyczerpany.

– Nieugięci – zgodził się Chudy.

– Dopną swego – spuentował Elokwentny.

– Nie to, co my – zasromał się Smutny. I spojrzał na mnie.

I wszyscy spojrzeli. Pięć par oczu patrzyło na mnie wyczekująco.

– A ty? – wypowiedział Ważny ich nieme pytanie. – Dlaczego tobie nie wychodzi?

– Ależ wychodzi! – zaprzeczyłem żywiołowo.

– Eee – zwątpił Ważny. – Jeśli ci wychodzi, to dlaczego siedzisz z nami tutaj na trawie? Z nami – którym nie wychodzi?

– Siedzę tu dlatego właśnie, że mi wychodzi – odparłem. – Ameryka Ameryką, wyścig wyścigiem, sukcesy sukcesami – a ja lubię tak posiedzieć sobie na trawie – w czerwcu – jak na wsi – choć w środku Nowego Jorku. Pop';, ,c winko w przyjemnym towarzystwie, panowie! Zastanówcie się. Czyż nie pięknie?

Wyczerpany w kolano plasnął się głośno.

– Cholerka! Ma rację!

– Niby tak – zgodził się Chudy, częściowo.

– Dlaczego niby? – spytałem. – Spójrzcie! Tam czub Empire State Building... a my sobie w trawie.

I wtedy westchnął Elokwentny. Westchnął tak, że nawet głuchy by się domyślił, że zaraz powie coś głębokiego.

– Tak, panowie. Pięknie – zaczął werbalizować swoje westchnienie.
– Owszem. Pięknie. Pięknie, ale... przecież... Przecież nie pięknie. Pięknie tak sobie siedzieć w czerwcu na trawie, jak na wsi. Tak, na pewno pięknie. Na wsi pięknie. Ale w Nowym Jorku? Czy po to Nowy Jork budowano? Coś tu nie tak, panowie. Nowy Jork jakby nie do siedzenia w trawie, panowie. Coś mnie w tym męczy, panowie!

– Ma rację. I mnie męczy – przyłączył się Chudy. Szlachcic.

– W Nowym Jorku to się powinno siedzieć za kierownicą supersamochodu, panowie – ciągnął Elokwentny. – Albo w restauracji na dziewięćdziesiątym dziewiątym piętrze, panowie. Albo chociaż na zydelku windziarza w stupiętrowcu, panowie! – rozżaliło Elokwentnego. – Ale na trawie? W trawie? Siedzieć w trawie, i to jeszcze lepiej niż tutaj, to ja mogłem i w miasteczku Dziura nad rzeką Dziurawką, panowie!

– Nareszcie! – wykrzyknął Wyczerpany. Którego wyczerpało wykształcenie.

– Gdzie, co nareszcie? – zaniepokoił się Ważny.

– Nareszcie ten ambitny przestał krążyć! – dokończył Wyczerpany.

Istotnie, jogger – ze sportową torbą na ramieniu – przekroczył bramę. I wsiadł do lincolna. O rok młodszego niż mój, skonstatowałem. A także nareszcie Brodacz wrócił. Nabytek wręczył Ważnemu. Ten odśrubował, napełnił. Usłyszawszy ciurkanie, Węgorz przepełznął w pobliże.

Rozmowa nieoczekiwanie na międzynarodowe sprawy przeskoczyła. Że mocarstwa. Że zagrożenie. Z zagrożenia – na strachy. Ze strachów – na Lachy. Tymczasem słońce za Manhattan się zsunęło, na niebie poróżowionym czub Empire'u pięknie się wyeksponował. Chudy z Elokwentnym o powstania się wadzili – warto było, czy nie warto, po następne wino poszedł Smutny. Potem Wyczerpany. Potem ja. Potem Ważny, i to po trzy galony od razu, bo zamykali. Biesiadowaliśmy, słuchałem. Wspaniali.

Wniosku, że poziom intelektualny bumów polskich w Nowym Jorku podniósł się przez te lata o pół nieba, nie trzeba nawet było wyciągać. Sam się wpychał w ręce. I to nagi. Wspaniali.

Nie tyrają. Nie zadręczają się amerykańskim wyścigiem. Dywagują. Relaksują. Epikurejczycy.

Senność kłoniła nas łagodnie jednego po drugim ku trawie pachnącej. I mnie skłoniła. Leżąc, w gwiazdy sobie patrzyłem.

Obudziłem się nieokradziony. Niepobity. Bez bólu głowy. Rześki. Odrodzony. Wspaniałe to – tak na trawie się przespać pod gołym niebem. Ostatni raz kiedy tak spałem? Ze dwadzieścia lat temu, w trawie kolejowej, między Małkinią i Wołominem. Wskutek wyrzucenia z pędzącego pociągu. Przyjaciele pochrapywali. Słońce wyłaziło nad Greenpoint, pieściło się z wieżą kościoła. Naszego. Polonijnego.

Otworzyłem „Nowy Dziennik". Ogłoszenia... Że agencje. Że sprawy imigracyjne. Że Olga Jasnowidz. Że wybitni artyści z Polski. Że praca dla kobiet, praca dla mężczyzn...

Złożyłem gazetę. Zapatrzyłem się w jednodniowych przyjaciół. Ważny. Wyczerpany. Smutny. Chudy. Brodaty. Elokwentny...

Sześciu wspaniałych.

Będę siódmy, postanowiłem.

Tak, będę! Czyż w dżinsach za 5$ nie było mi kiedyś szczęśliwiej niż w tym różowobeżowym kostiumie? Dlaczego harować po osiemnaście godzin! Po co mi te moje miliony, z którymi nie mam co i kiedy robić! Nie! Praca nie uszlachetnia.

Praca brudzi.

Praca otępia.

Praca odczłowiecza.

A ja chcę być człowiekiem!

Człowiek – to brzmi dumnie!

Ale wy Amerykanie, ech... Wy tego jeszcze nie rozumiecie.

1988

Halloween

Naprawdę? Naprawdę nie rozumiesz, dlaczego nałożyłam taką szkaradną, wyszczerzoną maskę? (*Anka jest w masce małpoluda, zwierzęce zębiska i nozdrza, dzikie ślepia*). I co robią na tej mordzie eleganckie okulary? To przecież proste, przypomnij tylko sobie, że pracuję jako kosmetyczka na Manhattanie, osiem godzin, czasem dziesięć, uśmiecham się od poniedziałku do soboty, przymilam, ach, słodziutka, grzeczna, dowcipna jestem – muszę być – boli mnie głowa, dokucza okres, kaca mam albo nie spałam – a ja zawsze czyściutka, uprzejmiutka, troskliwa, nawet dla tej cholery, co mnie podszczypuje, jest jedna taka: lubi szczypać, ja na przykład robię jej twarz, a ona ukradkiem caps! bezczelnie szczypnie w udo albo brzuch, nieraz gwiazdy mi zaświecą, bo cholera ma te suche palce mocne jak szczypce, bawi się tak, ona udaje, że to nie ona, ja, że nie było szczypnięcia, właścicielka każe mi to znosić, bo starucha milionerką jest, z Upper East Side, zostawia potężne tipy... Więc największym zniewoleniem jest dla mnie w Ameryce obowiązek uśmiechania się, przymus, niewola uprzejmości, płacą mi nie tylko za samą robotę, ale jeszcze za wdzięk, za sympatyczność, och, jak długo się tego uczyłam, tej sztuki aktorstwa zawodowego i zawodowej elegancji, tak, z poprzedniej pracy wyleciałam właśnie za elegancję, a raczej za jej brak: przeprowadziłam się do Nowego Jorku z Trenton, zachwyciłam się ulicą, fantazją, strojami, zrobiłam włosy na punka, przychodzę do roboty szczęśliwa, że tak po nowojorsku wyglądam, a tu konsternacja, boss wzywa, tłumaczy, że poza bankiem to mogę chodzić sobie choćby nago, ale w pracy obowiązuje styl służbowy, owszem, inwencja wskazana, ale inwencja w granicach od-do, pewne numery są niedopuszczalne. Obserwowałeś, kochany, porę lunchu na Manhattanie, na Wall Street na przykład? Portierzy mają swoje uniformy, strażacy, policjanci, a urzędnicy? Też! Te granatowe marynarki, szare spodnie i krawaty facetów, bluzki, żakiety, spódnice i szpilki kobiet – czyż to nie mundury urzędnicze? Owszem, jest pewna rozmaitość, widać inwencję własną w szczegółach, w uczesaniu. Ale od-do. O, spójrz na tego tam... (*Anka wskazuje oczyma faceta w mundurze urzędnika, zamiast głowy ma wielki budzik*). O co mu idzie? To proste. Facet protestuje przeciw reżymowi. Amerykańskiemu reżymowi... Dziwisz się? Jest w Ameryce reżym, i to większy od komunistycznego tam u was, czy od wojskowego w Chile, tak, tak! Reżym pracy. Reżym wydajności, reżym opłacalności. Reżym oszczędzania. Terror punktualności. Od poniedziałku do piątku, a dla wielu także w soboty i niedziele: praca, praca, praca! Wy tam nawet zielonego pojęcia nie macie, jaka Ameryka zapracowana. I, zdziwisz się, ale im kto bogatszy, tym więcej pracuje. Ten kraj, ci ludzie bardziej są chorzy na workaholizm niż wy tam na alkoholizm. Pamiętam, kiedyś, z początku, zachwycałam się mądrością obyczaju pod nazwą lunch: jakie to ludzkie, że pracownik ma godzinę wolnego, może sobie odpocząć, załatwić w środku dnia osobiste telefony, zakupy itepe. Ale prędko zrozumiałam: przecież to dla jego, pracodawcy, dobra! Bez tej przerwy bylibyśmy po południu mniej wydajni! Za tę przerwę, tę dobroczynność swoją, przecież on nie płaci! Wolność? Bujda, cywilizacja jest zniewoleniem, im wyższa, tym zniewolenie większe. Czy można być wolnym w Szwajcarii? W Niemczech Zachodnich? Ameryce? Mów mi o wolności w ... Brazylii, Meksyku, Polsce. W Rosji nawet. Ale nie w Ameryce! Przyzwyczailiśmy się do politycznego znaczenia słowa reżym – tymczasem może być również reżym obyczajowy. Zachwycasz się wolnością na ulicach Nowego Jorku – a wiesz, co w tym czasie dzieje się w fabrykach i biurach? Cywilizacja stoi na organizacji, dyscyplinie, obowiązkowości, punktualności... Gdybyś ty wiedział, jak ja boję się spóźnić... z jakim zapasem wstaję... wyjeżdżam z jakim zapasem. Boże, lęk, fobia, uraz, aż fizjologiczne. Raz była w subwayu awaria, wyszłam, złapałam taksówkę, wydawało się, że zdążę... a tu parę bloków od celu korek, bo jakiś wypadek, a objazd trwałby za długo, zapłaciłam i biegnę. Zdążyłam, ale dostałam tak przeraźliwego rozstroju żołądka, że musiałam się zwolnić... Tam była wolność, człowiek może być wolny tylko w bałaganie, chaosie, gdzie nie ma odpowiedzialności, obowiązki rozmazane, kary nieistotne... Dzień Amerykanina, od przebudzenia się na sygnał budzika po tabletkę nasenną przed zaśnięciem, jest przeraźliwie zaplanowany, uregulowany. Nie ma miejsca na widzimisię... Jesteś trybikiem i musisz pracować niezawodnie, bo twoja niesprawność unieruchomiłaby maszynę albo i całą fabrykę. Punktualnie zacząć, bezbłędnie funkcjonować, prawidłowo wypocząć, posilić się i wyspać, czyli przygotować się do dnia jutrzejszego. I tak do weekendu. Do piątku wieczór. Ja – do soboty wieczór, wolne mam niedzielę i poniedziałek. Kiedyś, kiedy wracałam do domu po pięciu dniach takiego kieratu jedyną moją myślą było: a teraz w chaos! Upijałam się, łaziłam po domu w bałaganie, bezplanowo: piłam, żarłam, wylegiwałam się to w łóżku, to w wannie, odpoczywałam. Od czego? Od punktualności. Uśmiechania się. Makijażu. Nowoczesności. W bałaganie, niechlujstwie, żrąc, pijąc wbrew diecie i zdrowemu rozsądkowi. To ja. A inni, a wielu – nawet w weekendy nie mają odpoczynku. Z reżymu pracy przenoszą się pod reżym racjonalnego odpoczynku, kulturalnego spędzania wolnego czasu, ha, ha, ha... Ty zachwycasz się nowojorskimi paradami, że prawie nie ma niedzieli bez parady na Manhattanie, parady etniczne, zawodowe, rocznicowe itepe. A nie pomyślałeś, z czego to zamiłowanie? Że może z wewnętrznej potrzeby równowagi? Czy święto nie jest przeciwwagą dla trudu i nudy dnia powszedniego? No tak, ty, *freelance writer*, nie znasz tego bólu codziennego zniewolenia... (*przed nami facet z dwiema twarzami: melonik, cygaro, krawat – i to samo od pleców, krawat, cygaro w zębach, ta sama twarz, hm, która prawdziwa?*). Ech, ten moment w poniedziałkowe południe, kiedy muszę kończyć labę: pigułki, witaminy, soki otrzeźwiające, sprzątanie, pranie, zakupy na cały tydzień... Powrót z wycieczki, ze świata bez szefa, bez makijażu, bez zegarka, bez aktorstwa... Moje święto, mój karnawał – zakończone... Parady Nowego Jorku są, kochany, przeciwwagą. Rekompensatą. Wyrównaniem za powszednią dyscyplinę, posłuszeństwo, pracowitość. Zachwycasz się demonstracjami, mówisz zafascynowany o paradzie homoseksualistów i lesbijek, że nie do pomyślenia coś takiego gdzie indziej. No tak. Ale czy nie mylisz wolności demonstrowania z wolnością rzeczywistą? Tu demonstrować może każdy – byleby uprzedził władze zawczasu, jeszcze policję dostanie do ochrony. Ale czy tolerancja dla pochodu homoseksualistów oznacza tolerancję społeczeństwa dla homoseksualizmu? Wprost przeciwnie. Po co mieliby paradować, wykazywać się swoją liczebnością i siłą – gdyby byli dla społeczeństwa normalnością? Jeśli paradują czy demonstrują – znak to, że są dyskryminowani. Czy jest brytyjska parada etniczna? Nie ma. Niemiecka? Francuska? Też nie. Dlaczego? Anglicy, Niemcy, Francuzi czują się w Ameryce, w tym społeczeństwie – jak u siebie. A kto paraduje? Włosi, Portorykańczycy, Irlandczycy, Polacy. Dlaczego? Bo czują się niepełnoprawni. Niedowartościowani. To kompleks gorszości każe im krzyczeć, trąbić, tupać pod hasłem: Patrzcie, jacy my ważni! Jacy zasłużeni dla Ameryki! Że my nie sroce spod tego... Tak samo z tą paradą... (*Stoimy na rogu West Houston i Greenwich Street, sto metrów od rzeki Hudson, za wodą jarzy Jersey City, wieczór, dochodzi siódma, chłodno, jutro Wszystkich Świętych, pojutrze Zaduszki. W Polsce. A tutaj? Formuje się właśnie czoło parady, na ciężarówce hałasuje jazzowo orkiestra, błyskają flesze, oślepiają reflektory ekip telewizyjnych, przebierańcy pozują, oglądają się nawzajem, porównują, na chodnikach tysiące gapiów takich jak my*). Dlaczego Halloween zrobił taką karierę w Nowym Jorku i Ameryce? Też jako rekompensata, wyrównanie. Czego? Jakiego braku? Przyjrzyj się i zastanów (*Patrzę: narkomanica, mózg przebity metrową strzykawką, po jednej stronie głowy końcówka z igłą, po drugiej – końcówka z tłoczkiem. Ale najwięcej kościotrupów, diabłów, wampirów, czarownic... Desperat tuli, jak niemowlę, skrwawiony tors przyjaciela, powieki obcałowuje... Wtem wyszczerza się, wampirskimi kłami wgryza się w szyję, warczy, krwią mlaszcze*). Czemu tamten Święty Mikołaj ma twarz szatana? To nietrudne... Widziałeś szaleństwo bożonarodzeniowe w Nowym Jorku? Te aniołkowo-rajskie girlandy nad ulicami, na drzewkach, dekoracje wystaw, jezuski, józefki i maryje w ogródkach i oknach domowych? Kołowrót wigilijno-świąteczno-noworoczny w telewizji? Obłęd zakupów i prezentów, dla dzieci i nie tylko! Szczytowy miesiąc dla handlu. Tak, ubrany w poczciwą czapę Świętego Mikołaja biznes wyciąga od Amerykanów tysiące, miliony i miliardy z kont i z portfeli. W gruncie rzeczy handel jest przebranym za Świętego Mikołaja szatanem... A spójrz, ile tu łachmanów i brzydoty. Tak. Ucieczka od obowiązującej czystości, dezodorantów, mody – wycieczka z nowoczesnego domu w busz, puszczę, zabobon. Ze zdroworozsądkowej rzeczywistości, z tej amerykańskiej praktyczności, racjonalności – w świat fantazji. Niedorzeczności. Po co zakładamy maski, przebieramy się, wyjeżdżamy na urlopy jak najdalej od domu? Żeby odpocząć od siebie. Od swojej roli. Od swego stylu powszedniego, od rutyny domowej i zawodowej. Czemu rzeźnik wbija się we frak i na bal podąża? A słynny pisarz przebiera się za żebraka i biesiaduje z bumami? Żeby pobyć w innym, odmiennym świecie. Wycieczka. Z codzienności. Z Krainy Zdrowego Rozsądku. Amerykanie szanują rzeczywistość. Tu i teraz. Przeszłością i przyszłością zajmują się o tyle, o ile wynika coś z tego na dziś. Historyk – sprzedaje za pieniądze przeszłość, a futurolog przyszłość. Śmierć? Po co mówić, po co myśleć o śmierci? Chyba że jest się właścicielem domu pogrzebowego... Amerykanie, owszem, wiedzą, że Bóg, że wieczność, że śmierć. Że może jakieś życie pozagrobowe. Ale... Ale po czubek głowy siedzą w życiu doczesnym. W swoim obłędzie eksploatowania życia doczesnego skreślili inne wymiary. Niebo? Piekło? Transcendencja? Tajemnica? Śmierć? Będę myślał o śmierci, kiedy będę umierał. Pókim zdrowy, mam działać, szkoda czasu na bezproduktywne rozmyślania i lęki. Amerykanie wiedzą, że śmierć jest, ale żyją tak, jakby jej nie było. Ich rodzice umierają w szpitalach, niekłopotliwie – umieranie obsługują za pieniądze pielęgniarki i lekarze. Pochówek załatwi taktownie i estetycznie dom pogrzebowy. Cmentarze amerykańskie bardziej przypominają sielskie pola golfowe, trawniki czy parki – niż nasze złomowiska nieboszczyków. Jedyne swoje święto zmarłych – Memorial Day – obchodzą w maju: chytrze przesłaniają wiosną, przyrodą, pogodą widok na Tamtą Stronę. Za majowym parawanem nie widać Nicości. Ale tamten świat – śmierć, tajemnica – przecież są. Pukają. Z relacji o katastrofach. Z nekrologów sławnych ludzi. Z komunikatów o AIDS i nowotworach. Ameryka zagłusza wieczysty nasz lęk – pracą, produkcją i konsumpcją. Sukcesami. Optymizmem. A kiedy przychodzi smutna pora roku, obumieranie drzew, kwietników, dżdżyste powietrze, pochmurne niebo – kiedy uparta Śmierć wyziera atawistycznie z przyrody – atakują tę Śmierć frontalnie. Jak? Festiwalem makabry. My się ciebie nie boimy! Demoniczne straszydła na wystawach, horrory w kinach, w telewizji. W oknach domów dynie z otworami jak w czaszce, wewnątrz świeczka. Piszczele, kościotrupy. Tak, czarny humor. Pragmatyczni Amerykanie rozprawiają się ze śmiercią czarnym humorem. Kpiąc z niej, szydząc, przedrzeźniając. Zresztą... Może tak lepiej? Może doroślejsze to niż nasze tam słowiańskie rozczulanie się, dwudniowe nad grobami lubowanie się przeszłością, kontemplowanie fikcji – kosztem rzeczywistości? To kpiarsko-szydercze potraktowanie Śmierci – czy nie dojrzalsze, nie bardziej męskie od naszego tam smutku? Amerykanie mówią: nie przerazisz nas, Kostucho. Patrz, przedrzeźniamy ciebie! Śmiejemy się! A śmiech to zwycięstwo! Ha, ha, tamta śmierć, spójrz, ta na szczudłach, pijąca coca-colę... A przy okazji – kpina z życia. Czemu ten elegancik jedzie na świni – czemu świnię dorobił sobie, nie konia, nie tygrysa... Czyżby jakieś wyrzuty sumienia? A tamten... (*Facetowi sterczą z ramion dwie nogi w wojskowych spodniach i butach, obcasami do góry, twarz bieleje z rozporka*). Były żołnierz? Szydzi z wojen, bohaterszczyzny, wyzwalania? (*Przechodzi Reagan w wysokiej czapce, kształt rakiety, Gorbaczow – z olbrzymim czerwonym sierpem... Bush w cierniowej koronie... Jan Paweł II na szczudłach, trzaska z bicza nad głowami...*). A tamtych dwoje rozumiesz? (*Adam i Ewa, nadzy, ona biust zarzuca na ramiona*). Dziewczyna kpi z biustomanii, kult biustu w Ameryce taki, że kobieta z niedostatecznym biustem czuje się kaleką, mężczyźni przedkładają biust nad rozum czy majątek. A on, ha, ha, ha (*Adamowi sterczy półmetrowy penis, ogień syczy z niego jak z acetylenowego palnika*). A on kpi z kultu fallusa... Wiek dwudziesty, szczyty cywilizacji – a obłęd wokół kutasa jeszcze większy niż u jaskiniowych prymitywów. O, to mi się podoba! (*Orkiestra kroczy, wojskowa, energiczna, w mundurach – niekompletnych, spodni brakuje... kapelmistrz podrzuca buławę, czy złapie? Nie złapał! Oho, chce poprawić się, podrzuca, teraz na pewno złapie... Nie, znowu nie złapał*). Widzisz? Parada, ale i parodia parady... Tak, wycieczka do wesołego miasteczka... Z Pragmacji do Absurdii. Uważaj na te dzieciaki, schowajmy się! Uff, obrzuciłyby nas jajkami, widziałeś ich pochlapane ubrania i uwalane włosy? Też są na wycieczce, raz do roku wolno im mieć brudne ręce, taplać się, śmiecić... Wycieczka z Kraju Dobrego Wychowania w Busz Niechlujstwa. Ale już po ósmej – zaraz mamy wrzucą ich ubrania do swoich amerykańskich pralek, a ich poślą pod prysznice... No, idziemy, ponad godzinę jazdy do domu, o dziesiątej mam ważny telefon z San Francisco, zresztą jutro, jak zawsze, trzeba wstawać, budzik nastawiony na 6.45 (*Policjanci rozmontowują bariery, za ostatnimi paradowiczami jadą trzy policyjne samochody, a za nimi ławą olbrzymie śmieciarki, widzowie rozchodzą się*). No tak, wkraczają siły porządkowe, czystość, ład i zdrowy rozsądek będą za kwadrans przywrócone. Koniec wycieczki, wracamy do normalności. Chodźmy...

NYC 1989

Od tyłu

O 23.59 drgnęło w telewizorze i ruszyło w dół, po maszcie, Wielkie Jabłko. Deszcz, przemoknięte włosy, a twarze rozpalone euforią! Ostatnia minuta przedostatniego dziesięciolecia... zaraz początek następnej dziesiątki... za dziesięć lat początek trzeciego tysiąclecia po Chrystusie. Czy dożyję? Czy spojrzę w zaczynającą się trzecią dal? Północ! Jestem o rok starszy...

A o piątej nowego roku jestem już (co za niespodzianka, kto się wtrącił?) jestem – sam – nad East River – na „India Pier". We mgle majaczy Manhattan za wodą, jak twierdza, przebłyskuje czubek „Chryslera"... Chwila nostalgii: tam w Polsce prawie południe, dalecy-bliscy w Warszawie i Białymstoku pewnie tkwią przez telewizorami. A krewni i sąsiedzi wioskowi solennie na sumie w kościołach. W Rynkach, Turośni, Juchnowcu, Tryczówce...

Nagły błysk zdumienia-niedowierzania, przeszywający od mózgu do stóp, aż fizycznie bolesny: czy ja naprawdę jestem w Nowym Jorku? Tamte majaki we mgle – to na pewno Manhattan? Zdumienie: co ja tu robię?! Jak się tu znalazłem? I w ogóle: Ja, o, ten ja, który chodzi teraz nad krawędzią betonu, ściskający prawą ręką posylwestrową butelkę piwa w kieszeni – i tamten nawiedzony facet, co pisał reportaże, opowiadania, sztuki – „ku naprawianiu świata" – czy na pewno ta sama to osoba? Ciało – chyba to samo, ten sam noch, te same łapska i giry. Ale dusza? Czy nie doszło do wymiany tego gazu zwanego duszą? I w ogóle: czy na pewno kułem na Politechnice? Był akademik przy Placu Narutowicza czy nie? A przedtem Lipowa, Kościół św. Rocha? A jeszcze przedtem brzezina – chata pod tą brzeziną – jabłonie za oknem – radio – ojciec słuchający „Głosu Ameryki"? Może wspomnienie to tylko z jakiegoś starego filmu?

173

Między mną a wodą ląduje mewa – drepce z lewa na prawo, z prawa na lewo, po brzeżku betonu, zerka. Nieprzyjaźnie. Oho, rusza na mnie. Chce wypędzić. Aha, całe stado chce tu wylądować, przeszkadzam. Odstępuję trzy, cztery kroki – niech odpoczną. Mają prawo. Lider (czy liderka?) naciera, dobrze, jeszcze się cofnę. Ma prawo. Tak, nawet większe niż ja. Ona tu urodzona. *Native-born citizen.* A ja przybysz. Przybłęda. Ona u siebie. Tak, ma pierwszeństwo. Bezwiednie wycofuję się z molo – przygnębienie – obcość. Odwracam się do wody plecami – przede mną magazyny, a dalej dachy domków. Greenpoint, Queens, Nassau County, Long Island... Potem ocean. Długo, długo woda – i Portugalia, i Francja. Tam moje miejsce. Europa. Polska. Wracać. Tak, tyle lat – jak na przygodę wystarczy... Trzeba to jakoś spożytkować. Nie wrócę z pięćdziesięcioma tysiącami dolarów, jak inni wracają. Ale przecież moje konto – w mózgu. Ile mam tego pisarskiego materiału ? Zero? Sto tysięcy? Milion? Wrócę z wyzwoloną wyobraźnią. Po Ameryce już wiem na pewno: wszystko jest możliwe.

Co się stało – skąd ten przypływ pewności i siły? Skąd ta decyzja: zanim pojadę t a m, muszę wrócić i zamieszkać na Greenpoincie. Tak, wrócić tu. Gdzież znajdę takie zmaganie się słowiańskości i amerykanizmu? Mieszaninę kapitalizmu i komunizmu, parafiańszczyzny i światowości, wiochy i miasta? W każdej głowie bitwa pod Grunwaldem. Tak, wrócić tu!

Parę minut całkowitego szczęścia. Błogostan. Dwa kroki w lewo, dwa w prawo, zatrzymuję się – widzę w powietrzu kartkę papieru a na niej napisane, linijkami:

Greenpoincie, maleńka ojczyzno
Greenpoincie, ogromny Centowie,
Greenpoincie, miasteczko nad Eastem...
Twoje zdrowie!
Twoje zdrowie!
Twoje zdrowie!

Otwieram piwo. Zdrowie Was wszystkich: starych Polaków i czereśniaków! Portyrykanów, Chińczyków, Hindusów, Irishów, Włochów... Wasze zdrowie! A piosenkę – może ułożyć? Jakiemuś kabaretowi? Jak zawsze w momencie podniecenia, pomysły, tytuły, nazwy, rymy, dowcipy wpychają się same – natłok taki, że aż boli w skroniach...

„Hej, Pani Mewo – mówię w głos, odwracam się, idę do drzemiącego stadka – nie wyjeżdżam, mam tu dużo do zrobienia..." Ptaki zry-

wają się, zataczają koło, lider (chyba to jednak samczyk, Pan Mewa) za-
tacza koło najkrótsze, uparcie celuje na krawędź betonu.
   – Ty! – mówię hardo, w głos, żadnej ludzkiej duszy nie ma wkoło,
mogę się wygłupiać – Słuchaj, ty! Wcale nie jestem gorszy od ciebie!
Widzisz? Odważyłem się wyjechać w nieznane. Żyję, jak chcę, jak
chciałem. Po swojemu. Jestem sobą. Nie zwariowałem. Radzę sobie
z biedą, pogardą, rozpaczą, tęsknotą, krwiopijstwem, okrucieństwem,
podłością. I z własnym bezsensem, z wiedzą o bezcelowości tego
wszystkiego. Dorobiłem się paru przyjaciół. Jakoś nie zginąłem. A ty?
Przelecisz ocean? Wytrzymasz, Panie Mewo, na przykład nad Narwią
– między nieznanymi ci wronami, jastrzębiami? Tak naprawdę to ty jesteś parafianin. Zasiedziały nowojorski parafianin. Piecuch. Prowin-
cjusz nadatlantycki.
   Odchodzę. Upewniony. Samoupewniony. Z pięć godzin włóczę się
uliczkami Greenpointu i Williamsburga – jak kiedyś włóczyłem się po
Bojarach, Pieczurkach, Dojlidach, Olmontach... Po Pradze, Mokotowie,
Ochocie... Mało ludzi. Mało samochodów w ruchu. Chyba odsypianie
nocy sylwestrowej. A śmieci! Papierzyska, puszki, butelki. Strasznie
dużo piersiówek. Pustych oczywiście. Georgia i bacardi się powtarzają. Ale najwięcej budweisserów. Tam – pozabijane okna. Nadkruszone
schody. We wnęce oberwaniec drzemie: szalik po babsku na głowie.
Opuchnięta morda, buraczkowa... Kolorowe szyldy. Słowa angielskie.
Włoskie. Hiszpańskie. Polskie. Coś po żydowsku? Nie, to chyba chiń-
ski. Może koreański? Helikopter warczy nad dachami. Wyżej samolot.
Dokąd? Do Kalifornii? Do Afryki. Może do Europy... Podmuch wia-
tru, przeciąg między Zatoką i Oceanem, zawirowały śmieci, zagrzecho-
tały puszki... Niewiarygodnie jest. Egzotycznie. Surrealistycznie.
   Tak lubię.
   Ale co dalej? Gdzie jestem?
   Gdzieś w Nowym Jorku. Na półkuli zachodniej. Key Food? Ach tak,
zrobiłem wielkie koło, Key Food przy Mc Guiness Boulevard, znowu
Greenpoint. Dobrze. Przewłóczę ten Nowy Rok. Do subwayu: pojadę
na Ozone Park. Zapraszali... Idźmy tedy. Aha, token zdrożał o piętnaście centów. I na dół...
   Lubię subwaye. Pojechać asfaltową ulicą, światową autostradą, tak.
Od czasu do czasu. Ale żyć w tym estetycznym, uregulowanym świe-
cie? Nie. Lubię subwaye, jak lubię zakamarki, wysypiska. Jak lubię
sekrety, sny, podświadomość, kulisy, zboczenia, wykolejeńców, pija-

ków, dziwaków. Jacyż nudni są ludzie dobrze wychowani. Kulturalni. Poprawni za biurkiem – za stołem – na pikniku – w łóżku. Brr... Bez narwańców, świętych i pomylonych świat umarłby z nudów. Błogosławieni bądźcie przestępcy. Wy, co napadacie, kradniecie, gwałcicie, mordujecie. Bez was nie dałoby się czytać gazet, oglądać dzienników... Owszem, trochę antymonotonne są katastrofy i trzęsienia ziemi. Ale to za mało, za mało. Za rzadko. Starajcie się wariaci, niech się dzieje. Starzejmy się, zsuwajmy, ale niech dzieje się. Bóg wam zapłać, wariaci...

Chodzi. Taka jedna. Ile ma tych marynarek i kurtek na sobie? Z sześć. Wszystkie niezapięte. Na wierzchu trencz, poplamiony. Brudny. Zielona spódnica ciągnie się po peronie. Wózek sklepowy – ogromny żółty misiek w zielonym szaliku. Aha, zielony – to jej ulubiony kolor... Na torze pracuje szczur: wciąga do rury kawałek kolorowego papieru. Nie, za tłusty jest, duży jak kot, a rurka wąska – papier wymsknął się z pyszczka. .. Aha, wrócił... Znowu capnął papier – będzie wciągał tyłem? Chytry. Po przeciwnej stronie dudni pociąg. On pracuje. Nie boi się pociągu. Kaszlnę. O, znieruchomiał. Czujny. Aha, maszyn się nie boi. Ma rozszyfrowane. Uważa na ludzi. Człowiek może spłatać niespodziankę. Rzucić butelką na przykład.

Jest moje „GG"... Muzyka na cały wagon: dwaj wysocy-szczupli, w luźnych eleganckich kurtkach „tańczą na siedząco". Radio na kolanach. Nie, nikt nie zwróci im uwagi. Zresztą przyjemna melodia, podniecający rytm. Dużo perkusji, szeleszczącej. Tamci dwaj – na pewno Polacy, na pewno z prowincji – zerkają na młodzieńców potępiająco. A ci wybijają rytm zelówkami. Głośni – ale nie wyglądają na tłuków. Wprost przeciwnie. Studenci? Grubas naprzeciwko potrząsa głową do rytmu. Murzyn. Dziewczyna „wybija" rytm – powiekami! Tak, powieki jej drgają w rytm muzyki!

„Metropolitan", przesiadka do „LL". O, ci dwoje też Polacy. Tak, rozpoznajemy się natychmiastowo, oni też skonstatowali, żem Polak. On ze dwadzieścia pięć lat. Ona? Z pięćdziesiąt. Matka i syn czy?... Jednak nie matka i syn – ona wsunęła mu rękę pod bluzę, łaskocze po brzuchu – on przygarnął ją za szyję. W krawacie jest, chyba wracają z sylwestra.

„Elka"... Wagon pełny. Stoję przy drzwiach. Wtem: huk drzwi, wpada pierwszy, za nim gęsiego następni – przemykają przez wagon, czepiając się pionowych drążków – slalomem – tętent, okrzyki – już są w następnym wagonie... Trąba powietrzna! Tak, to była chwila grozy – wszyscy podciągnęli nogi, żeby nie „zaczepić się”. Ryzyko. Tylko te dwie Murzynki nie zesztywniały – komentują coś sobie, śmiejąc się. Na brzuchu tej ładniejszej (zerka na mnie, czemu?) aparat fotograficzny z teleobiektywem – bez futerału! Co to, lekkomyślność? Chyba niewiedza. Tak, na pewno są w Nowym Jorku gościnnie...

Oho, seria trwa, mamy następnego. Wpadł, dobiegł do końcowych drzwi – zawrócił – bełkoce – o, zerwał narciarski czepek – i kroczy! Kroczy za dużymi krokami, klepiąc się w policzek – zawrócił: spalona lewa skroń i policzek aż po szczękę, resztka ucha, dopiero teraz go rozumiem: „Patrz na moje ucho! Patrz na moje ucho!” Rozszyfrowuję drugą część bełkotu: „Nie mogę pracować – jestem zaszokowany – pomóżcie!” Potrząsa blaszanym kubkiem – przed twarzami pasażerów – zbyt natarczywie – ludzie odwracają się – u mnie przypływ wstrętu: jeśli potrząśnie i mnie przed nosem, odepchnę go na ścianę! Nasze oczy spotkały się – wyczuł – ominął... Gruba Murzynka wrzuciła mu monetę – zabrzęczało – zadowoliło. Poszedł.

Już następny – seria trwa. Olbrzym. Nie, takiego jeszcze w życiu nie widziałem. Dwa trzydzieści? Dwa czterdzieści? Ze dwieście kilo. No, sto pięćdziesiąt na pewno. W ręku butelka, naga, bez papieru. Zatrzymuje się na środku wagonu – pociągnął – zakręcił – idzie. Chyba przytomny – ale nie widzi nikogo... przechodzi... ot, kamienie my, pnie nieżywe przy jego ścieżce. Poszedł... No, przesiadka do „A” na Broadway, ale ten „Queensowy”...

Ruchome schody. Zjeżdżam – po lewej stronie twarze – twarze – twarze wjeżdżających. Co za film! Dwie Murzynki z dziećmi: ta pierwsza trzyma wewnątrz skafandra dwulatka – brzuszkiem do brzuszka... Druga przerzuciła dwu-, trzylatka przez bark, pupką ku górze. Kolana przyciska lewą ręką do piersi. Oglądam się – tułów, główka i ręce dziecka dyndają na jej plecach, dziecko chyba śpi. „Sawydżys” – mówi młody Włoch (tzn. młody człowiek o włoskiej urodzie), do mnie. Co to znaczy „Sawydżys”. Aha, „saveges”, dzicy, dzicz. Nie jestem pewien. „Nou – mówię. – Extravaganters”. Czy jest takie słowo w angielskim? Chyba nie ma, ale zrozumiał. „Nou – mówi. – Dej-a-prymityw”. Milknę. Rzeczywiście, wiele rzeczy tutaj, które miałem za wyrafinowanie, po przyjrzeniu okazywało się prostactwem. Tyle że egzotycznym.

Na peronie z dziesięcioro wyrostków: dryblas broni – jak w koszykówce – tablicy świetlnej, maluch – z pręgami wygolonymi na kędzierzawej czuprynie, w za wielkiej marynarce – usiłuje przerzucić przez ręce dryblasa kulę z gazety. Reszta kibicuje – ryki jak na stadionie – a za ich plecami, na drugiej ławce śpi na wznak starucha: głowa na jednym worze z puszkami, stopy na drugim worze jak na czarnej poduszce... Nie opodal przechadza się policjant – obwieszony na biodrach latarkami, nadajnikami. Spogląda na grających z zainteresowaniem: będzie punkt, czy nie. Jest wybuch ryku. Sprytny ten maluch. Policjant kiwa głową z uznaniem. Odchodzi. Wszystko w porządku...

Wjeżdża „A" – oho, są moi znajomi: „tańczący na siedząco". Ta sama melodia i rytm – więc to z kasety nie z radia – ale wagon inny. Sami czarni – i wszyscy roztańczeni „na siedząco", dwie dziewczyny naprzeciwko falują ramionami i taliami, piękne ich zęby w całej okazałości, kokietują młodzieńców, oni jakby chętni, hm, coś z tego będzie. Zaraz, jak się tu znaleźli? Dojechali w „GG" do Hoyt-Schermerhorn – tam przesiedli do „A" – i dopędzili „Elkę"?

A w sąsiednim sektorze czterech braci śpiących: dwóch śpi na siedząco – jeden jest bez głowy, zapiął zamek błyskawiczny kurtki aż na ciemieniu. Dwóch leży – tamten w skarpetach, a snikersy podłożył sobie pod policzek w charakterze jaśka. Zerkam. Lenistwo, beztroska w twarzach. Żadnego dramatyzmu. Jak ryby. Wydaje mi się, czy tak jest naprawdę? Może święto ich tak rozrelaksowało? Nie, w gruncie rzeczy taka jest twarz Ameryki. Usiłuję przypomnieć nastrój z autobusów i pociągów – kiedy podróżowałem dokoła tego kraju. Tak, przez pięć tygodni nie widziałem ani jednej kłótni. Ani jednej bójki. Nawet w przerażającym South Chicago...

No, moja stacja. Wysiedli sami biali – znak, że Ozone Park to ulica białych. Czarni pojechali dalej. Na Far Rockaway.

Stacja wysoko, na filarach, nad ulicą. Schodzę. Teraz w prawo czy w lewo, w którą stronę maleją numery? Zobaczymy. Już ciemno, ale domki prześlicznie oświetlone bożonarodzeniowymi girlandami. Santa Claus w saniach na dachu – dwa jelonki w zaprzęgu. Choinki w oknach. Jodełka na trawniku przed domem rozbłyska kompozycjami żarówek, zmiennymi. Och, stajenka przed domem, żłobek, trzej królowie z lewej, Maryja i Józef nad nagusieńkim Dzieciątkiem, pastuszkowie i owieczki – z prawej. Idę dalej... Ulica jarzy ozdobami, żarówkami... O, nawet kolęda – na którymś dachu katarynka czy magnetofon wyśpiewuje kolędę. Ach, ślicznie jest. Rzewnie. Tkliwie. Za tkliwie.

Ckliwie.

Chyba się wycofam, nie lubię tej śliczności – ckliwości – naiwności. Od tego oszustwa ucickam całe życie. Aż za ocean uciekłem. Tak, nie pójdę do znajomych, zaczną wspominać, łzawić, nie wytrzymam tej ckliwozgrywy – i schlam się.

Oho, numery rosną, a miały maleć. Trzeba zawrócić. W przeciwną stronę.

Z domku, przed którym stajenka, wypada dziewczyna – drzwi za nią trzasnęły – ona szarpie się z klamką furtki... Drzwi otwierają się znowu, jak wystrzał – wypada mężczyzna: leje dziewczynę z góry sznurem czy kablem, dziewczyna piszczy po każdym smagnięciu, jak gumowy zajączek po naciśnięciu. On sapie, nie krzyczy, smaga. Mąż? Ojciec?

Życie się pokazało. Jakie jest naprawdę.

On bije – ja stoję w cieniu: patrzę. Ona pojękuje.

Postoję, popatrzę aż do końca tej sceny.

Górą nad Liberty Avenue jedzie po filarach i dudni pociąg. A wysoko przesuwa się po niebie jak choineczka samolot ze swoimi kolorowymi żaróweczkami.

Egzotycznie jest. Niewiarygodnie.

Tak lubię.

Stolica stolic

Tym, co postrzegam, jest to, co wiem – napisał Jean Paul Sartre. Co zobaczy – wyobrazi, odczuje, przeżyje – japoński ekspert samochodowy, stojąc z turystycznym aparatem na ramieniu – w Kaplicy Jasnogórskiej przed słynnym naszym obrazem? Jeśli – dodajmy – nie zna ani historii Polski, ani roli tego obrazu i kultu Matki Boskiej w naszych dziejach? Czy nie będzie to dla tego Japończyka egzotyczna ciekawostka zaledwie?

Czym przejmie się, spacerując po Manhattanie, przybysz z Europy, humanista – załóżmy – klasyczny?

Eklektyzm, powie lekceważąco. Mieszanina stylów, chaos, pretensjonalność. Nowobogactwo, pozerstwo, nachalność. Miasto – jak Amerykanie: wysokie, rozrośnięte pracowite, chciwe, bogate. Ale... bez paryskiego polotu. Bez londyńskiej kultury. Miasto – nuworysz... *Codfish aristocrat.*

Ja z Europy jestem, mam się za humanistę – ale nie za klasycznego. Z wiochy ja słomiano-drewnianej, z urodzenia bardziej ja Indianin niż Paryżanin, dopiero w trzydziestym roku życia doścignąłem Warszawę, w czterdziestym – zobaczyłem Paryż. A w Nowym Jorku znalazłem się, mając aż czterdzieści cztery. I co?

Sam nuworyszem będąc, polubiłem miasto-nuworysza od pierwszego wejrzenia. Eklektyzm? A ja kto? Nie eklektyk? Nie nuworysz? A dziewięćdziesiąt procent Polaków – nie nuworysze? A świat – dziewięćdziesiąt procent świata, zwłaszcza tego trzeciego i drugiego – nie „z awansu"? Lincoln, Einstein, Picasso, Fellini, Sophia Loren, Reagan, Gorbaczow, Wałęsa, Jan Paweł II? Z kogo oni? Z Habsburgów? Skąd? Z pałaców? Nie z prowincji oni? Nie z biedy? Nie self-made-meni?

Dlatego bez klasycznych oporów czy snobistycznych skrupułów podziwiałem strzelistość drapaczy. Wielopiętrowość skrzyżowań. Bogactwo sklepów, wystaw, reklam. Różnorodność ras, urody, strojów. Och te kontrasty! Bogactwo i nędza... Arcydzieła i kicz. Nowoczesność i barbarzyństwo. Posępność dzielnic mieszczańskich i wigor dzielnic plebejskich, kolorowych. Banalna poprawność rasy białej – i fantazyjne popisy Murzynów. Zróżnicowanie świątyń, odmienność wyznań, względność kultur, filozofii, szczęścia... Zwiedzałem świat cały, wszystkie kontynenty, kraje, narody – nie wyjeżdżając z jednego miasta...

Ale z miesiąca na miesiąc, z roku na rok, miasto wsysało mnie i oplątywało: kusiło, obiecywało, oszukiwało, uzależniało. Od przytyczków i kuksańców zaczęło, przeszło na sierpowe i kopniaki. Zadłużyło mnie, uwikłało, zdegradowało: w imię walki o byt elementarny, o przeżycie, zmusiło do oślej roboty za psie pieniądze. I tak, umęczony, sponiewierany, beznadziejny, zacząłem widzieć „przez ubrania" – przez ściany wieżowców, karoserię limuzyn, elegancję wystaw, blask reklam, poprzez stroje, miny, pozy, gesty. Widziałem coraz więcej – bo wiedziałem coraz więcej. Hipokryzję i aktorstwo. Mechanizmy i filozofię tego miasta. Jego wysiłek, pazerność, podstępność, brutalność. Ale nie miałem już odwrotu, musiałem w to brnąć – już nie z ciekawości, lecz z konieczności. I wtedy znienawidziłem je za to zniewolenie, za przymus oszukiwania, gry, okrucieństwa wobec innych i siebie. Brzydziły mnie moje aktorstwo i hipokryzja, przestała fascynować ich aktywność. Tyle że po latach zacząłem współczuć ludziom, o których się ocierałem i z którymi zderzałem się w tym mieście. W końcu je zaakceptowałem. I polubiłem, na nowo – o ileż głębiej. A ono zaczęło mi się odwzajemniać.

Tajemnicą sukcesów Ameryki i amerykańskiego szczęścia jest wyścig. Walka. Nie kontemplacja, nie zaduma, nie refleksja. Szczęście jest tu pochodną zwyciężania. Życie jest wyścigiem, wieloetapowym, od przedszkola aż do grobu. A nawet... po śmierci, póki ktoś – w rodzinie, w mieście, w branży, w kraju – nie pobije naszego rekordu. Ścigać się o zwycięstwo etapowe – o medal, pieniądze, sławę. O koszulkę lidera. Później o jej utrzymanie. Kto ściga się, istnieje. Nawet jeśli przegrywa. Kto wygrywa, istnieje tysiąckrotnie – pomnożony przez gazety, telewizję, reklamy. Kto nie ściga się, zerem jest. Odpadem. Puszką po coca-coli.

Amerykanie ścigają się wszędzie – w farmach, sklepach, uniwersytetach, kościołach. W wyborach, na paradach, scenach, ekranach.

Ale są miejsca do tego specjalnie wybrane, pokazowe. Hollywood na przykład. Harvard. Las Vegas. Washington D.C.

Największym stadionem Ameryki jest miasto leżące u ujścia Hudsonu. Przyjeżdżają tu na bezlitosne „US Open" – po większe nagrody i większą sławę – zwycięzcy ze wszystkich miast i stanów, zuchwalcy z całej Ameryki. Kowboje, kaskaderzy, torreadorzy, kozacy, szpanerzy – z okrągłego świata.

Samo miasto jest wzorem amerykańskiej kariery. Kolonialna osada – zostawszy w roku 1789 pierwszą stolicą Stanów Zjednoczonych – wyprzedziła nobliwe, imperialne stolice Europy i Azji, w dwieście lat zdobywając tytuł stolicy świata! Budowle i dzielnice Rzymu, Bagdadu, Pekinu, Konstantynopola, Londynu narastały wiekami, kolejne epoki widać tam jak słoje w tysiącletnich drzewach. A najstarszy budynek Nowego Jorku – jedyny rodem sprzed Rewolucji (kaplica św. Pawła przy Broadwayu, między ulicami Fulton i Vesey) liczy dwieście dwadzieścia pięć lat zaledwie! W roku 1789 ukończono budowę Federal Hall przy Wall Street i George Washington złożył tu przysięgę prezydencką – jako pierwszy prezydent Stanów Zjednoczonych. I choć po roku przestał być stolicą, Nowy Jork właśnie – a nie Filadelfia, nie Waszyngton, nie Boston nawet – stał się najważniejszym laboratorium, głównym oknem wystawowym, niezasychającą kroniką, żywym muzeum Stanów Zjednoczonych. A także – świata. Całej cywilizacji współczesnej. I przyszłej.

To miasto ukształtowali nie królowie, nie generałowie, nie prorocy, lecz wynalazcy, inżynierowie, biznesmeni. Wynalazek E.G. Otisa (winda, 1857) rozpoczął erę wieżowców. Inżynierowie F. Olmsted i C. Vaux w latach 1857-1873 przeobrazili bagienne zarośla północnego Manhattanu w bezkonkurencyjny, wieczny Central Park. T. Edison – konstruując żarówkę, budując pierwszą hydroelektrownię (1882), opracowując system przekazywania energii elektrycznej do domów, sklepów, fabryk – zrewolucjonizował życie domowe i nocne tego miasta, ulice, komunikację, przemysł. Inżynierowie zszokowali świat, wznosząc tu w roku 1931 – u zbiegu Piątej Alei i Trzydziestej Czwartej Ulicy – w tempie cztery i pół piętra na tydzień – najwyższy budynek świata! To inżynierowie (lotnictwa) przenieśli „wrota Ameryki" spod Statui Wolności na lotniska La Guardii i Kennedy'ego. Finansiści i biznesmeni – C. Vanderbilt, A Carnegie, J.D. Rockefeller – zapisali się w historii miasta swoimi budowlami trwalej niż jego majorowie...

Rozwój Nowego Jorku jako osady kolonialnej trwał lat sto pięćdzicsiąt od przybycia tu pierwszych Holendrów w roku 1624 do Rewolucji – i przebiegał typowo. A jednak informacja, że nazwa dzisiejszej Wall Street pochodzi od kamiennego muru [ang. *wall* = mur, ściana], wybudowanego tu w 1646 roku dla obrony „miasta" przed Indianami z dzisiejszych Greenvich Village, Garment District czy Upper East Side – bulwersuje... Wśród aut i przechodniów mogą nam zamajaczyć na Piątej Alei cienie zapomnianych przodków... Ja od czasu, kiedy przeczytałem pewien fragment dziennika okrętowego Giovanniego Verrazzano, pierwszego Europejczyka, którego oczy ujrzały wyspę Manhattan, nie potrafię patrzeć z World Trade Center czy z Battery Park na południe, ku Statui, na Staten Island, Verrazzano Bridge i nie widzieć tamże sceny dziejącej się 17 kwietnia 1524:

Tubylcy wydawali się uradowani naszym widokiem, uparcie wchodzili w morze i, dziwiąc się wielce naszemu wyglądowi, gestami i głosem podpowiadali, gdzie możemy wygodniej przybić naszą łodzią do lądu, oferując nam także swoje smakołyki do jedzenia... Ci ludzie chodzą całkiem nago, przykrywają tylko miejsca wstydliwe skórkami zwierząt podobnych do łasiczek. Zawiązują też na biodrach wąskie przepaski z trawy, kunsztownie dopracowane. Niektórzy ubrani są w ptasie pióropusze. Ich włosy czarne, gęste, niezbyt długie. Wiążą je z tyłu głowy w węzeł, noszą jak warkocze. Ludzie ci są koloru czerwonobrązowego. Dobrze zbudowani, średniego wzrostu, przeważnie trochę więksi niż my. Szerokopierśni, o mocnych ramionach, ich nogi i inne członki ciała bardzo kształtne. Wyglądali na bardzo przychylnie do nas nastawionych. Ich czarne, duże oczy miały mocny, ale przyjazny wyraz...

Znaleźliśmy bardzo przyjemne miejsce, usytuowane wśród niedużych stromych wzgórz. Spomiędzy nich wpływał do morza wielki nurt wody, którego ujście było bardzo głębokie. Wpłynęliśmy łodzią w to ujście rzeki i zobaczyliśmy teren bardzo zaludniony. Ludzie ci, podobnie jak poprzedni, przystrojeni byli koguciimi piórami...

Autora tego opisu, odkrywcę wyspy Manhattan i przyszłego Nowego Jorku, cztery lata później, na Karaibach, zjedli tubylcy, na oczach jego dwu braci...

Po zwiedzeniu Muzeum Indian Amerykańskich i Muzeum Historii Natury nie mogę dziś nawet na Times Square – tym głównym skrzyżowaniu współczesnego świata – pozbyć się wrażenia, że kiedyś – niedawno – tylko dwanaście pokoleń temu – dymiły w tym miejscu indiańskie ogniska...

„Główne skrzyżowanie świata" jest konstrukcją czteropoziomową. Najwyżej krzyżują się telefoniczne, teleksowe, faksowe, radiowe rozmowy biznesmenów i dziennikarzy – między podniebnymi biurami dookoła wieżowców. Pod nimi walczą – krzyżowym ogniem kolorów i błysków – reklamy. Tuż nad ziemią konkurują frontony dystryktu teatralnego, na poziomie oczu walczą – na witryny i światła – bary, sex-shopy, kina porno, salony gier. Na asfalcie krzyżują się niezliczone rzędy aut i rzeki pieszych, odbijające się i pomnażające w szybach wystaw... Jazgoczą artyści uliczni. A pod jezdnią i chodnikami skrzyżowanie jedenastu linii metra, dziesiątki peronów, sklepiki, pomiędzy którymi i przez które przewalają się tysiące nowojorczyków... Robociarze, urzędnicy, handlarze, kloszardzi, prorocy, narkomani, złodzieje, artyści, geniusze, biedacy... Nerwowa, gorąca lawina nowojorska.

Kiedy wnikniemy w duszę Nowego Jorku i rozróżniamy już odgłosy, sygnały, znaki – kiedy jego różnorodność, gwar, tempo przestaną być migotaniną, bełkotem, chaosem – możemy przysiąść pod „lwami" na schodach Public Library, czy na jakiejkolwiek ławce któregoś dworca, peronu, wagonu, baru, przystanąć na pierwszym lepszym rogu Manhattanu i kwadransami patrzeć na widowisko życia – w zachwycie, przerażeniu, niedowierzaniu – jak na fascynujący, niewiarygodny film.

Kto potrzebuje natury, ładu, spokoju – nie wytrzyma w tym mieście. Powie: barbarzyństwo. Chaos. Bezsens. I wyjedzie.

Kto za największy cud świata uważa człowieka – jego mózg i kulturę – kto potrzebuje bodźców, aktywności, wymiany, gry, wyścigu, hazardu – ten nie da rady z tego miasta wyjechać.

Przybyły z Południa, osiadły w Harlemie murzyński poeta – nazwiska nie pamiętam, cytuję z pamięci, napisał: *Wolałbym być słupem latarni przy rogu Lenox i Sto Dwudziestej Piątej Ulicy niż gubernatorem stanu Mississippi.*

Ten róg jest najgorętszym skrzyżowaniem Harlemu.

Przybyły z Polski, od dwunastu lat osiadły nad Wschodnią Rzeką fotograf Czesław Czapliński skwitował mi powyższy cytat słowami:

Wolałbym być moim aparatem fotograficznym w Nowym Jorku niż Pałacem Kultury w Warszawie.

NYC 1991

po
Ameryce

Zachód na kilogramy

Ze dwa lata temu, w jednym w ostatnich moich „Nowojorczeń" stwierdziłem, że warto obserwować Greenpoint: za lat dziesięć Polska będzie jednym wielkim Greenpointem.

Pomyliłem się.

Pomyliłem się – o te dziesięć lat.

Już jest.

Już się zaczęło, i to ostro, lawinowo. Co?

Greenpointyzacja. Greenpointyzacja kraju między Odrą i Bugiem. Tak. Nie amerykanizacja. To może byłoby i niezłe. Ale: grynpojtyzacja. Polska już jest jednym wielkim Greenpointem.

W Ogrodniczkach, leśno-łąkowej wsi przy szosie z Białegostoku do puszczańskiego Supraśla, nad oknami drewnianej chatyny jarzy panoramiczny szyld:

Odzież zachodnia na wagę

Sklepy z odzieżą zachodnią na wagę są wszędzie: w miastach i miasteczkach, w wioskach i w stolicy. To one sprawiły, że nagle z czarodziejska cały naród polski zmienił skórę. Dosłownie. I to prawie z dnia na dzień. Dokładniej ujmując: z roku na rok.

Jest niedziela, godz. 11.30, właśnie przyszedłem z mojego rodzonego Frampola na stacyjkę w Hołówkach Dużych, kupiłem bilet do Białegostoku, stoję na peronie (peroniku). Za plecami brzezina przemieszana osiką, przede mną, za torem, pastwisko, na nim krowy, brykający cielak, koń bułany – wszystkie pyski, prócz tego brykającego, zanurzone w trawie. Dalej wieś Simuny – chaty i stodoły drewniane przemieszane z murowanymi, spośród nich wystają dumnie wsiowe wieżowce: jednopiętrowe bloko-wille (z podpiwniczeniem, oczywiście). Dalej ogromniaste sokory (to takie topole, tylko korony rozłożyste, nie strzeliste). W tych Simunach bocian uwił sobie gniazdo na słupie od elektryczności. W okolicy pełno bocianich gniazd na takich słupach. Dziwne. Nie na stodołach. Na słupach. W Pomygaczach nawet dwa takie gniazda.

Patrzę ci ja na te pastwiska pastewne, na te pola polne. A pogoda śliczna jest, rajska jest, niedzielna. Ani chmurki. Powietrze pachnące, zatykające płuca. Zdrowe. Za zdrowe.

Z krzaków wyczłapuje stadko gęsi. Szczypią trawę, coś tam pogęgują jedna do drugiej. Chyba, że smaczna, że młoda. Soczysta. Ale oglądam się ci ja w lewo. Budka. Poczekalnio-kasa. Tam czekają ci, co jadą do kościoła w Białymstoku. I ci, co jadą do Białegostoku, ale nie do kościoła. Bardzo nie do kościoła. Widzę Władka Moniuszkę, lat około sześćdziesiąt. Mój ojciec był jego chrzestnym. Rozmawia z Józkiem Woszczyłłą. Niedawno założono w Hołówkach telefony, Józef był w komitecie. Spytam, czy jest możliwe i ile by kosztowało doprowadzenie telefonu do mojej chaty we Frampolu, prawie półtora kilometra.

Podchodzę, rozmawiamy. Ale nie o rozmowę tu idzie. Miało być o grynpointyzacji.

Oto na schodku, oparte plecami o ścianę, stoją dwie dziewczyny. Na oko lat osiemnaście, dziewiętnaście. Nie znam, nie wiem, dziewięć lat mnie tu nie było, kiedy wyjeżdżałem, były siksami. A z nimi młodzian. Koło dwudziestki. Palą marlboro. Poznaję, bo jedna z nich trzyma w lewej ręce pudełko. Blondynka jest w obcisłych rajstopospodniach z lycry i w luźnej koszulce. Te rajstopy koloru różowego, w poprzeczne pręgi fioletowe i, zdaje się, żółte. A koszulka-blezerek w kolorze flagi amerykańskiej, z gwiazdkami flagowymi oczywiście.

A ta druga, o kasztanowych włosach?

Ta druga jest, po pierwsze, w białej haftowanej – ale nie z ukraińska, lecz z meksykańska – koszuli, przepasanej wielobarwną wstęgą, na węzeł. Ale to jeszcze nic. Idzie o to, co po drugie. Co widać poniżej tej koszuli. Na udach tej dziewczyny. Otóż poniżej tej koszuli oczy moje zdumione, a nawet wyraziłbym się: przerażone, widzą białe coś, obcisłe coś... coś zakończone dziesięciocentymetrową nad kolanami koronką. Kiedyś takie coś nazywało się tutaj majtkami. Tak, tak, majt-ka-mi.

Mój ojciec, gdyby żył, moja matka, gdyby żyła, i gdyby to zobaczyli, powiedzieliby, że ta dziewczyna jedzie do miasta bez spódnicy. W samych majtkach.

Obie panienki w szpileczkach. Więc nogi przedłużone. Długie. Ale nie trwóźmy się, odważnie opowiadajmy dalej.

Będzie o młodzieńcu.

Młodzieniec w spodniach jest bufiastych, koloru beżowego. Adidasy. T-shirt. Na plecach napis „NOT!". Tyłem stoi do mnie, więc nie wiem, czemu to „NOT!" się sprzeciwia, zaprzecza.

Młodzian wsadził z amerykańska obie garści w kieszenie tych bufiastych spodni. I z amerykańska pracuje żuchwą. Żuje. One palą, on żuje.

Ale to jeszcze nic. Najważniejsze będzie teraz.

Co?

Włosy! Fryzury dziewczyn, fryzura młodzieńca.

Oto blondynka ma przepiękne, puszyste i lśniące szeroko rozpuszczone i długie włosy.

A ta kasztanowa włosy ma ścięte po bokach na płask, fryzura typu długi jeż, ukształtowana jak szyszak, jak stojąca grzywa. Chyba podlakierowane.

Ale to jeszcze nic, to można przeżyć.

Znokautował mnie swoją fryzurą młodzian.

Rzecz w tym, że właściwie to on nie miał fryzury. Ostrzyżony był bowiem na rekruta, odrost trzymilimetrowy. Ale kiedy się odwrócił przodem, ujrzałem ci ja tuż nad czołem, ale nie pośrodku, tylko po lewej stronie – co? Wysepkę wielkości jak dno szklanki ujrzałem, z której to wysepki wypływał kosmyk długości może piętnastocentymetrowej, zarzucony w prawo, częściowo zsuwający się na czoło i brew.

Napis zaś na piersi zapytywał: „LOVE?" Całość więc brzmiała: „MIŁOŚĆ? NIE!"

Spytałem Władka, czy to przyjezdni? Nie, odpowiedział, tutejsi. Podał z jakich wsi, nazwiska. Jedna z dziewczyn studiuje, druga jest fryzjerką, chłopak pracuje w jakiejś agencji.

Dziewięć lat temu, kiedy wyjeżdżałem do Ameryki, takich rozwydrzeńców, a już na pewno tę „kurwę w majtkach", baby przepędziłyby w pastwiska motykami. A teraz? Co teraz?

Teraz – nic. Bo kto ma popędzić? Władek w dżinsowej bluzie i w pasiastych „zachodnich" spodniach? Józef w dżinsach, adidasach i T-shircie? Ta kobieta w „zachodniej odzieży na wagę", z synkiem wystrojonym na małego kowboja? Tamta babina na ławce, jedną ręką przytrzymująca koszyk z truskawkami, a drugą *shopping-bag*?

Tak. Coś się stało. Coś pękło. Jakaś granica została przekroczona... Nadjechał pociąg z Siedlec i Bielska Podlaskiego. W pociągu uzbierani na kolejnych przystankach i przystaneczkach podobni pasażerowie, podobnie ubrani. Po greennpoincku. Już nie trzeba jeździć z Podlasia do Greenpointu. Greenpoint przyjechał na Podlasie.

Potem pociąg zatrzymał się w Lewickich. Podobni wsiedli. Potem zatrzymał się na przystanku Białystok-Stadion. Tu część wysiadła. Gdy pociąg stał, wpatrzyłem się w leżące po drugiej, nie-peronowej stronie puszki, poniewierające się w trawie. Na jednej było napisane *7UP. Seven up*. Na drugiej *Coca-Cola*. Na innej *Mirinda*. Na papierosowych pustych pudełkach: *Marlboro, Mars, Camel*.

Jakbym był w Mc Carren Park na Greenpoincie.

A potem Białystok Centralny – dworzec kolejowy sprzed lat stu dwudziestu, zbudowany przez carów na miarę tamtego rozpodróżowania między Warszawą i Petersburgiem: niski jak barak, ciasny jak barak. Od 1945 roku stacja prowincjonalna, rozwidlenie trzech dróg objających się o wschodnią kurtynę. Dziś – dworzec międzynarodowy, obsługujący gości z Litwy, Łotwy, Estonii, Rosji, Białorusi.

A na tym dworcu?

A na tym dworcu nieprawdopodobne zagęszczenie „Ruskich" – tak się ich tu hurtem nazywa. Ruskich – handlarzy. Powtórzenie polskiego handlarstwa sprzed lat kilku i kilkunastu, od czasów gierkowskiego otwarcia w ramach RWPG, kiedy to Budapeszt, Berlin, Praga zaszczurzone były polskimi – pazernymi, chytrymi, bezwstydnymi – znawcami przelicznika walut, relacji cen. Geniuszami od „co – dokąd – wieźć, co – skąd – przywieźć".

Byli pionierami nadchodzącego polskiego kapitalizmu. Większość z nich ma dzisiaj prywatne supermarkety i „byznesy". Biznesmeni. Niemało okazało się – aferzystami, często szanowanymi, takimi którym się zazdrości, albo których nienawidzi. Niektórzy zostali dyrektorami departamentów, a nawet ministrami.

Poczekalnia dworcowa, kawiarnia, perony zatłoczone tym wschodnim koczowniczo-handlującym ludem i ich plecakami, walizami, torbami, worami, wózkami. Jedni siedzą na tych worach, inni leżą, odpoczywają, śpią bezpośrednio na betonie, z tymi swoimi walizami pod głową.

Ale jak są ubrani ci najeźdźcy ze Wschodu? Czy w kołchozowe fufajki, robociarskie kombinezony, breżniewowskie garnitury?

O, nie! Ci Hunowie już się przebrali w „odzież zachodnią na wagę". Wielu brawurowo (ach, ta śliczna „blondyna z Tallina", zaczepiłem), niektórzy za brawurowo (ten dwudziestolatek w kolarskich obcisłych spodenkach, eksponujący instrumentarium, plus zapaśnicza koszulka, plus bransoletka, kolczyk w uchu, włos ufryzowany i ufarbowany na siwo-niebiesko; zaczepiłem „odkuda" – odpowiedział: Petersburg).

I właśnie oni, „najeźdźcy ze Wschodu" stanowili połowę lub więcej pasażerów pociągu pośpiesznego do Warszawy, odjeżdżającego z Białegostoku o 17.20.

Pociąg zatrzymuje się w Łapach, Szepietowie, Czyżewie, Małkini i Tłuszczu, jedzie do Warszawy Centralnej trzy godziny. Elektryczny.

Jak się już rzekło, niedziela była. I – nieprawdopodobne – na wszystkich wymienionych przystankach – powtórzył się pewien, ten sam, motyw.

Idzie o mężczyzn i chłopców. Ale jakich!

Idzie o stojących z amerykańska, w niedbałym rozkroku, z łapskami w kieszeniach i poruszających szczękami. Jak tamten na stacyjce w Hołówkach... Karykatury.

Amerykanizacja? Nie. Grynpojtyzacja. Pośpieszne małpowanie Ameryki. Przebieraństwo i małopowanie.

Co robić, żeby kraj między Odrą i Bugiem nie stał się parodią Ameryki, myślałem od Łap do Wołomina, od Wołomina do Warszawy Centralnej...

Tak, import i reklama szamponów zmieniły urodę Polek, piękne, puszyste i lśniące włosy mają dziś dziewczyny i w Warszawie, i w Łapach, i w Hołówkach. Urozmaiciły się spodnie, sukienki, koszule, kurtki, buty, płaszcze, kapelusze. To dobrze. Tak barwniej jest, weselej jest, wolnościowo, luzowo jest.

Bary i sklepy przekształcają się w puby i shopy. I nie są puste, i nie są brudne. Bogato jest, czysto jest, uprzejmie jest.

Są „punkty" w Warszawie, gdzie nie ma już szyldów po polsku. Są – po angielsku. Dlaczego nie po niemiecku? Nie po francusku czy szwedzku? Przecież Berlin, Sztokholm, Paryż za drzwiami, a Nowy Jork, a Ameryka – za siedmioma morzami.

Ale czy naprawdę po angielsku? Nie! Tak naprawdę te napisy nie po angielsku są, ale po... amerykańsku. Bo w Polsce zachodzi amerykanizacja, nie europeizacja.

Dlaczego – amerykanizacja?

Skąd ten kult Ameryki, choć do Ameryki osiem godzin samolotem, a do Berlina godzina samochodem, do Wiednia samochodem parę godzin, do Rzymu, Paryża parenaście?

Odpowie na to pytanie każdy, nawet ostatni matoł, jeśli przesiedzi przed telewizorem dwie doby.

Jedną – oglądając program pierwszy.

Drugą – oglądając program drugi.

Tak, właśnie: prawie wszystkie filmy są amerykańskie. Filmy włoskie, francuskie, brytyjskie i polskie razem wzięte zajmują czasowo może połowę tego, co amerykańskie. A już filmów naszego zachodniego sąsiada – niemieckich – całkiem nie ma.

Czyli w gruncie rzeczy oglądanie telewizji w Polsce czym jest?

Oglądanie telewizji w Polsce w gruncie rzeczy podglądaniem Ameryki jest. Amerykańskich szyldów. Samochodów. Strojów. Fryzur. Jedzenia. Picia. Gadania. Zarabiania. Kochania. Strzelania...

W poniedziałek poszedłem ci ja do mojego banku na Ochocie, który rok temu został przeniesiony o kilkadziesiąt metrów w kierunku Centrum i przylega do hotelu „Sobieski". Skromny bank sprzed roku został zamerykanizowany. Z socrealistycznego przeistoczony w kapitalistyczny, amerykański. Entrance. Push. Pull. Exit. Szkło, marmury, komputery. Pracownicy w uniformach. Na klapach plakietki z „I.D.". Elegancja. Gdzież greenpoinckim „Citibank", „Chemical Bank" czy „Credit Union" do tego luksusu i wystroju.

Pośrodku, między tymi szkłami i marmurami, niecierpliwił się tłumek. Na stojąco. Z pięćdziesiąt osób. Coś tam zacięło się w komputerach, zablokowało w kasach. Jedni stali – stoicko. Drudzy krążyli nerwowo, jak grzybiarze. Najmniej odporni klęli. Powtarzało się: „Nakupili tych marmurów za nasze pieniądze!" „Nic się nie zmieniło". „Przedtem czekałeś na betonie, teraz czekasz na dywanie", „Złodzieje!", „Europa, psiamać!"

Najgorsze, że dla tych pięćdziesięciu ludzi przewidziano do czekania-siedzenia tylko jedną kanapę. Na sześć osób.

Przy ścianie stała wysoka, wąska elegancka skrzynka: na listy od P.T. Klientów do P.T. Banku. Starszy pan, nobliwy, ale naładowany wściekłością, stanął przed nią i wpatrzył się nienawistnie...

I, zgadnijcie, co zrobił? Zapewne pomyślicie, że wyjął długopis i notatnik, wyrwał kartkę – napisał na niej coś obraźliwego czy obelżywego – i wrzucił?

O, nie, ten czas już minął. Ludzie są zmęczeni czekaniem...
Starszy nobliwy pan rzucił się z okrzykiem „A niech was cholera!"
na tę skrzynkę – mozolnie przechylił – położył poziomo na dywanie
i ... usiadł. I roześmiał się, zwycięsko, ale i szyderczo. Jak na belce
usiadł. Natychmiast przyskoczyło do belki ze swoimi tyłkami następnych czterech męczenników. Skrzynka aż jęknęła.
Pomyślałem: z tą naszą amerykanizacją może być jak z tą skrzynką.

Frampol, 1991

Byłem szczuropolakiem

Z Edwardem Redlińskim rozmawia Zdzisław Pietrasik

W połowie lat siedemdziesiątych pan – pisarz wówczas ceniony, nagradzany i modny – powiedział w wywiadzie dla „Kultury", że gdyby nie socjalizm, pasłby pan krowy nad Narwią...

Tak. Miałem odwagę narazić się tak zwanemu środowisku wtedy, mam odwagę powtórzyć to teraz. Szczęściem każdego z nas – i nieszczęściem – jest pamięć. Kto chce, niech fałszuje swoją pamięć, ja mojej nie będę. To mój skarb. To – ja. Moja pamięć jest rówieśniczką Polski Ludowej. Pamiętam już Niemców, Rosjan, partyzantów, kolektywizację, śmierć Stalina. Ale pamiętam i harówkę na gospodarstwie, ciągłe półgłodowanie. Do ogólniaka dojeżdżałem pociągiem, pierwszy posiłek jadłem po powrocie o piątej wieczorem. Maturę zdawałem przy lampie naftowej. Kiedy wróciłem z Warszawy, z egzaminów wstępnych na Politechnikę – już była elektryczność.

Zupełnie jak w „Jasnych łanach"

Nie widziałem. Może nie były złe? Niedawno czytałem „Traktory zdobędą wiosnę" i „Piątkę z ulicy Barskiej". Doprawdy, świetnie napisane.

„Jasne łany", też socrealizm, i to w najczystszym wydaniu: w ostatniej scenie zapala się we wsi światło i wszystko dobrze się kończy. Łatwo mógłby pan odejść od tego schematu, mówiąc: sobie też coś zawdzięczam.

Jednostkowe wyjątki zdarzały się zawsze. Epiktet – z niewolnika filozof. U nas Klemens Janicki – z chłopa feudalnego poeta. Kasprowicz. Witos. Rydz-Śmigły. Ale Polska Ludowa to awans milionów Janickich i Redlińskich, zjawisko masowe, statystyczne. Moi dwaj bracia i ja nie ukończylibyśmy studiów, gdyby nie stypendia i akademiki.

Czy miejsce urodzenia określiło pana jako pisarza?

Geny genami, ale każdy życiorys zależy od miejsca i czasu urodzenia.

Co ze wsi ma pisarz Redliński?

Pamięć, doświadczenie, zaznanie innej kultury. Gdybym urodził się dziesięć lat później albo w mieście, niewiele bym o niej wiedział.

Na czym polegała jej odmienność?

Wzrastanie w pracy i w naturze: pod niebem i na ziemi. Świadomość powagi życia, to jest rodzenia się i odradzania, cierpienia, umierania – miałem od kołyski. Rety, zarzynanie świń, gęsi, cieląt, sprzedawanie krów, koni – którymi się opiekowało, z którymi się przyjaźniło. Nawet ścinanie zaprzyjaźnionych drzew... Siewy, sadzenie, żniwa, wykopki. Jednym z najstraszniejszych moich wspomnień są burze. Strach wionął nie tyle od pioruna, co od ojców i matek modlących się przed pożarem. Kiedy miałem lat dziesięć, marzyłem o mieście, bo tam nie zarzynano zwierząt i były piorunochrony.

A potem? Czym wabiło miasto? Dlaczego chciał pan uciec ze wsi?

Żeby uciec od idiotyzmu przymusowej pracy fizycznej w gospodarstwie. Miejskie dzieci miały po szkole wolne, miały ferie i wakacje. Nawet jeździły na kolonie. Moją pierwszą w życiu Ameryką było Miasto. Pierwszą – i ważniejszą, i trudniejszą niż ta druga. Obserwując w Nowym Jorku imigrantów – polskich i niepolskich – skonstatowałem, że przypominają mi instalowanie się kiedyś w mieście moich krewnych i znajomych. Podobne pomieszkiwanie – miesiącami i latami – w podmiejskich szopach, komórkach. Walka o zameldowanie. Start od najgorszej pracy, potem kursy i przekwalifikowywanie się. Mordercze oszczędzanie. Strachy, kompleksy, oduczanie się gwary, uczenie się poprawności kulturalnej w mowie, stroju, zachowaniu. Ja moją pierwszą Amerykę zdobyłem dopiero w trzydziestym roku życia.

I w 1984 pojechał pan do Nowego Jorku zobaczyć to jeszcze raz?

Moim celem była nie Ameryka, ale najbardziej miejskie miasto świata. Jechałem po wrażenia potrzebne mi dla doszlifowania powieści o mieście, która miała kończyć tryptyk: „Konopielka" – „Awans" – „Bazar". Pojechałem na sześć tygodni – nawet bez marynarki, bez zapasowej koszuli. A uwikłałem się na siedem lat i jedenaście dni. Zaplątałem się...

Na czym owo zaplątanie się polegało, jeśli nie jest to osobista tajemnica?

Ciąg pechowych – a może opatrznościowych – przypadków i pomyłek. Pierwsze obrabowanie, fizyczne, przeżyłem już czternastego dnia. Na Bronxie. Murzyni. Drugi rabunek, o wiele poważniejszy, na Greenpoincie. Aktor z Krakowa. Te początki opisałem w „Dolorado" i w „Tańcowały dwa Michały". Książka lada dzień w księgarniach. Następny ważny przypadek: prezent z jasnego nieba, prosto do skrzynki pocztowej – zaproszenie na trzymiesięczne stypendium do Uniwersytetu Iowa. Potem sześciotygodniowa podróż dokoła USA, zobaczenie najsłynniejszych widoków, obwąchanie najsłynniejszych miejsc. Euforyczny, lekkomyślny ślub w Las Vegas. Kradzież pieniędzy i dokumentów w dyskotece w Nowym Orleanie – na trzy dni przed odlotem do Polski. Fascynacja, chyba wzajemna... walka o byt, o przetrwanie małżeństwa, dwa podejścia biznesowe, szarpanina, pożyczki, długi. Wyplątywanie się z małżeństwa, z wydawnictwa, z Ameryki, z długów. Z miesiąca na miesiąc, z roku na rok.

Wyplątywanie się musiało trwać aż tyle lat?

Chciałem przecież wyjechać honorowo. A nie mogłem wyjeżdżać zadłużony: przy ówczesnym przeliczniku spłacanie amerykańskich długów zarobkami krajowymi byłoby samobójstwem: pięćdziesiąt pensji krajowych za jedną tysiącdolarową pensję amerykańską? Sprawę komplikowało mi i to, że publicznie przyrzekłem, że nie tknę w USA ścierki, szmaty ni łopaty. Cha, cha, cha! Mówiłem: raczej napadnę i okradnę niż to.

Byłby pan do tego zdolny?

Och, koszmar. Wyjąwszy niektóre dni i tygodnie – siedem lat koszmaru! Nielegalność. Lęk przed deportacją i eksmisją. Trzy razy znalazłem się z rzeczami na chodniku i to bez dolara przy duszy. Włamałem się i ukradłem tylko raz. Trzysta dolarów. Potem oddałem. Nawet obrabowałem Murzyna w Central Parku. Siedemnaście dolarów. Ale on chciał mnie obrabować pierwszy. Wykopałem na Queensie, pod torami do Long Island, kryjówkę w nasypie kolejowym, żeby mieć swoją wilczą jamę dla odetchnięcia od ludzi. W Nowym Jorku strasznie trudno o osobność, najnędzniejsza kawalerka kosztuje czterysta dolarów, dlatego trzeba wynajmować z innymi. Kilka razy, ostatkami rozsądku, urżnąłem się do nieprzytomności, żeby przeczekać, nie pójść na tory. Wystarczy?

Bardzo to odbiega od krajowych wyobrażeń o sukcesach naszych artystów na Zachodzie...

Prócz nielicznych wyjątków, obdarzonych geniuszem, jak Gombrowicz, Miłosz czy Mrożek, lub obdarzonych wybitnym talentem biznesowym czy towarzyskim – pozostali giną, obumierają. Dlaczego? Wyniszcza po prostu ordynarna, wulgarna walka o byt. O przeżycie. Ona pożera dziewięćdziesiąt procent nerwów i czasu. Czyż ja mogłem napisać cokolwiek istotnego tam – w tamtej szamotaninie, w narastającej nerwicy? Marzyłem o jednym: wyżyć, spłacić, wrócić.

Ostatnio wypowiadali się w „Polityce" – o ewentualności powrotu – ci, którym się udało. Czytał pan?

Uczestnicy ankiety nie spełnili obowiązku prawdy – a taki obowiązek jako osoby publiczne mają, wszak stanowią wzór i podnietę dla osiemdziesięciu procent naszej marzącej o wyjeździe młodzieży... Wymigują się co najwyżej enigmatycznymi ostrzeżeniami.

Jak pan sądzi, dlaczego nie wracają?

Pomińmy wielkości uznane i potwierdzone, takie jak Miłosz czy Mrożek. Mówmy o pomniejszych. Nie wracają, bo boją się przekłucia ich zmitologizowanych balonów – w realnej Polsce. Mówię o tym, bo ten lęk znam, bo go przeżywałem. Trzeba dużej odwagi, by go pokonać. Ta. nieunikniona ciekawość krajowych kibiców, przycinki, plotki... Pękł? Nie dał rady? Przegrał? Dlaczego wycofał się z wyścigu...? Bo każdego co bardziej znanego Polaka, który pojedzie na Zachód, rodacy w kraju traktują jak konia wyścigowego. Tak, mnie bez przerwy podpuszczano, zaganiano, żebym się ścigał. Żebym się ścigał z Kosińskim, Kapuścińskim. Z Głowackim. Z Czeczotem. Z Passentem. I z innymi. Konsekwentnie wymigiwałem się od wywiadów dla krajowych gazet. Odmawiałem, bo gdybym mówił prawdę o sobie i o Polakach w Ameryce, to by mnie w Nowym Jorku zlinczowano. A kłamać – nadymać balon – przerabiać, jak to czynią prawie wszyscy, swoje sukcesiątka i sukcesiki na wyczyny i triumfy, nie mogłem i nie chciałem.

Czy nie przemawia przez pana gorycz faceta, któremu się nie udało?

Ależ udało mi się! Moim największym sukcesem jest to, że wróciłem. Że dałem radę wrócić. I że wróciłem – prawie normalny. Że w Nowym Jorku spotkałem kobietę, z którą rozwiodłem się dwadzieścia pięć lat przedtem, i że zdarzył nam się w piękno-strasznym Nowym Jorku cud powtórnego, już dojrzałego i głębokiego uczucia. Wróciliśmy razem. Pobraliśmy się powtórnie. I jesteśmy razem. Moim wielkim sukcesem jest to, że wytrwałem w moim absurdalno-dumno-polskim postanowieniu i nie zniżyłem się do amerykańskiej szmaty ni łopaty. Żyłem w nędzy, za nędzne honoraria, ale – z pisania. Nie sprzeniewierzyłem się sobie. Tak, to najważniejsze. Nie wziąłem azylu politycznego, choć mi proponowano. Nie wziąłem azylu małżeńskiego, byłem na to za dumny. Nie pojechałem na zwierzenia do wpływowych polityków w Waszyngtonie – choć mnie zapraszano. Odmówiłem tłumaczenia i wydania po angielsku „Konopielki" i „Dolorado" – choć to bardzo by mi pomogło żebrać o stypendia, a także nadymać balon wobec kraju. Nie dałem się wsadzić do antykomunistycznej armaty.

A chciano pana wsadzić?

Każdy z wielkich Polaków na Zachodzie, z papieżem włącznie, korzystał z antykomunistycznej podpórki. Jeden Gombrowicz może nie... Dlaczego nie korzystałem z takich okazji? Bo nie dałbym rady, nawet gdybym się zaparł. A nie dałbym, bo to sprzeczne z całym moim jestestwem. Z moją pamięcią. Z całym mną. Jestem człowiekiem delikatnym, w życiu – nieśmiałym, w środku – prostolinijnym. Do tego bardzo dumnym... Dlatego tak od pierwszej przeczytanej stronicy pokochałem Edwarda Stachurę. Takim żyć jest bardzo trudno. Do tej dumy, do nieodzownego poczucia godności – potrzebna mi jest wierność sobie. Ameryka była mi koszmarem, bo nie mogłem być sobą. I oto: wróciłem. Do siebie. Znów jestem u siebie i sobą. Ja. Znowu – JA! Nareszcie mam swój kąt. Pewność jutra. Legalność i pełnoprawność bytu. Znów mogę pracować w moim powołaniu! Inni przywożą z Ameryki kilogramy dolarów – ja przywiozłem walizy książek, gazet, wycinków, notatek, rękopisów. I... tonę pamięci! Głowę rozsadza mi nadmiar mojego kapitału: te siedem lat surowca! Jakbym wrócił z siedmioletniej „delegacji". Pierwszy etap za mną. Udało się. A teraz drugi, może trudniejszy: uporządkowanie pamięci. Zacząłem od czynności – od utworów – prostszych, to jest wspomnieniowo--dokumentalnych. Lada dzień wyjdą „Szczuropolacy" i „Dolorado". Wkrótce następne utwory. Coraz głębsze.

O Polakach w Ameryce?

To zrozumiałe, że o Polakach. O Włochach pisze Mario Puzo, bo jest Włochem. O Żydach – Żydzi. O Rosjanach – Rosjanie.

Więc dalej Greenpoint?

Tak. Cztery lata temu napisałem: „Warto obserwować Greenpoint. Za dziesięć lat Polska będzie jednym wielkim Greenpointem". Ale – pomyliłem się. Nie za dziesięć. Już jest.

Co to jest „Greenpoint"?

Polskość po amerykańsku. W amerykańskim kapitalizmie. A to, co się teraz dzieje w Polsce, to Ameryka po polsku.

Pan z niej wyjechał, a ona dopadła pana w Polsce? Pech.

A dopadła. Fałszuje mi bliskich, rodzinę, znajomych, telewizję, kino, ulice – wpieprza mi się w moje życie – zaczynam żyć w obcym mi, nie moim świecie. Zresztą nie o szyldy, gadżety, modę idzie – to każdy widzi. Istotniejsza i niebezpieczniejsza – ta amerykanizacja głów. Zwłaszcza że zdezorientowanych po rewolucji ustrojowej i ideowej. Amerykanizacja myślenia. Dolaryzacja wartości. Tam wszystko przeliczają na pieniądze. Pracę, talent, urodę, seks, miłość, twórczość, wolność. I my przyjmujemy – już przyjęliśmy – te amerykańskie tabele. Już i wykształcenie, i fakultety oceniamy podług opłacalności. Mało tego: nie wiemy, czego chcemy, jacy jesteśmy – i przystaliśmy na to, żeby oceniał nas Zachód. Zachodni eksperci, recenzenci, jurorzy. Oni wystawiają nam punkty i stemplują nas za politykę, gospodarkę, rolnictwo, filmy, książki, urodę, modę, obyczaje. Zaczęliśmy pracować, ubierać się, tworzyć – pod Zachód. Walczymy o ich stopnie i nagrody. Krótko mówiąc: tak tańczymy, jak nam zagrają.

A co się stało z naszą inteligencją? Jak pan ją znalazł po powrocie?

Nie ma autorytetów. Ni osób, ni instytucji. Nie ma Kotarbińskiego, Tatarkiewicza, Iwaszkiewicza, Andrzejewskiego, Łomnickiego. Wajda strącony. Bereza internowany. Nie ma Wydziału Kultury KC, ale i nie ma Ministerstwa Kultury. Ograbione. Nie ma „Kultury", „Literatury", „Życia Literackiego", „Tygodnika Kulturalnego" i nie ma nic lepszego ani zamiast. Dogorywają „Dialog" i „Twórczość". Nie ma cenzury, to dobrze, ale hula pornografia i chamstwo. „Życie Warszawy" i inne dawniej szanujące się pisma ociekają burdelowymi ogłoszeniami; rzecz nie do pomyślenia nawet w amerykańskich – szanujących się – gazetach, od tego są pisma specjalne. Telewizja? Zamerykanizowana poza granice mojej wytrzymałości, prawie nie oglądam. Te seriale, kryminały, horrory, brrr! Tak, hamburgeryzacja kultury, mody, obyczajów. Kompletne zaczadzenie, zagubienie samoświadomości i tożsamości. Powszechne samozakłamanie.

Może pan podać jakieś przykłady?

A choćby wspomniana ocena Polski Ludowej. Większość narodu zgodziła się na zafałszowanie swoich ojców lub dziadków, i siebie. Dwóch ćwierćwieczy. Dwóch pokoleń. Ja, który przeżyłem w tej ludowej Polsce całe dotychczasowe życie – i to przeżyłem najuczciwiej i najbardziej pracowicie, jak mogłem – mam się wstydzić mego życia? Mam się zgodzić, żeby lustrowali mnie jacyś faceci, dlatego że wypisywali hasła w ubikacjach? Wykreślają z historii narodu całą epokę – i to epokę najefektywniejszą – za błędy i wypaczenia? Przepraszam, a kiedy nie było błędów, wypaczeń i przestępstw? Przed wojną? A teraz... nie ma? Pamięci nie da się oszukać, ni jednostkowej, ni zbiorowej, wyparte urazy powracają chorobą. Nerwicą jednostkową lub zbiorową. Na skrywany uraz w życiorysie czy w historii nie ma innej rady, niż wydobyć go i zrozumieć. Czyli – rozbroić.

Mówi pan, że amerykanizacja jest wrogiem polskości. Co to jest polskość? Teraz?

Dla jednych to, co przeszkadza być Zachodem. Dla innych – przeciwieństwo Zachodu, podobnie jak przedtem przeciwieństwo komunizmu.

Definicja przez negację? A wzór pozytywny?

Polskie jest tylko to, co niepowtarzalne w innych narodach. Ta niepowtarzalność jest naszym wyróżnikiem z uniwersalności. I naszym atutem. Jak niepowtarzalność, odmienność mojego osobistego życiorysu jest moim wyróżnikiem i atutem pisarskim.

Co mogłoby być polskim atutem dzisiaj, w roku 1994?

Niepowtarzalny nigdzie splot pańszczyzny, katolicyzmu, szlachetczyzny i komunizmu. Czyż owocem tego splotu nie jest fenomen Lecha Wałęsy? Trudniejszym, bardziej fascynującym – Wojciech Jaruzelski? A co ukształtowało Jana Pawła II? A Feliks Dzierżyński – jako przeciwstawna „czarna" wersja syndromu polskiego? Składniki te same, choć w różnych proporcjach, z przeciwnymi znakami.

Czytelnik wznowił ostatnio „Konopielkę", która była jednym z największych bestsellerów lat siedemdziesiątych. Przeczytał ją pan na nowo?

Musiałem. Robiłem korektę.

I podoba się panu po latach?

Tak. Ma szanse się ostać. Chciałbym moje następne książki napisać z taką precyzyjną prostotą. Inna rzecz, że do tego formalnego wynalazku szedłem długo. Książkę pisałem sześć lat. To była wersja szósta.

Wielu odbierało „Konopielkę" jako humoreskę, a pan, zdaje się, napisał coś innego?

I nie mylili się. Włożyłem w nią dużo humoru. Ale nie mylili się też ci, którzy czytali ją jako dramat. Wszystko – i narodziny, i wesele, i pogrzeb – jest i śmieszne, i tragiczne. To zależy od bystrości oka.

Jak przyjmują pana w wydawnictwach – po tak długiej nieobecności?

Dobrze. Pamiętają. Inna rzecz, że przyjechałem z atrakcyjnym gorącym tematem. Ameryka, amerykanizacja.

O czym będzie ta trzecia, zapowiadana w Czytelniku powieść?

Oczywiście o amerykanizacji. Ale rozgrywa się już nie w Nowym Jorku, ale tu, nad Wisłą.

Wypowiedział pan wojnę Ameryce?

Nie tyle Ameryce, co naszym wyobrażeniom o Ameryce, Amerykanach i o amerykańskim szczęściu. Kto pójdzie na „Listę Schindlera", niech zastanowi się, dlaczego Amerykanie obsypali ten film Oscarami. Bo w Ameryce o każdy sukces, a zwłaszcza o dobro, walczy się tak właśnie, jak walczył Schindler: wielopiętrowo, wszystkimi metodami, podstępem, korupcją, chytrością także. Ni doktor Korczak, ni ojciec Kolbe nie nadają się Amerykanom na idola. Brak sukcesu. Biorąc po amerykańsku: pierwszy nie ocalił ni dzieci, ni siebie. Drugi – jedno życie ocalił, ale jedno stracił. A Schindler? Ameryka oczywiście nie jest Oświęcimiem, ale też jest brutalna, okrutna, bezwzględna. Wymaga nieustającej gry, stalowych nerwów i życia w zakłamaniu. Dlatego właśnie nie jest moim ideałem. Ale Polska – i to bardziej niż jakikolwiek kraj na świecie, przyznał to nawet ambasador USA przed paru laty – jest rozkochana w Ameryce. Wręcz – zaczadzona. Inna sprawa, że ten kraj ma genialną moc mitotwórczą. Przygotowuje sobie wyznawców, fanów – i klientów – od kołyski. Pieluchami amerykańskimi, filmami Disneya, gumą do żucia, dżinsami. Potem rockiem, serialami. I tak dalej. Amerykanie są geniuszami kultury masowej. Od indoktrynacji, reklamy i urabiania mas. A elity urabiają jeszcze inaczej.

Jak urabiają, jeśli pan wie, że urabiają?

Stypendiami, nagrodami, doktoratami, honorariami...

Wygląda na to, że dostrzegł pan w Ameryce nowe wcielenie „Imperium zła"?

O nie! Ameryka jest krajem straszno-wspaniałym. Wśród kiczu, banału, cywilizowanego konsumeryzmu jarzą enklawy najwyższej kultury. Uniwersytety, filharmonie, muzea, instytuty! Było nie było, to Amerykanie wyprodukowali komputery. Wiele pozytywnych zmian w kraju i na świecie zawdzięczamy Ameryce, to oczywiste. Ale my przyswajamy Amerykę od końca. Od tandety. Od pornografii, gangsterstwa i gadżetów.

Już teraz jestem pewien, że nigdy nie polubi pan Ameryki.

Ameryka jest bardzo podobna do swoich symboli. Weźmy dla przykłady Michaela Jacksona, Marilyn Monroe i Kennedy'ego. Uosobienia bogactwa, sławy, sukcesu. Ale gdy przebić się przez ich publiczny

„image", zastanowić nad ich prywatnym, prawdziwym szczęściem? Jackson. Milioner, gwiazda – ale infantylny, spustoszony uczuciowo chłopczyk. Monroe – zagubiona, nieszczęśliwa narkomanka. Prezydent – spadkobierca aferalnego majątku, erotoman, niegodziwy mąż. Ja w Ameryce siedem lat podglądałem-szpiegowałem amerykańskie szczęście. Nie podoba mi się ono. I nie życzę go ani sobie, ani moim rodakom i czytelnikom.

Dziękuję za rozmowę.

Przepowiednia

Kto serio zastanawiał się nad stanem i trendami dzisiejszego świata, a zwłaszcza kto spróbował Ameryki i kogo Nowy Jork grzmotnął między oczy, musi stwierdzić, niestety, że:

Cały świat będzie Ameryką!

Nie ma ucieczki od Ameryki i amerykanizacji!

Cywilizacja amerykańska zdominowała już pół świata i ukierunkowała rozwój ludzkości na stulecia. Przedostatni konkurencyjny bastion padł na naszych oczach (ZSRR), ostatni padnie wkrótce razem z naftą (islam).

Wyprawa do Ameryki dziś, to coś jak wycieczka do Polski 2010, Rosji 2015, Chin 2020, Iranu 2030, Indii 2050.

Każdego zachęcam do takiego „wehikułu czasu". Dozna olśnienia! I zmusi siebie do życiowych decyzji. Po Ameryce nie sposób żyć tak jak przedtem. Siedem dróg przed Tobą:

1. Być może pokochasz Amerykę. Oszołomi Cię, uwiedzie, odmłodzi, zaktywizuje, rozpali. Jeśli tak, skręcisz „w Amerykę" – włączysz się do amerykańskiego wyścigu o pieniądze, rekordy, sławę, przygodę.

2. Ale możesz założyć jedynie bazę w Ameryce, a do Ojczyzny (Polski, Rosji, Chin...) dojeżdżać, i – stawszy się apostołem amerykanizacji – żyć z amerykanizowania Ojczyzny. I to żyć świetnie, bo dyskontować będziesz amerykańskie *experience* i wyprzedzenie. Żyć tu i tam – pół roku tu, drugie pół tam.

3. Możesz powrócić na stałe. I powołując się na sukcesy w Ameryce, autentyczne lub rzekome – imponować, awansować, inkasować.

Ale zdarzą się tacy, których Ameryka rozczaruje. A nawet – zbrzydzi. Wracają tacy. Niestety: z deszczu pod rynnę. W ojczyźnie – potop. American-potop. Amerykanizacja.

Co teraz?

4. Możesz okopać się z podobnymi sobie sceptykami w jakiejś wyniosłej enklawie – przyjmować „zarazę" amerykanizacji selektywnie („kompakty tak, filmowy chłam nie") – a nawet głosić szlachetne ostrzeżenia antyamerykańskie, a nawet żyć z tego...

5. Możesz zachorować na antyamerykanizm. Uważaj. To paranoja. Gorsza niż antykomunizm.

6. Uświadomiwszy daremność oporu, możesz uciec z pseudoamerykańskiej Ojczyzny. Dokąd? Najlepiej... do Ameryki, prawdziwej. Tak, do Chicago, Los Angeles, Nowego Jorku. Żyć wśród Amerykanów, ale „po swojemu".

7. A nawet „pokochać Amerykę siłą woli" i wybrać drogę jak w pkt. 1. Jak już, to już!

Moja wyprawa do Ameryki trwała lat siedem. Po powrocie wybrałem sobie szufladę Nr 4. Tkwię w niej piętnasty rok. Aż. Ale czasami oglądam się na szufladę Nr 6.

Obmyślam szufladę nową. Ósmą.

2006

Ostatnie słowo

Trochę w życiu eksperymentowałem.

Siedmioletnia wyprawa do Ameryki była dla mnie eksperymentem najtrudniejszym. Drugi raz bym się tego nie podjął.

Pytany o najkrótszą ocenę Ameryki od paru lat odpowiadam niezmiennie: Fascynacja i Obrzydzenie.

Fascynacja – zoologią indywidualizmu.

Obrzydzenie – tym samym.

Wyjeżdżałem z Nowego Jorku w 1991 r. z przekonaniem, że jeszcze tam wrócę. Nawet w tym celu zdobyłem – na miesiąc przed wyjazdem – *green-card* (na podstawie tak zwanej amnestii Reagana dla tych, którzy przybyli do USA przed 22 lipca 1984; ja przybyłem 14 lipca...)

A jednak nie udało mi się już zobaczyć NYC, choć – przyznam – śnił mi się wiele razy, jako fascynujące ZOO ludzkości.

Chicago, San Francisco, Los Angeles, Nowy Orlean, ani prowincja – nie (za)chwyciły mnie.

Nowy Jork – tak!

Wyznaję: gdyby nie organiczne przywiązanie do wsi Polska zamieszkałbym w mieście New York.

Warszawa, 2006

Spis treści

Spis treści